Ludwig Thoma
Münchnerinnen

Ludwig Thoma

MÜNCHNERINNEN

Roman

Textrevision und Nachwort
von Bernhard Gajek

Piper
München Zürich

ISBN 3-492-03161-7
3. Auflage, 10.–14. Tausend 1987
(1. Auflage, 1.–5. Tausend dieser Ausgabe)
© R. Piper GmbH & Co. KG, München 1984
Satz: Clausen & Bosse, Leck
Druck und Bindung: Wiener Verlag, Himberg bei Wien
Printed in Austria

In einer Seitengasse der inneren Stadt lag die Spezereiwaren-handlung von Nepomuk Globergers sel. Erben. Zwei Ladenfen-ster und eine mit Schnitzereien geschmückte Glastüre nahmen zu ebener Erde die Front des schmalen Globergerschen Hauses ein; in einer Nische über den Fenstern des ersten Stockwerkes stand eine schmerzhafte Mutter Gottes, und davor brannte in einer roten Ampel ein ewiges Licht, gestiftet vom Gründer des Geschäftes, Nepomuk Globerger, der unter Max Joseph aus der altöttinger Gegend nach München verzogen war.

Wer sich an alten Häusern als den Wahrzeichen und Zeugen einer lieben Vergangenheit erfreut, mochte gerne vor dem Hause stehen bleiben und die Rokokoornamente über den Fenstern betrachten.

Aber der Laden mit den Auslagen mußte ihn aus der Behag-lichkeit aufstören, denn Benno Globerger, der jetzige Besitzer, war dem Zeitgeiste, der Höhe und Breite braucht, um sich prot-zig zu geben, gefolgt und hatte die Fenster vergrößert, mit Spie-gelscheiben versehen und mit Rolläden geschmückt.

Hinter den Fenstern leuchteten Plakate von Zigarettenfabri-ken, von Kakao-, Feigen- und Malzkaffeefirmen hervor.

Sympathische Hausmütterchen tranken aus großen Tassen ihre Lebenselixiere, Andreas Hofer schwang die Fahne zu Ehren eines Feigenkaffees, und reizvolle Damen rauchten Zigaretten und zeigten ihre schlanken Waden her.

Wer in den Laden eintrat, wurde von einem älteren, anschei-nend schwerhörigen Ladendiener ohne sich überstürzende Höflichkeit begrüßt und konnte an seiner bedächtigen Manier, die Waren in Papier einzuschlagen, sehen, daß man hier Zeit hatte.

Ein Lehrbub, dessen sommersprossiges Gesicht Lust zu dummen Streichen verriet, stand gaffend hinter der Budel und schlenkerte mürrisch zur hinteren Türe hinaus, wenn ihm der Ladendiener in grobem Ton einen Auftrag gab.

Viel beschäftigt schien nur Herr Benno Globerger zu sein, der im anstoßenden offenen Kontor hinter einem Pulte stand.

Aber wenn er spielerisch mit dem Federhalter Kreise beschrieb, um schwungvolle Kaufmannsbuchstaben aufs Papier zu malen, oder wenn er sorgfältig ein Lineal auflegte, um rote Striche unter schwarze zu ziehen, erkannte man, daß seine Arbeit mehr qualitativ als quantitativ bedeutend war.

Er liebte es, sich vor Kunden ein Ansehen zu geben, und rief Fragen oder Befehle in den Laden herein, aber das mehrte seinen Ruhm nicht, denn der Ladendiener gab respektlose Antworten, und der Lehrling verzog das Gesicht zu einem heimlichen Lachen. Ob der Gram über den Mangel an Autorität, oder ob ein anderes Gefühl Herrn Globerger täglich kurz vor elf Uhr mit Unruhe erfüllte, mag dahingestellt sein; jedenfalls zog er stets um diese Zeit einigemal seine Uhr aus der Tasche, schüttelte den Kopf, murmelte etwas von dringenden Geschäften und holte dann mit einem energischen Ruck den Hut vom Nagel herunter, um schleunig ins Freie zu eilen.

Durch die Gasse ging er im Geschwindschritte, und sein Gesicht behielt einen sorgenvollen, überanstrengten Ausdruck bei, der sogleich einem aufatmenden Behagen wich, wenn Globerger auf den Marienplatz kam. Da schlenderte er langsam, alle Passanten jovial betrachtend, jedem Dinge Beachtung schenkend, einer Weinstube zu und trat von Wohlwollen strahlend ein. Er grüßte nach allen Seiten, erwiderte fröhliche Zurufe und zeigte in familiärer Behandlung der Kellnerin die Rechte des Stammgastes.

Hier war der Ort, wo er das glückliche Gefühl hatte, etwas zu gelten.

Und in der Tat konnte, wer sein Vermögen vergrößern und durch glückliche Unternehmungen Reichtum erwerben wollte, nichts Besseres tun, als auf Herrn Globerger hören, der bei einem Schoppen Wein die besten Ratschläge bereit hatte und genau wußte, wie aus der Entwicklung der Stadt erhebliche Gewinne zu ziehen wären.

Seine Pläne waren kühn und weit ausschauend, und sein Tadel gegen Rückständigkeit war herb.

Allerdings waren ihm selber alle Versuche, den Fortschritt auszubeuten, mißlungen, aber daran waren Zufälle, die auch der klarste Kopf nicht hatte berechnen können, schuld gewesen.

Sein geschäftlicher Rückgang aber fand die beste wie einfachste Erklärung darin, daß die Erfolge der Konkurrenz auf unsauberen Machenschaften beruhten. Da mußte man es wohl gelten lassen, daß sich ein Altmünchner gegen das neuzeitliche, unreelle Wesen sträubte und mit Rechtssinn und Biederkeit in Schwierigkeiten geriet.

An denen fehlte es nicht, und sie stellten sich zu allen Jahreszeiten ein; die Verfalltage ausgestellter Wechsel kamen hinter den Verfalltagen der Hypothekenzinsen, und sie hatten das gemeinsam, daß sie stets überraschend eintrafen.

Jedesmal äußerte Globerger sein unwilliges Erstaunen gegen den schwerhörigen Ladendiener, und jedesmal wunderte sich dieser über die Gunst des Schicksals, das im letzten Augenblick Hilfe schickte.

Auf schlimme Zeiten folgten schönere, wenn Herr Globerger etwa mit dem Vertreter einer Firma, die ihn bedrängt hatte, wieder zusammentraf.

Als gekränkter Ehrenmann war er groß in Seitenhieben und sarkastischen Bemerkungen über wahre Noblesse und Solidität, und seine Briefe an Geschäftshäuser, die ihn mit Klage bedroht hatten, waren vollends meisterhafte Leistungen voll treffenden Humors, der sich schon gleich in der auffälligen Vermeidung von Höflichkeitsformeln zeigte.

In diesen Dingen war Benno Globerger keine Ausnahmeerscheinung; er gehörte der zahlreichen Klasse behäbiger Bürger an, die von einem Kredite zum andern sehr auskömmlich leben.

Diese jeder nationalökonomischen Wissenschaft Hohn sprechende Kunst fand in München stets eine treffliche Pflege.

Der Vater Bennos, der Globerger Muckl, war ein Mann, der seinem Sohne außer den Anfängen des geschäftlichen Rückganges alle Eigenschaften hinterlassen konnte, die den Menschen vor Hast und Ruhelosigkeit bewahren.

Da er seine Frühschoppen, Abendschoppen und Kaffeehaussitzungen gewissenhaft unter die Kundschaft verteilte, und da er vielen Vereinen eine selbstlose, hingebende Tätigkeit widmete, hatte er keine Zeit, sich um die Erziehung zu kümmern.

Er überließ sie vertrauensvoll der Frau wie der Schule.

Wie recht er hatte, nicht überängstlich zu sein, bewies der Erfolg, denn auch Benno erreichte das eigentliche Ziel aller Vorbildung, die Berechtigung zum Einjährigendienste, die für ihn als Gradmesser wertvoll blieb, auch als er wegen Herzverfettung frei wurde. Er trat als Volontär bei einem befreundeten Kaufmanne ein, und es lag schon im Begriffe dieses Wortes begründet, daß er sich nicht überanstrengte.

Als der Globerger Muckl an einem sonnigen Novembertage von einem Ausfluge zum Giesinger Weinbauern nicht mehr heimgekehrt, sondern ohne Umstände und Vorbereitungen vom Schlage gerührt in einem Straßenbahnwagen verschieden war, übernahm Benno das väterliche Geschäft. Er war von der Bedeutung seiner Stellung als Bürger und Geschäftsherr tief ergriffen und zeigte in den ersten Wochen oder Monaten einen Eifer, den Kenner und Freunde der Globergerschen Familie belächelten.

Er trug sich mit großen Plänen und wollte den Betrieb reformieren, organisieren und dem Zeitgeiste anpassen. Er nahm sich vor, in Hamburg wie in Bremen Anschluß an bedeutende Firmen zu suchen, um das Beste in Kaffee, Tabak und Zigarren zu führen.

Er knüpfte Verbindungen mit der Londoner City an und wollte den feinsten Tee für München erhalten.

Die Nachbarn sahen mit Staunen, wie der junge Mann eine Stunde vor der üblichen Zeit den Laden öffnen ließ, wie er auf die Straße hinaustretend das Arrangement der Auslage überwachte, und sie übersahen es nicht, daß auch nach Ladenschluß noch längere Zeit Licht im Kontor brannte.

Durchs Fenster, das nicht verhängt war, konnte man sehen, wie Benno am Pulte stand und eifrig schrieb.

»Der Bub reibt sich auf«, sagte seine Mutter zu Bekannten. »Essen und Trinken kennt er schon bald nimmer. Wenn ich ihn an mein Mann selig erinner, bei dems doch nie so pressant war, laßt er mich net ausreden. ›Mami‹, sagt er, ›der Pappi hat einer andern Zeit anghört. Da is 's noch pomadig gangen; die Neuzeit‹, sagt er, ›verlangt eiserne Tatkraft.‹ I hab wirkli Angst um mein Beni.«

Auch der schwerhörige Ladendiener hatte Angst, Gram und Ärger, denn der junge Herr jagte ihn aus seiner Gemächlichkeit heraus, fragte, forschte, befahl und hielt feurige Ansprachen an ihn.

»Dös mach i nimmer lang«, sagte der Kommis, der Charles Flunger hieß, aber von Benno, der es damals mit der englischen Tüchtigkeit hielt, Tscharlie genannt wurde. »I mag einfach nimmer. Heut will er Bilanz aufnehmen, morg'n will er an Ausverkauf arrangieren, 's Lager will er säubern, und 's Lager will er umbau'n, a Kaffeerösterei will er haben, neue Räume für'n Tee will er haben, von oan Eck hetzt er mi ins andere, und allaweil dös Schimpfen über alte Schlamperei, na, fallt mir net ei. A Monat schau i no zua ... Wird's net anders, sag i auf ...«

Es wurde anders.

Die Reformen im Großen verlieren ihren Reiz durch die ermüdenden Details, durch Schwierigkeiten und Widerstände. Gerade die flammenden Begeisterungen ersticken in der Atmosphäre von Nüchternheit und Mißtrauen.

Die alte Kundschaft wollte keine Neuerungen, sie hing am Hergebrachten, besonders an den alten Preisen.

Es erging dem Eifer Bennos wie den Blechdosen der Firma John Baxter and Donley, die mit köstlichem Tee angefüllt waren.

Zuerst standen sie auffällig in der Auslage, dann erhielten sie einen bescheideneren Platz im Laden, und nach etlichen Monaten standen sie in einer Ecke des Kontors, wo sie mit Staub überzogen wurden.

Benno stellte seine fieberhafte Tätigkeit nach Ladenschluß ein, und die Nachbarn konnten sich an seinem Fleiße nicht mehr erbauen.

Übrigens war auch der Rolladen heruntergezogen.

Tscharlie wurde nicht mehr vom Laden ins Lager, vom Lager in den Keller gehetzt, und bald kam der Tag, wo Globerger junior, ganz so wie sein Vater, kurz vor elf die Uhr aus der Tasche zog, etwas von Geschäften murmelte und ins Freie eilte.

Es gab noch einmal eine Zeit der besten Vorsätze zu Aufschwung und Tätigkeit.

Das war, als sich Benno mit Paula, der Tochter des Hutmachers Schoderer, verheiratete.

Nicht als ob ihn eine tiefe Leidenschaft für das hübsche, gutmütige Mädel erfüllt hätte; sie gefiel ihm, und seine Werbung wurde angenommen.

Es war nichts Aufwühlendes, was ihn zu dem Vorsatze brachte, ein regsamer, vorwärts schreitender Handelsherr zu werden; es war eine milde Stimmung, der er sich als weicher, lenkbarer Mensch hingab.

Als der Pfarrer von den Stürmen des Lebens sprach, denen der Mann ruhig entgegen steuere, nickte Benno bestätigend mit dem Kopfe.

Als es dann hieß, die zarte Frau klammere sich an den Mann, wie sich der Efeu um den Baum ranke, nickte er wieder, und Tränen füllten seine Augen. Kämpfen, stark sein, das wollte er. Und er blickte gerührt auf dieses zarte, vertrauensvolle Wesen, das er fortan vor den Stürmen behüten sollte.

Einige Frauen der Hochzeitsgesellschaft bemerkten seine Bewegung und fanden Gefallen daran.

Wenn sie Tscharlie, der als Zuschauer im Hintergrunde stand, auch bemerkt hätte, wären in ihm schlimme Ahnungen aufgestiegen, Erinnerungen an schweißtriefende Reformpläne.

Aber er sah sie nicht, und als Benno mit der jungen Frau von der Hochzeitsreise heimkehrte, hatten seine Vorsätze alle Heftigkeit verloren.

Seine Zärtlichkeit war abgeflaut, und schon vor dem Einzuge ins eigene Heim sah Paula, wie so manche junge Frau, mit Erstaunen, wie einschläfernd Gewohnheit auf junge Ehemänner wirkt.

Wenn dieses Einschlummern mit dem Erwachen des anderen Teiles zusammentrifft, gibt es Enttäuschungen und Leiden, jenes bittere Durchringen zur Erkenntnis der Ehe.

Gutmütigkeit und ein bequemes, erregten Auftritten abgeneigtes Naturell verhinderten Paula, in diesen Kämpfen leidenschaftlich zu werden.

Wenn Benno ihre Zärtlichkeiten, mit denen sie auch zur Unzeit freigebig war, nicht erwiderte, schmollte sie etwas täppisch, um sich gleich wieder anzunähern.

Nur ganz allmählich setzte sich in ihr eine leise Mißachtung gegen den Mann fest, der immer von Grundsätzen und vom Ernst des Lebens sprach, wenn er seinen nichtssagenden Freuden nachging und sie vernachlässigte.

Aber die Stimmung hielt nicht an.

In Vergnügungen und Gewohnheiten, im Klatsch mit den Bekannten und auch ein wenig im kleinen Krieg mit der Schwiegermutter übersah sie, wie leer und nichtssagend ihr Leben war.

Daß der Kindersegen ausblieb, bedrückte sie in den ersten zwei Jahren; später sah sie darin eine Bequemlichkeit, die ihr zusagte.

*

Eines Tages sagte Tscharlie auf und verließ Haus und Firma Globerger, um die Witwe eines mühldorfer Kaufmanns zu heiraten.

Es waren unangenehme Zeiten für Benno, der nunmehr die Unzuverlässigkeit der neuzeitlich verbildeten Angestellten, ihre hohen Ansprüche, ihren Mangel an Kenntnissen, ihr taktloses Benehmen, ihre Undankbarkeit so gründlich kennen lernte, daß er darüber die lehrreichsten Gespräche in der Weinstube führen konnte.

Selbst diese Erholung wäre ihm beinahe durch den ständigen Wechsel der Ladendiener verkümmert worden, und mehr wie einmal hatte er den Hut wieder an den Nagel gehängt, um bis zur Mittagszeit zu bleiben und dem neuen Kommis ein Beispiel der Pflichttreue zu geben.

Aber zuletzt siegte stets der unwiderstehliche Trieb in ihm, und er fand auch Mittel, den Neuling zu täuschen, indem er laut nach dem Postauslauf fragte, oder ein Bankgeschäft telephonisch anrief und ihm seinen sofortigen Besuch in Aussicht stellte, oder sich irgendwie mit Widerstreben, unter Seufzen über Zeitverlust, durch dringlichste Angelegenheiten bewegen ließ, einen Gang zu machen.

Zuweilen füllte er ein Geldkuvert mit leeren Briefbögen an, petschierte es sorgfältig an den vier Ecken und in der Mitte mit

Siegellack und hantierte damit so auffällig im Laden, daß der neue Kommis den Geldbrief sehen und an eine wichtige Postsendung glauben mußte.

Allein es war zumeist überflüssig, daß der grinsende Lehrling den Neuling über die wahre Natur der Geschäftsgänge aufklärte.

Wenn Angestellte von der Natur noch so kümmerlich mit geistigen Gaben bedacht sind, sie besitzen doch einen ungemein sicheren Instinkt für die Fehler und Schwächen ihrer Prinzipale.

Ein paar tüchtige junge Leute sahen darin die Unmöglichkeit, Nützliches zu leisten, und gingen, so schnell sich's machen ließ; einige Taugenichtse mißbrauchten sie schon nach einigen Tagen so plump, daß man sie entlassen mußte.

Das Ladengeschäft wurde zusehends schlechter und Benno immer verdrießlicher.

Als sechster in der Reihenfolge meldete sich ein junger Mann aus Innsbruck, Sebastian Rubatscher, der wenig Aussicht auf den Posten gehabt hätte, wenn nicht so viele Enttäuschungen vorausgegangen wären.

Er war ein vierschrötiger Mensch, langsam und bedächtig in jeder Bewegung und von einer unerschütterlichen Gemütsruhe.

Antreibende oder heftige Worte erwiderte er mit einem wohlwollenden Lächeln, zu dem er den Mund kaum eigens verziehen mußte, denn es saß immer um seine Lippen.

Zuweilen sagte er auch: »Woll, woll, Herr Ch ... Chloberger«, und die in tiefen Kehllauten gesprochenen Silben kamen eine nach der andern mühsam hervor.

Seine Arbeit erledigte er willig, und es ließ sich ihm kein Versehen nachweisen, nur durften ihm nervenschwache Menschen nicht zusehen, wie er etwa Kaffee abwog oder die Waren in Papier einschlug oder Zigarren in die Tüten steckte, denn die Langsamkeit seiner übergroßen Hände wirkte aufpeitschend.

Und wenn er dazu, den Kopf seitlich geneigt, etwas träumerisch ins Leere schaute und vor sich hinlächelte, konnten reizbare Kunden in Wut geraten.

Aber da der Andrang nicht stärker wurde, ging die Sache von Woche zu Woche ihren ruhigen Gang; der Prinzipal bemerkte mit Wohlgefallen, daß sein Kommis immer gleich dienstfertig blieb und ehrerbietig zuhorchte, wenn er nach dem Präsentieren eines Wechsels über die unglaubliche Insolenz der Lieferanten und über das Schwinden aller reellen Prinzipien loszog.

Rubatscher machte zustimmende Gebärden und raffte sich sogar zu einer Bemerkung auf.

»Es sein höllische Facken«, sagte er.

»Was?«

»Höllische Facken sein s', sölle Lieferanten.«

»Dieser betreffende Wechsel da, der wo gestern in meiner Abwesenheit präsentiert worn is, bezieht sich auf eine Kaffeelieferung«, erklärte Benno. »Ich hab sofort reklamieren lassen, weil ich eine solchene Ware meinen Kunden nicht vorsetzen kann, ich hab auch Order geben, daß er auf der Stell der betreffenden Firma zur Verfügung gestellt werd. Natürlich, der Pilzweyer, Ihr Vorgänger, hat die Sache wieder einmal verschlampt. Aber die Tatsache, daß ich reklamiert habe, bleibt bestehen. Eine solide Firma hätte einem langjährigen Primakunden, von dem sie Tausende verdient hat, ganz einfach schreiben müssen: Soundso, wir bedauern Vorgefallenes und berechnen das Kilo mit soundso viel weniger und hoffen mit nächster Sendung geneigtes Wohlwollen oder Zufriedenheit oder so erwerben zu können. Das wäre kulant gewesen. Aber das gibt's ja nimmer, im Zeitalter der Warenhäuser und Schwindelfirmen! Schickt mir ganz einfach den Wisch, aber ich werde dieser Firma Dudenbostel und Kompagnie ein Licht aufstecken. Vielleicht werden die Herrschaften begreifen, mit wem sie es zu tun haben.«

Rubatscher legte sich auch innerlich nicht die Frage vor, warum der Herr Prinzipal den Wechsel ausgestellt habe, wenn und so weiter...

Er machte eine ernste Miene zu der unbegreiflichen Rücksichtslosigkeit der Firma Dudenbostel, und Benno ging als Sieger ab, um im Kontor einen beißenden Brief mit Weglassung aller Höflichkeitsformeln zu schreiben.

»Eigentlich kein übler Mensch«, sagte der Prinzipal zu sich selber. »Langsam und ein bissel dumm und ein echter tiroler Wastel, aber der Mensch versteht wenigstens, was ma der Autorität schuldig is. So was gfallt mir...«

Den Dienstmädeln in der Nachbarschaft gefiel Rubatscher auch; an der Joppe trug er auf der linken Achsel eine doppelte geflochtene grüne Schnur, die wie eine Epaulette aussah; wenn er sich auf der Straße sehen ließ, hatte er einen Steyrerhut schief auf dem Kopfe sitzen, und darüber ragte kerzengerade ein Gemsbart in die Luft.

Er hatte etwas Gebirglerisches an sich; man dachte gleich an romantische Alpenlandschaften und an treuherzige Menschen, wenn man ihn erblickte.

Einige erzählten, daß er wunderschön auf der Zither spiele und dazu singe; in den Abendstunden hörte man die anheimelnden Klänge, wenn sich Rubatscher in seinem Dachzimmer am offenen Fenster hören ließ:

> »Drunt im tiaf'n Toll
> Rauscht a Wossafoll ...«

oder »Zillachtoll, du bischt mei Freid!«

Das weibliche Gemüt neigt sich dem Ungewöhnlichen zu und ist dankbar für alles, was die Phantasie anregt.

Und die beschäftigte sich gerne mit dem Lande, in das man sich hineinträumen konnte, wenn man in klaren Herbsttagen von der Sendlingerhöhe aus die verschneiten Berge sah; aus Theaterstücken und Romanen wußte man, wie bieder und herzig die Leute dort sind, und wie sich das Leben dort viel ergreifender abspielt als in flachen Gegenden.

Von der erträumten Herrlichkeit, die stärker wirkt als jede Wirklichkeit, fiel ein Schimmer auf Sebastian Rubatscher und verschönte ihn – was notwendig war, denn sein unreiner Teint, seine schadhaften Zähne und sein spärlicher Haarwuchs hätten streng urteilende Mädchen abstoßen müssen.

Die junge Frau Globerger hatte Augen für diese Mängel, und da angedichtete Romantik nur auf Entfernung standhält, im täglichen Umgange aber sogleich verblaßt, fand sie an dem neuen Ladendiener nichts, was ihr gefallen konnte.

Ganz abgeneigt war ihm die alte Frau, weil sein ungestümer Appetit eine Gefahr für den Haushalt bedeutete und, wenn man ihn nicht befriedigte, Grund zu schlimmen Befürchtungen gab.

Im Ofenloche in Rubatschers Zimmer hatte die rüstige Alte Häute von Zervelat- und Salamiwürsten entdeckt, auch in der Dachrinne lagen etliche neben einer Sardinenbüchse. Sie hinterbrachte das Ergebnis ihrer durchdringenden Forschungen sogleich Benno, der aber von der Aufforderung, den Sohn der Berge zu inquirieren, gar nicht angenehm berührt war.

Jemanden zur Rede stellen, lag nicht in seiner Natur.

So unzufrieden, ja so wütend er über die Vorgänger Rubatschers oft gewesen war, er hatte keinem seine Meinung gesagt.

Im Kontor hatte er vor seinem Pulte erregte Selbstgespräche gehalten und mit dem Lineal wütende Hiebe in die Luft geführt.

»Was wollen Sie? Frech wollen Sie sein? Machen Sie, daß Sie hinauskommen, Sie unverschämter Flegel ... Mich hintergehen, betrügen, faul sein, und noch 's Maul anhängen. Marsch hinaus!« Wenn er dann in den Laden ging, murrte er unverständliche Worte vor sich hin, öffnete hier eine Kiste, dort eine Büchse, schlug die Deckel geräuschvoll zu, hustete und zog sich ins Kontor zurück, um gleich wieder eine wohlgesetzte Rede zu halten:

»Also das verstehen Sie unter Ihren Pflichten und Aufgaben? Das ist Ihre Auffassung? Und ich habe sie einfach hinzunehmen? Meinen Sie? Nicht genug – schweigen Sie! Jetzt rede ich! –, nicht genug, daß Sie mir die Sachen verderben lassen, daß Sie mir die Kunden vertreiben, kommen Sie mir auch noch so! Sie irren sich, Verehrtester ... Es ist jetzt« – Benno zog die Uhr und blickte so energisch in den leeren Raum wie ein Feldherr oder ein oberster Richter – »es ist jetzt viertel über zehn ... wenn Sie in einer Stunde noch im Hause sind, lasse ich Sie hinauswerfen ... in einer Stunde, habe ich gesagt ...«

Wenn er sich dann nach diesen gewalttätigen Selbstgesprächen etwas beruhigt hatte, schrieb er die Kündigung in höflicher Form nieder und steckte sie in ein Kuvert, das er dem Ladendiener oben im Stübchen auf den Tisch legte.

Am darauf folgenden Tage vermied es Benno geflissentlich, mit dem Menschen allein zu sein; er ließ den Lehrling ins Kontor kommen und gab ihm, um den er sich sonst nie kümmerte, allerlei schriftliche Aufgaben, sprach lehrhaft und gütig mit ihm und zeigte nebenher sein unbekümmertes Gemüt dadurch an, daß er vor sich hinträllerte. So wie Kinder singen, wenn sie im Dunkeln sitzen oder durch einen unheimlichen Wald gehen.

Wie hätte er nun Rubatscher ins Gebet nehmen, ihm einen

peinlichen Verdacht ins Gesicht schleudern sollen? Das ging nicht, aber er wollte auch seinem Ansehen bei der Mutter nicht durch eine Weigerung schaden.

Er brummte mürrisch, daß er schon achtgeben wolle, und er ging auch einige Male ins Lager und zählte die Würste ab, die an Stangen hingen.

Zweiundzwanzig Salami, tags zuvor waren es vierundzwanzig gewesen.

Die Hände in den Hosentaschen, arglos vor sich hinpfeifend, ging er ein paarmal durch den Laden, blieb dann stehen und sagte:

»Apropos, daß i net vergiß, der Verkauf von Salami is jetzt wieder lebhafter, net wahr?«

»Söll woll, Herr Ch ... Chloberger«, antwortete der Ladendiener, als müsse er seine Freude über das Aufblühen des Geschäftes zeigen.

»Nach meiner Berechnung müssen gestern allein zwei bis drei weggegangen sein ... waren's größere oder mittlere?« fragte Benno.

»Sie wern nit gar so machtig gwösen sein ...«

»So ... No, jedenfalls wer i nach Verona dös Weitere veranlassen, daß uns der Vorrat net ausgeht.«

Benno ging ins Kontor, pfiff sein Lied zu Ende und trällerte ein paar Töne vor sich hin, warf aber doch einen versteckten und recht mißtrauischen Blick auf den Ladendiener hinaus, der gerade eine Tüte aufbließ und sehr mühsam einige Zigarren hineinsteckte.

»Hm ... tra ... lala ...

Denn so wie du ...

So lieblich und so schön ...«

Der Prinzipal schloß die Türe zwischen Laden und Kontor, wippte das Lineal nachdenklich auf und ab, und plötzlich nahm sein Gesicht einen forschenden, durchdringenden Ausdruck an.

Er sah im Geiste vor sich den tirolischen Jüngling und hielt ein Selbstgespräch an ihn:

»Rubatscher, ich bin gewohnt, Vertrauen zu haben. Wenn ich aber einmal anfange, mißtrauisch zu werden, habe ich auch schon aufgehört damit. Denn in diesem Augenblick, in diesem

Moment, a tempo – verstengan Sie? – is's aus. Radikal. Da gibt's kein Zurück mehr. Grad weil ich meinen Ehrenstandpunkt darein setze, zu vertrauen, weil es mir gegen die Natur geht – verstengan Sie? –, reagier ich auf die leiseste Verletzung dieses Vertrauens. Ich führe heute noch den etwas unnatürlichen Verbrauch von Salami auf zufällige Bedürfnisse der Kundschaft zurück ... heute noch ... Verstengan Sie? Ob ich es morgen noch kann, weiß ich nicht. In dem Augenblicke, wo ich nicht mehr das Recht habe, zu vertrauen, hört jede Rücksichtnahme auf: das erfordert meine Stellung als Chef. Ich denke, wir haben uns verstanden, Herr Rubatscher? ...«

Benno blickte noch eine Weile durchbohrend, die Stirne ernst in Falten gezogen, gegen die Wand hin. Dann ging er zur Türe und öffnete sie, als hätte er sie nur aus Versehen oder zufällig geschlossen.

Er trällerte an seinem Liede weiter:

»... so lieblich und so schön ...

Kind, glaube mi-hir ...

War keine der Feen.«

Der Tiroler aber schaute, leicht angelehnt an die Ladenbudel, mit seitlich geneigtem Haupte zum Fenster hinaus und lächelte milde wie ein geschnitzter Heiliger im Dorfkirchlein.

Dabei sagte er halblaut vor sich hin: »Hot der höllische Deifel, söller Drachen, das Malafizweibsstück, was geschpannt.«

✱

Der Brauch war, am Bennotage einen Ausflug zu machen und dem Namenstage des Herrn Globerger dadurch einen festlichen Anstrich zu geben.

In den ersten zwei Jahren hatte sich Benno dazu verstanden, mit Paula allein über Land zu fahren. Er ließ sich die harmlose Fröhlichkeit der Frau gefallen, ohne herzlich darauf einzugehen, und er verbarg kaum die Geringschätzung, die ein gesetzter Mann der Weiblichkeit entgegenbringt. Später war ihm aber die Verpflichtung so lästig, daß er auf Ausreden sann und die Zumutung, einen ganzen langen Tag allein mit seiner Frau zu sein, als sehr unbillig empfand.

»Alles, was recht is«, pflegte er im Gespräche mit Freunden zu sagen. »Man weiß ja und man anerkennt dös ja auch, daß ma gewisse Rücksichten aufs Familienleben zu nehmen hat. Und ma hat sei Frau auch gern; aber was red'st damit den ganzen Tag? Ma kann sich doch in Gottes Namen net in solchene Interessen vertiefen, lauter Kleinlichkeiten und gewissermaßen kindisch. A vernünftiger Dischkurs is doch faktisch ausgeschlossen ...«

Aber Paula hing nach Frauenart zäh an ihrem Rechte auf diesen Ausflug, und sie verteidigte es mit einer Heftigkeit, die sie in wichtigeren Dingen nicht zeigte.

»Du magst mi nimmer«, schluchzte sie in ihr Taschentuch hinein. »Amal hast g'sagt, der Tag soll uns heilig sein, und unser ganz Leben, hast g'sagt, soll uns der Tag g'hör'n ...«

»Ich sag doch net, daß ...«

»Jawoi, du hast ausdrücklich g'sagt, ma muß sich bei solchene Gelegenheiten vom Alltag erholn ...«

»Hab ich g'sagt, schön ...«

»Was hab ich denn von dir? Vom Laden gehst zum Frühschoppen, und kaum hast an Löffel hing'legt, gehst ins Kaffeehaus, und ...«

»Tut ma denn das gern? Glaubst, mir wär's net auch lieber, wenn ich mich im Kreise der Familie erholen könnt und net der Kundschaft nachlaufen müßt? Glaubst, ich hab net auch Momente, wo ...«

»Und auf d' Nacht gehst wieder fort, und jeden Tag und jeden Tag ...«

»Mit euch Frauen ka ma über so was net red'n ... Daß ich als Geschäftsmann gebunden bin ...«

»I weiß schon, mei Mutter hat mir's oft g'sagt ...«

»Was hat s' g'sagt?«

»Daß dös der Anfang is, wenn d' Lieb aufhört. Daß nacha der Mann lauter Pflicht und G'schäft und Ausreden hat ...«

»Das is einfach lächerlich ...«

»Nein! Ich merks doch so auch! Dös merkt ma doch an allem; was hab ich denn noch von dir? Und jetzt is dir sogar dös z'viel, und 's ganze Jahr hab ich mich drauf gefreut ...«

»Also schön! Von mir aus. Ich sag ja net, daß ich net will. Aus g'schäftlichen Rücksichten hätt ich eventuell ...«

»Nein, und es is amal der Tag …«

»Hätt ich … laß mich doch ausreden! Weil von der Firma Samhammer der Vertreter da is. Aber wenn du mir solchene Sachen imputierst, muß ich halt anders disponieren, nacha fahr'n ma übermorg'n …«

»Es is ja so a Feiertag …«

»Deswegen hätt ich das Geschäft schon abwickeln können; aber, wie g'sagt, mir fahr'n …«

Paula zeigte über die Einwilligung eine solche Freude, daß Benno über die kindische Natur des Weibes neue und bleibende Eindrücke gewann. Um den Tag nicht ganz zu verlieren, überredete er seinen Freund, den Eisenhändler Nikolaus Schegerer, mitzufahren. Den übernächsten Tag saßen die vier, denn Schegerer hatte auch seine Frau Therese, eine üppige Blondine, mitgenommen, im Zuge, der sie nach Schliersee führen sollte.

Es war ein kühler Junimorgen, und daß die beiden Herren nicht gewohnt waren, zu so früher Stunde aufzustehen, bewiesen sie durch oft wiederholtes Gähnen.

»I hätt eigentli heut in 'n Arzber … Arzber …« Schegerers Worte verloren sich in einem langen Gähnen »… in 'n Arzberger Keller soll'n … der Stadler Muckl und der … ah … der Schtraßberger Maxi kemman hi …«

»Einmal im Jahr kann ma sich ja zu einer Liebenswürdigkeit aufschwingen«, sagte lachend die Frau Resi. »Is der Ihrige auch so galant?« fragte sie Paula, die sich noch etwas schüchtern vor der neuen Bekannten zurückhielt.

»Der Benno war ganz gern dabei … gelt?«

»Wie lang sind S' schon verheirat'?«

»Mir? Im vierten Jahr …«

»Vier Jahr … na weiß i alles. O diese Männer! Da erlebt man seine Enttäuschungen …«

Frau Resi zeigte gerne beim Lachen ihre weißen Zähne. Dabei hatte sie die Gewohnheit, ihre rote, spitze Zunge vorzustrecken, und in allen ihren Bewegungen war etwas Quecksilbernes. Ihre aufgeworfenen Lippen wie ihre Augen verrieten eine wache Sinnlichkeit, die der breitspurige Schegerer, der an einem kugelrunden Gesichte einen entstellenden Knebelbart hängen hatte, sicherlich nicht einzuschläfern versuchte.

»O diese Männer!« rief sie noch einmal mit einem Aufschrei ... »Eigentlich sollt ma Buch führn, was die einem in den ersten vierzehn Täg sag'n ... Bloß damit man's ihnen hinterdrein unter d' Aug'n halten könnt ...«

»Da Ding ... da Schtra ... da Schtra ...« Herr Schegerer gähnte wieder ... »da Schtraßberger Maxi hat gestern an Schellnsolomatsch g'spielt mit'n blankn Graskini in da Hand ... an ang'sagtn Matsch ... an Hallmayer Winni hätt's schier z'riss'n vor Wuat über so eine Frechheit ... Eigentli is 's ja ein Betrug, hat er g'schrian, denn bal oana an Matsch ansagt, stellt er doch die Behauptung auf, daß er sämtliche Schtich in da Hand hat ... und dös is also, sagt er, die Vorspiegelung einer falschen Tatsache ... no, du kennst 'n ja, den g'scheidt'n Ha ... Ha ... uah ... Hallmayer ...«

Das Kupee hatte sich allmählich gefüllt, zumeist mit Leuten, deren Ausrüstung zeigte, daß sie Bergpartien machen wollten.

Kurz vor der Zug anfuhr, trat ein junger Mensch ein, der sich verlegen nach einem Platze umsah und sich unter linkischen Verbeugungen entschuldigte, als er seinen Rucksack über Benno ins Gepäcknetz legte.

Er war lang aufgeschossen und hatte etwas Ungewandtes, Ekkiges in seinen Bewegungen, aber sein frisches Gesicht war so auffällig hübsch, daß ihn Frau Resi mit zugekniffenen Augen wohlgefällig musterte.

Sie bedauerte es heimlich, daß er auf der Bank hinter ihr einen Platz fand und durch die Halbwand ihren Blicken entzogen war.

Anscheinend war er Student; wenigstens ließ der schwarze Hornzwicker, den er trug, darauf schließen.

Nebenan, durch den Gang getrennt, saß an der Ecke ein Mann, dem ein buschiger, aufwärts gekämmter Schnurrbart und kühn rollende Augen ein martialisches Aussehen verliehen.

Er war viel mit sich beschäftigt, glättete seine Weste, richtete seine Krawatte, zog ein Bürstchen aus der Rocktasche und strich energisch den Schnurrbart in die Höhe. Dabei musterte er seine Mitreisenden, und seine Augen blieben bald auf der Frau Resi haften, die sich unter den herausfordernden Blicken wohlig dehnte wie eine Katze in den Sonnenstrahlen.

Der Zug fuhr an.

Der junge Mensch, der ein Student zu sein schien, hatte das Fenster geöffnet, und die einströmende Luft war so kühl, daß Frau Resi zusammenschauerte.

Sofort stand der martialische Herr auf und rief mit strenger Betonung: »Ich bitte, das Fenster zu schließen, den Damen zieht es ...« Vielleicht hatte der Student nicht gleich verstanden, daß die Aufforderung an ihn gerichtet war; er sah sich nach dem Platze um, von woher die laute Kommandostimme kam.

»Ich nehme an, mein Herr, daß Sie wissen, was sich gehört ... und daß man als Tschentlemänn Rücksicht auf die Damenwelt nimmt.«

Der Martialische sagte es mit einer Bestimmtheit, die zeigte, daß er gewohnt war, Widerstände unnachsichtlich zu beugen und zu brechen.

Das begriff auch der junge Mensch und zog, eine Entschuldigung murmelnd, das Fenster in die Höhe.

Damit war eine Anknüpfung ermöglicht.

Mit einer tiefen Verbeugung, die in ihm sofort einen Handlungsreisenden erkennen ließ, sagte der ritterliche Mann: »Es ist noch immer empfindlich kühl, meine Dame ...«

Frau Resi warf ihm einen freundlichen Blick zu und kuschelte sich an Paula hin.

Benno gähnte.

Schegerer sagte hinter der vorgehaltenen Hand:

»Ja ... ja ... werd halt wieder a ka ... a ka ... uah! ... a kalter Summa ...«

Dann wandte er sich an seinen Freund.

»Mit'n Graskini blank ... woaßt, a Unverschämtheit is 's scho ... Natürli, wenn oana an Matsch o'sagt, haltst do net mit a'r Aß oder mit an Zehna ... an so was denkt ja koa Mensch ... Obwohl daß i sag, gar so aufdrahn wia da Hallmayer ...«

»Von einem Betrug laßt si doch net red'n«, sagte Benno. »Es is ein Bläff, wie der Engländer sagt; reschpektive trifft ihn auch das Risiko, und bald ich das Risiko einer Unternehmung trage, kann ma do nix sagn von an Betrug. Höchstens von an Bläff ...«

»Wissen S', Frau Globerger ... oder darf ich Frau Paula sagen ...?«

»Sagen S' doch du zu mir!«

»Wirklich? Das freut mich … Sie … oder du hast mir schon gleich g'fallen … unsere Männer sin ja auch alte Freund …« Frau Resi drückte Paula einen flüchtigen Kuß auf den Mund und streckte die Zunge ein paarmal vor und rückte kokett hin und her.

Dabei streifte sie mit einem flüchtigen Blicke den martialischen Herrn, der den Blick auffing und gleich das Bartbürstchen aus der Tasche zog.

»Weißt, Paula, ich darf ja so an Tag rot im Kalender anstreich'n … Eine Reise mit dem gestrengen Eheherrn … uh! Machst du öfter so Touren?«

»N … nein … es is nur heut … weil Bennotag is …«

»Jessas … ja! Da hätt ich bald vergessen … Der Herr Globerger hat ja sein Namenstag … mach meine Gratulation …«

Frau Resi streckte Benno ihre rundliche Hand hin, lächelte ihn an, lächelte auch den Ritter an und richtete sich flüchtig auf, wie um nach dem Fenster zu sehen. Sie warf dem Studenten einen strahlenden Blick zu und redete gleich wieder mit Paula.

»Da is ja heut ein b'sonderer Tag für dich … eigentlich hättst du die Fahrt allein machen müssen mit dem Herrlichsten von allen …« Sie lachte silbern auf …

»N … no … ja … früher hamm mir ja …«

»Früher! Heißt's bei dir auch schon so? Früher … Was bei uns alles früher war! So ziemlich … alles …«

Frau Resi flüsterte Paula etwas in die Ohren, drückte die Augen zu und lachte … »O die Männer! Ich kenn die Herrn der Schöpfung … gelt, Mausi?« Sie wandte sich an ihren Mann.

»Wos?«

»Wir tauschen grad unsere Erfahrungen mit der Männerwelt aus …«

»So?« sagte Schegerer trocken und setzte sein Gespräch mit Benno fort:

»Da Stadler Muckl hat zahlt und g'lacht. I kriag di scho aa'r amal, sagt er und mischt d' Karten, als wenn nix gwen waar. Der hat gar nix dergleichen to, aber der Hallmayer! ›Faktisch is es einfach ein Betrug, in an honettn Spiel g'hört si so was net‹, hat er geschrian … Na is da Ding no da gwen, du kennst 'n ja, der Spangler von da Löwengruabn … da Ding … da … da Weiß

Festl ... den fragt da Hallmayer ... net? ... er soll sei Gutachtn abgebn, als a Unparteiischer ... ob so was zulässig is, und da Weiß Festl sagt: ›Warum denn net, i ko mit drei Spatzen an Matsch o'sagn, wenn i mag. Dös is do mei Sach‹, sagt er, ›ob i's Geld verspieln mag‹ ...«

»Das is meine Ansicht auch«, rief Benno eifrig. »Die Sache liegt doch glatt! Ma braucht doch nur die Kehrseit'n zu betracht'n: wenn er zufällig das Spiel verliert. Da hätt da Herr Hallmayr vermutlich den Betrag einkassiert ... Also ... damit is doch der Beweis geliefert ... wenn man die Kehrseite betrachtet ... Ich wiederhole, es is ein Bläff auf Risiko des Spielenden reschpektive des Bläffenden.«

Der Martialische hielt einen runden Taschenspiegel vor sich hin und prüfte sein Aussehen. Er war zufrieden und beschloß, die üppige Frau, die wieder einmal mit halb geschlossenen Augen zu ihm herübergeblickt hatte, anzusprechen.

»Wohin fahren die Damen, wenn ich mir diese Frage erlauben darf?«

»Schliersee.«

»Ha! Schliersee! Da werden sie einen genußreichen Tag verleben ... Das Wetter verspricht schön zu werden, die Vegetation ist auch schon weit gediehen, die Aussicht auf das Gebirge könnte nach der Regenperiode auch sehr rein sein ...«

»Hoffentlich«, sagte Frau Resi.

»Die Dame ist gewiß eine gewandte Bergsteigerin?«

»Nein ... Da kommt unsereins nicht so viel dazu ...«

»Natürlich, die Pflichten der Hausfrau ... übrigens, erlauben die Herrschaften, daß ich mich vorstelle ... mein Name ist Fritz Laubmann, Vertreter der Firma Probst in Hof ...« Benno murmelte seinen Namen, Schegerer knurrte etwas vor sich hin, die Damen nickten freundlich, und darin sah Herr Laubmann, wie er das auch nicht anders erwartet hatte, daß seine Annäherung gern gesehen war. Er versprach sich nunmehr auch einen genußreichen Tag. Um sich das schwache Geschlecht noch geneigter zu machen, warf er einen drohenden Blick nach der Bank hin, auf der der Student saß, und sagte:

»Die Damen sind vorher belästigt worden ...«

»Ach wo!« wehrte Paula ab.

»Jedenfalls sind sie dem Zug ausgesetzt gewesen ... ich habe dem Übelstand ja sofort abgeholfen ... aber es hätte überhaupt nicht vorkommen sollen.«

Der Student las in einem Reclambändchen, und bemerkte die Gefahr nicht, die über ihm schwebte.

Herr Fritz Laubmann nahm an, daß sein Ansehen gefestigt wäre, und begann das zu tun, was er die Leute in ein Gespräch verwickeln nannte.

Das Bild war glücklich gewählt, denn die unwidersprechlichsten Behauptungen und die ungemein richtigen Bemerkungen schlangen sich um die Zuhörerinnen, und es gab kein Entrinnen aus diesem Knäuel von Wahrheiten über gute Hotels, schlechte Zugverbindung und regen Verkehr.

Laubmann war ein geborener Redner, der durch Heben und Senken des Tones den bekanntesten Dingen Leben verlieh und das erlahmende Interesse sogleich wieder aufrüttelte.

Da es nichts zu widersprechen gab, begnügte sich Paula, ab und zu bestätigend mit dem Kopfe zu nicken, die lebhaftere Frau Resi öffnete und schloß die Augen, zog die Schultern hoch, rückte hin und her, lächelte, machte ein ernstes Gesicht und paßte ihre Mimik, so gut es nur irgend ging, dem nüchternen Gespräche an.

Manchmal seufzte sie auch, und es war nicht ganz klar, ob sie sich über die bayrischen Verkehrsverhältnisse oder über Herrn Laubmann grämte.

Hinter Holzkirchen konnte nichts Allgemeingültiges mehr festgestellt werden, und die Konversation drohte einen Augenblick zu stocken.

Paula schauerte zusammen und rieb sich nach ihrer Gewohnheit die Hände; dabei machte sie eine wohlige Miene, so ähnlich, als wäre sie nach einer kalten Dusche in ein gewärmtes Badetuch geschlüpft.

Frau Resi patschte sie zärtlich mit der Hand aufs Knie, blickte sie lachend an und richtete sich wieder halb auf, um einen strahlenden Blick nach dem Studenten zu werfen, der ihn diesmal bemerkte und darüber errötete.

Laubmann mochte glauben, daß er Glück und Behagen um sich verbreitet habe, und lächelte gütig mit, wonach er den Taschenspiegel herauszog und sein Antlitz untersuchte, ob es nicht etwa durch die Anstrengungen Schaden gelitten habe.

Es war auch nötig, den Schnurrbart aufwärts zu bürsten und einige Haare aus der Stirne zu streichen.

Er lächelte wieder, um Verzeihung für die längere Pause zu erbitten, und stieß mit geschlossenen Augen einen tiefen Seufzer aus.

»Ja ... ja ... die Damen haben es schön.«

»Hm?«

»Ich meine, Sie reisen so frohgemut an der Seite ihrer Gatten durch diese herrliche Gegend und genießen gemeinsam alles Schöne. Ich fahre einsam durch die Welt.«

Laubmann war auch ein guter Darsteller; er verstand es, wirkliche Sehnsucht nach einem entbehrten Glücke zur Schau zu bringen.

»Aber warum ...?« fragte Paula.

»Sie meinen, warum ich allein in der Fremde umherirre? Tja ... das Geschäft ...«

Er zog ein dickes Notizbuch aus der Innentasche, blätterte darin und überreichte der Frau Resi eine Photographie.

»Meine Gattin und meine zwei Kinder. Ein Bub und ein Mäderl ...«

Paula beugte sich über ihre Freundin weg und betrachtete neugierig das Bild.

Eine magere Frau mit ziemlich gewöhnlichen Zügen saß auf einem Lehnstuhle und hielt ein Kind auf dem Schoße, über dessen Aussehen man sich keine Rechenschaft geben konnte.

Ein anderes, etwa dreijähriges Kind, das Bubi, saß daneben auf einem Hottegaul, hatte einen Helm auf dem Kopfe und blickte mit kreisrunden Augen den Beschauer an.

»Ach, wie lieb!« rief Frau Resi aus. »Das glaub ich schon, daß Sie da Zeitlang haben ...«

»Tja ... das Geschäft ... darf ich den Herren zeigen?«

Er bot die Photographie Herrn Schegerer an, der sie, ohne nur einen Blick darauf zu werfen, an Benno weiter gab. Herr Globerger nickte zustimmend. »M ... hm ... ja ... ja ... sehr nett ...«

»Da glaub ich freilich, daß Sie nicht gern reisen«, sagte Frau

Resi wieder. »Und Ihre Frau? Für die is es natürlich auch schrecklich, wenn sie ihren Mann immer unter fremden Menschen weiß. Unter so viel Verführungen!« rief sie aus und streckte das Züngelchen vor.

»Darin ist sie durchaus ruhig ...«

»O diese Männer! Ich trauet kei'm einzigen ...«

»Darin ist sie durchaus ruhig. Sie weiß, daß sie auf meine Treue bauen kann.«

»Ja. Sind Sie so ...?«

»Ich kenne meine Pflicht, und wenn ich mich unbedingt auf meine Frau verlasse ...« Herr Laubmann blickte die magere Dame zärtlich an und steckte sie wieder ins Notizbuch, »... und wenn ich felsenfest auf meine Frau baue, dann weiß ich, daß ich meinerseits Gleiches mit Gleichem vergelten muß. Dieses Prinzip halte ich hoch ...«

»Jetzt ich lasset mein Mann nicht allein in der Welt herumkutschieren. Nein! Ich tät ihn nicht so der Verführung aussetzen. In den Hotels, in den Kurorten! Unter den vielen Frauenzimmern!«

Frau Resi stieß bei jeder von diesen Gefahren einen leichten Schrei aus und zwickte die Augen zu, als wehrte sie sich gegen die Bilder, die vor ihr auftauchten.

Herr Laubmann lächelte milde.

Gewiß! Diese Gefahren existierten, sie lauerten überall auf einen gut aussehenden Mann, aber ein geläuterter, fester Charakter konnte ihnen mutig entgegensehen.

Er steckte das Notizbuch ein und fuhr sich mit einem Taschenkamme durch den Schnurrbart.

»Ich habe auf meinen ersten Reisen, als ganz junger Mensch, dieses oberste Prinzip anerkannt. Pfui Has! Wer sich in diesen Dingen nicht an eine eiserne Strenge ...«

»O die Männer!«

»Nein, wirklich, wer sich gerade in der Entwicklungsperiode nicht eine eiserne Strenge angewöhnt, der wird auch in anderer Beziehung seinen Charakter nicht bewahren.«

Schegerer sah schläfrig zum Fenster hinaus.

»San ma scho in Agatharied«, sagte er; »hamm ma nimma weit.«

»Was werden die Herrschaften heute beginnen?« fragte Laubmann, und in Ton und Miene lag seine Bereitwilligkeit ausgedrückt, bei den Ausflüglern treu auszuharren.

»Dös wiss'n ma selm net«, erwiderte Schegerer barsch.

»Ich hätte Ihnen selbstverständlich gerne ...«

»Nein, danke ...« unterbrach ihn Frau Resi ... »wir woll'n bloß ein bissel rum bummeln und haben gar keinen Plan. Wir haben unter uns so eine private Namenstagsfeier ...«

»Ich verstehe ... en famille ... da möchte ich keineswegs stören ... ich wünsche den Herrschaften einen vergnügten Nachmittag.«

Der Zug hielt in Schliersee.

Beim Aussteigen sah Frau Resi den hübschen Studenten wieder.

Er wurde an der Sperre von einem jungen Manne erwartet, der einige Jahre älter war und gewandter zu sein schien.

Wenigstens fing er gleich einen von den Blicken auf, die Frau Schegerer freigebig austeilte; ein verstehendes Lächeln huschte über sein gebräuntes Gesicht, und er schaute der beweglichen, üppigen Frau wohlgefällig nach. »Sakerament, die hat was!« sagte er zu dem Studenten. »Hast dich an die nicht ein bissel anpürscht?«

»Ich kenn sie ja nicht.«

»Ja so, verzeih! Du unschuldiger Joseph redest bloß mit Damen, die dir vorgestellt wer'n. Und nachher lauter Tanzstundendiskurs. So was laßt man nicht aus, wenn man damit von München bis Schliersee fahrt. Das is dreimal mehr Zeit, als notwendig is ...«

Der Kandidat der Rechte Franz von Riggauer errötete wieder in der Erinnerung an die verlockenden Blicke, machte sich aber keine Gedanken mehr darüber und wollte ausschreiten, als ihn sein Gefährte zurückhielt.

»Ich will dir was sagen, Franzl, ich geh heut nicht nach Bayrischzell, ich bleib da ...«

»Mach kein Unsinn, Otto!«

»Eben, weil ich keinen mach; das wär heller Blödsinn, so eine nette Gelegenheit schwimmen lassen. Ich bleib da ...«

»Was willst d' denn? Es sind scheinbar verheirate Frauen, und ihre Männer sin dabei ...«

»So? Das ändert die Sache – meinst du? Die zwei münchner Weißwurstarchitekten gehen mir nicht im Weg um; laß mich nur machen, gib gut acht …«

»Herrgott, morgen früh wären wir auf dem Wendelstein …«

»Der lauft dir net davon. Gib gut acht, sag ich, dann lernst was fürs Leben. Wir essen jetzt Mittag, danach bummeln wir in Schliersee herum, das andere gibt der Zufall …«

Franz mußte wie immer seinem Vetter nachgeben. Der hatte als angehender Ingenieur und gedienter Soldat ein sehr bestimmtes Auftreten und dadurch starken Einfluß auf den schüchternen Studenten.

Und im Umgang mit Frauen hatte er den Schmiß, der diesem noch fehlte.

*

Benno stocherte nach dem Essen in seinen Zähnen herum und gab sich Mühe, die Augen, die ihm zufielen, offen zu halten.

Manchmal sank ihm der Kopf nach vorne, dann gab er sich krampfhaft einen Ruck, schaute mit erstaunten Blicken seine Umgebung an und nahm einen neuen Zahnstocher aus dem Behälter.

Schegerer hatte den Kampf mit dem Schlafe längst aufgegeben und schnarchte.

»Der fidele Ausflug!« sagte Frau Resi, und obwohl sie dazu lachte, klang doch ein gründlicher Unmut aus ihren Worten.

»Mucki!«

Paula rüttelte ihren Mann, dem der Kopf eben wieder nach vorne fiel, an der Schulter …

»Weißt was, legt euch doch ein Stündl nieder und schlaft aus … Das hat doch keinen Sinn, im Gastzimmer und auf die Stühl eindudeln …«

»Han?«

»Schlafen gehts alle zwei; d' Frau Schegerer und ich gehen ein bissel an den See hinunter; in einer Stund kommen wir wieder … derweil habts ihr ausg'schlafen …«

Benno war gleich einverstanden und stand schwerfällig auf; nach einigen Anstrengungen hatte man auch Schegerer soweit, daß er mit seinem Freunde ein Zimmer aufsuchen konnte.

»Ah ... ja ... die Ehe und die Liebe ...« seufzte Frau Resi, als sie mit Paula zum Seeufer hinunterging. »Ich glaub, es is bei alle Leut gleich ... In München wenigstens scho ... was ich g'sehn hab', war überall das nämliche ... Meinst d' net?«

»No ja, dös is natürlich, daß ...«

»... d' Liab ei'schlaft. Gel?«

»Am End kann's auch net allaweil so bleib'n«, wandte Paula wieder gutmütig ein.

»Net so ...« machte Frau Resi nach.

»Was heißt denn ›net so‹? So braucht's ja net bleiben, dös bild't ma si ja net amal als Backfisch ei, aber, weißt, daß hinterm ›so‹ gar nix mehr so is, das is scho a bissel a Zumutung für unserein. Net halbet so, net a viertel so, bloß a bissel so ... dös könnt ma verlanga.«

Paula lachte.

»Mir kommen heut oft auf des Thema«, sagte sie.

»Kunststück! Wenn ma 'r an ganz'n Tag den Herrn Gemahl vor seiner hat. Wer is denn schuld, wenn ma allaweil an sei langweiligs Leb'n erinnert werd?«

»Ja ... ja ...«

Der tiefe Seufzer, den Paula ausstieß, gab der Frau Resi ihre Fröhlichkeit zurück.

»Mir brauchst d' nix sag'n«, rief sie lachend. »Dein Benno kenn ich in- und auswendig ... die gleiche Ausgab wie der Meinige ... vielleicht noch net ganz so, weil der Mei' fünf Jahr länger im Gebrauch is, aber sonst, mein ich, wär der Unterschied net groß ... brauchst net rot wern, Paulilutscherl ... Weißt«, fuhr sie, wieder ernster, fort, »ärgern kann ich mich doch, was sich die Männer immer noch für ein Ding geben, für ein Ansehn gegen uns. Immer sind s' noch die Überlegenen, die Herrn der Schöpfung, und mir sin die Schwächern, die Dümmern, die Halbfertigen. Wenn der Meinige so erhaben dahockt und mir kaum a Wörtel gunnt, und wenn er scho allergnädigst amal was sagt, mir nacha ganz kalt merken laßt, daß er mei Meinung gar net beacht, da kann i mi scho wirklich gift'n. Mit was für an Recht tun s' denn gar so dick? I möcht wirkli frag'n. Von ihre G'wohnheit'n könna s' net lass'n, ob s' damit ihrer G'sundheit schad'n, oder an G'schäft schad'n oder uns schad'n, das is alles

ganz gleich, es is einfach a G'wohnheit, und von der bringt ma s'
net weg … Wirtshauslauf'n, Kaffeehaushock'n, Kart'nspiel'n,
Kegelscheib'n, Vereinssimpeln … D' Häuslichkeit geht flöt'n,
oder, eigentlich, hast du amal eine g'habt? I net. Net a Woch
lang. Der Meinige hat si weiß Gott wie prahlt, weil er am Tag
nach der Hochzeitsreis' mit'n Hausschlüssel zu seine Spezi kommen is und an Rausch heimtrag'n hat … Daß er net an Preis
dafür kriegt hat und in der Zeitung öffentlich dafür belobt worn
is, war no alles mögliche …«

»Geh, werst di do net ärgern, Resi?«

»O ja, i ärger mi; heut is ma allerhand ei'g'fall'n, wie i di und
dein Beni mitanand g'seh'gn hab. Eine solche Ungerechtigkeit is
dös … Mir wenn ins G'schäft was drei'red'n wollt'n, du lieber
Gott! Was dös für an Anmaßung wär … aber dem nächstbest'n
herg'laufna Ladenschwengel überläßt ma 's ganze G'schäft und
de ganze Verantwortung und lauft ins Wirtshaus. Natürlich!
Was versteht denn unsereins? Aber der Herr der Schöpfung versteht all's und ko net amal so viel z'sammrechna, daß Null von
Null aufgeht. Und daß ma 's Geld im Wirtshaus zweimal verliert: was ma verbraucht und was ma vasäumt. Aber diese Wichtigkeit! Hast d' net Obacht geb'n, wie die Herrn der Schöpfung
heut von dem faden Tarock g'redt hamm? Daß s' mit uns reden,
ko ma doch gar net verlanga … mir sin ihnen doch z' wenig; was
uns interessiert, über dös sind s' doch erhaben … Was dös scho
braucht hat, daß s' uns gütigst mitg'nomma hamm, na reden s'
drei Stund vom Kartenspiel'n, und jetzt schlafen s' …«

»I hätt gar net g'laubt, daß du so …«

»Was?«

»Ich mein, daß du so energisch sei könntst …«

»Bösartig, willst d' sag'n … o mei Paulilutscherl … war i aa
net … und bin's eigentlich no net, aber heut war amal so a Tag
… weißt d', gegen uns laßt si auch allerhand sag'n, wenigstens
gegen mi, da mach ich mir nix vor, aber wenn i so nachdenk, und
i denk öfter drüber nach, als d' mir vielleicht zutraust, weißt, so
kindisch sin mir net, und so ordinär sin mir net wie unserne
Herrn Gebieter und Erzieher. Denn ordinär könna s' sei, wenn
s' mög'n. Aber es ist g'scheiter, mir red'n nimma davo … Wo
hast'n du de hübsche Blusen her?«

»Vom Hirschberg.«

»So? De is geschmackvoll ... De mei hat mir a kleine Schneiderin g'macht in der Rosengass' ... I kann dir d' Adress' geb'n, wenn's d' amal was arbeit'n lassen willst ... Du, da schau hi ... De wink'n uns ja ...«

Ein Boot näherte sich dem Steg, auf dem Resi und Paula jetzt standen, und ein Herr schwenkte die Mütze und grüßte lachend zu ihnen herüber.

»Kennst 'n du?« fragte Paula.

»Na ... i glaub, der andere is der junge Mensch, der in der Bahn hinter uns g'sess'n is ...«

»Jessas ja ... komm, geh ma!«

»Warum denn? Zu die Schlafbärn? Na ... Paulilutscherl ... sei doch net ung'schickt ...«

»Gestatten die Damen ... Ingenieur Jüngst ... haben Sie nicht Lust zu einer kleinen Kahnfahrt?«

Frau Resi schaute in das braune, lachende Gesicht und fand Gefallen daran.

»Warum nicht?« sagte sie.

»Aber mir soll'n doch heimgehn ...« drängte Paula.

»Ach wo! Sei doch net so übergewissenhaft! Mir bleiben halt net lang aus ...«

»Bis zur Insel und wieder zurück«, sagte der Ingenieur ...

»Also, komm mit ...«

Resi war schon in den Kahn gesprungen, Paula stieg etwas unbeholfen und ängstlich nach.

Und als sie sich niedergesetzt hatte, fragte sie noch einmal:

»Meinst d' net doch?«

»Nein ... nein ...« sagte Frau Resi.

Mit kräftigen Ruderschlägen hatten die zwei jungen Leute den Kahn bald weit in den See hinausgetrieben.

»Eigentlich sind Sie jetzt unsere Gefangenen«, sagte Otto Jüngst mit fröhlichem Lachen. »Was wär's jetzt, wenn wir Sie recht lang nicht mehr an Ihre Herrn Ehemänner ablieferten?«

»Jessas ... Sie wer'n doch kein solchen Spaß machen!« rief Paula entsetzt.

»Was wär eigentlich dabei?« fragte Resi übermütig. »Es ist erst noch die Frag, ob der Kummer gar so groß wär ...«

»Nein … wirklich, ich schrei um Hilf …« Franz hörte zu rudern auf und wandte sich höflich an Paula, die ängstliche Augen machte.

»In einer halben Stund längstens sind Sie wieder am Steg. Ich garantier Ihnen dafür …«

»Aber g'wiß?«

»Wenn ich's Ihnen sag …«

Jüngst lachte.

»Das geht gut. Sie haben Angst vor uns, und der Benjamin da hat die größte Angst vor Ihnen …«

»Ach was …«

»Nur net leugnen! Er hat mich himmelhoch bitt, ich soll Sie nicht einladen …«

»Was fürchten S' denn gar so an uns?« fragte Resi.

»Nichts, ich hab mir gedacht, es könnt Sie am End beleidigen …«

»Ach, du lieber Gott!« Sie stieß einen langen Seufzer aus. »Es is a Kreuz auf der Welt. Die jungen Herrn lassen uns d' Langweil aus lauter Rücksicht, und die ältern aus … no ja … aus … sag'n ma … Überdruß …«

»Die armen Weiberln!« rief Jüngst.

»Sie Schlimmer! Ihnen tät i net trauen …«

»Das heißt, Sie täten mir trauen, daß ich Ihnen die Langweil vertreib …«

»Ihnen tät d' Rücksicht net weh …«

»Net arg, und jedenfalls weiß i net, was Überdruß is. Herrgott, wie man bei so was Nettem nur dran denken kann!«

»O mei, 's Feuer verfliegt schnell …«

»Is 's verflogen?«

»Von so was red't ma net …«

»O ja; wenn ma an heimlichen Kummer hat …«

»Sie sin aber wirklich schlimm …«

Frau Resi wurde sehr beweglich, sie rutschte auf ihrem Sitze hin und her, hielt die Hand vors Gesicht, guckte schelmisch durch die ausgespreizten Finger und schlug die Zunge heraus.

Paula saß ruhig neben ihr.

Anfänglich hatte sie sich öfter umgewandt und ängstlich nach dem Ufer hinübergespäht; wie sich aber nichts zeigte, gewann sie Sicherheit und Gefallen an dem harmlosen Vergnügen. Sie wunderte sich ein wenig über die Vertraulichkeit, die sich so rasch zwischen Resi und dem jungen Herrn angesponnen hatte, aber sie war viel zu gutmütig, um das mißgünstig zu beurteilen.

Ihr selber paßte es gut, daß sie schweigen durfte.

Der jüngere Herr, der eigentlich die Unterhaltung mit ihr hätte führen sollen, redete nichts; zuweilen streifte er sie mit einem Blick, als wollte er etwas sagen und fände keinen rechten Anfang.

Wenn sie sich unbeobachtet glaubte, musterte sie sein Aussehen.

Es lag noch etwas Herbes, beinahe Trotziges in seinem Gesichte, aber die Augen verrieten die Schüchternheit, die die Ursache davon war.

Vielleicht war er heiter und unbefangen im Verkehr mit seinen Altersgenossen, Frauen gegenüber hatte er noch den unbeholfenen Ernst, in dem Achtung und Scheu liegen.

Darüber gab sie sich keine Rechenschaft, doch gefiel ihr die Zurückhaltung des jungen Menschen besser wie die unbekümmerte Art seines Freundes.

Der Kahn knirschte über feinen Kies und hielt.

Jüngst machte den Vorschlag, man solle auf der kleinen Insel landen, und als Paula ängstlich dagegen sprach, sagte Frau Resi schmollend, sie solle doch ein bißchen Courage haben und nicht sich und den andern den netten Nachmittag verderben; sie werde alle Schuld auf sich nehmen, wenn Herr Globerger brummte.

Da willigte Paula zögernd ein, blieb aber mit ihrem Begleiter im Kahne sitzen, während Jüngst und Frau Resi erklärten, sie wollten die Insel erforschen.

Sie waren den Blicken der beiden rasch entschwunden; von fernher klang heiteres Lachen herüber, dann hörte man nichts mehr als das leise Plätschern der Wellen.

»Hoffentlich kriegen Sie keine Unannehmlichkeiten«, sagte Riggauer nach längerem Schweigen.

»N ... nein, so schlimm is es ja auch net ... das heißt, wenn wir net gar zu lang wegbleiben; die Insel is ja net groß, da müssen die zwei bald wiederkommen ...«

»Wenn sie länger ausbleiben, fahr ich Sie allein hinüber ...«

»Nein, das gäb erst recht ein Aufsehen, wenn ich allein daherkäm ... was müßt sich der Resi ihr Mann denken?«

»Ja so ... ist der kleine, dicke Herr mit der Glatze der Frau Resi ihr Mann?«

Paula wurde feuerrot.

»Nein ... das ist der meinige ... er is doch net so dick ... finden Sie?«

Franz korrigierte sich rasch.

»Es is mir nur so vorgekommen. Genau hab ich ihn net g'sehn ...«

Sie schwiegen.

Paula tauchte die Hand ins Wasser und plätscherte nachdenklich darin herum.

»Warum haben Sie eigentlich net wollen, daß Ihr Freund uns zum Schifferlfahren einladt?« fragte sie nach einer Pause.

Nun wurde Franz rot.

»Ach Gott ... nicht wollen! Ich hab nur g'meint, es könnt Sie am End beleidigen ... Es is eigentlich gegen mein Prinzip ...«

»Mit Damen verkehren?«

»Nein ... aber Damen anreden, denen man nicht vorgestellt is!«

»Was haben S' Ihnen gedacht, wie wir gleich eing'stiegen sind. Am End' halten S' uns für recht leichtsinnig?«

»Nicht die Spur! Nein, wirklich net!«

»Wenn ich allein gewesen wär, hätt ich mich auch net traut. Aber meine Freundin hat mir so zug'redt ... Sie dürfen Ihnen fei nichts Schlechts denken ...«

»Das würde ich mir nie erlauben ...«

»Aber der andere Herr glaubt vielleicht ...«

»Nein, er macht nur gern seinen Spaß ... und es gibt ja Leute, die tun so, als wenn sie an keine Tugend mehr glauben könnten ...«

»Aber Sie gehören net zu denen? ...«

»Nein ... ich bin der Ansicht, daß man nicht das Recht hat, was Schlimmes zu glauben, solang man nicht Beweise hat.«

»Wissen S', die Welt is so schlecht. Die bricht allaweil gleich den Stab über eine Frau ...«

»Ich beteilige mich grundsätzlich nicht an solchen Urteilen ...
obwohl ...«

»Was meinen S'?«

»No ja, man hat auch seine Erfahrungen, aber das darf man
eben nicht verallgemeinern.«

»Was haben Sie für Erfahrungen?«

»Das kann ich Ihnen als Frau nicht so sagen ...«

»Bitt schön, erzählen S'! Bitte ... bis die zwei kommen ...«

»Es is nix so Merkwürdiges oder so was Besonderes ...« Franz
seufzte. »Ich bin eben auch einmal in meinem Glauben betrogen
worden ...«

»Ach, gehen S'!« Paula sagte es sehr mitleidig. »Waren S' recht
unglücklich?«

»Anfangs schon. Aber ich hab's überwunden.«

Franz zog bei den Worten seine Stirne in Falten und blickte
düster ins Leere.

Die Wunde schien nicht ganz vernarbt zu sein.

»Wenn Sie Vertrauen zu mir haben ...« Sie zog die Hand aus
dem Wasser und hielt sie ihm hin ... »Ich mein', bei so was wird
einem leichter, wenn man sich amal ausspricht ...«

Er hielt ihre Hand in der seinen und fuhr spielend mit dem
Daumen über ihre rundlichen Finger. Dabei verschob sich der
Ehering, und ein heller Streifen zeigte sich in der rosigen Haut.

Sie patschte ihm auf die Finger und sagte drängend:

»Jetzt erzählen S' aber doch!«

»Was is viel zu erzählen! Ich war eben einmal sehr töricht und
glaubte an Treue ...«

»War sie sehr hübsch?«

Franz nickte und machte Augen, als blickte er auf eine unab-
sehbare Reihe von Jahren zurück.

»War's eine Frau oder ein Mädel?«

»Nein, nicht verheiratet. Sie war in einem Geschäft angestellt,
und wir haben uns kennen gelernt ...«

»Wie lang sind Sie mit ihr ...?«

»Wie?«

»Ich mein, wie lang Sie mit ihr gangen sind?«

»Über ein halbes Jahr ...« Franz sagte es wieder so, als spräche
er von einer endlos langen Zeit ... »Ich habe nie daran gedacht,

daß es einmal anders werden könnte«, fuhr er fort. »Wenn mir jemand einen Verdacht hätt einflößen wollen, ich hätt dazu gelacht, so fest überzeugt war ich ... aber eines Tags hat mir ein Freund einen Brief von ihr gezeigt ... Da habe ich nicht mehr zweifeln können ...«

»Hat sie den Brief an Ihren Freund geschrieben?«

»Ja ...«

»Das is aber gemein!«

»Vielleicht war ihre Natur so ...«

»Nein, daß er den Brief verraten hat ...«

»Das war ein Akt der Freundschaft ... ich weiß, er hat es sehr ungern getan, er hat direkt mit sich gekämpft, aber wie er gesehen hat, daß ich mich immer mehr verrenne ...«

»Ich find's doch gemein! Könnten Sie so was tun?«

»Ich weiß, daß es das oberste Gebot ist, diskret sein, aber wenn ich auf der andern Seite zusehe, wie mein bester Freund betrogen wird ...«

»Für dös gibt's gar keine Entschuldigung ... Das is doch das höchste Vertrauen, was eine Frau zu einem Mann hat, und das mißbrauchen! Nein, da gibt's wirklich keine Entschuldigung ...«

Paula sagte es mit so eindringlicher Bestimmtheit, daß Franz dieses Problem nicht mehr als fraglich hinstellen wollte.

»Eigentlich ja ...« sagte er; »darin haben Sie recht. Wenn einer vor diesem Dilemma steht, muß er für sich das Vertrauen rechtfertigen. Nur möchte ich das bemerken: aus Geschwätzigkeit hat mein Freund sein Geheimnis nicht preisgegeben; er war eben empört ... jedenfalls, ich hab Klarheit gewonnen, und insofern hab ich ihm dankbar sein müssen ...«

»Hat sie's erfahren?«

»Das von dem Brief? Nein. Ich hab sie allgemein zur Rede gestellt und hab dabei kennen gelernt, wie alles Lug und Trug war, was sie sagte ... Es war eine sehr schlimme Enttäuschung. Ich weiß nicht, ob ich überhaupt jemals wieder Vertrauen gewinnen kann ...«

»Ach gehen S', das kommt von selber ...«

»So schnell nicht. Ich bin eine Natur, die mit so was nicht fertig wird.«

»O mei, Enttäuschungen erleben wir alle...«

»Das schon. Aber wenn man sieht, daß man systematisch betrogen worden ist...«

»Verheirat waren S' ja nicht damit, und das andere, das werden S' bald vergessen haben...«

Franz schüttelte melancholisch den Kopf. Er wollte von seinem Unglücke nichts ablassen.

Aber Paula war nun gesprächig geworden.

»Was müßt da unsereins oft sagen! Wissen S', wenn die Enttäuschungen hinterdrein kommen, wenn's zu spät is, wenn s' in der Ehe kommen, des is viel härter...«

»Allerdings...«

»Da muß man's dann einfach haben und aushalten...«

»Darf ich fragen...?« Franz stockte.

»Was meinen S'?«

»Ob das bei Ihnen der Fall ist?«

Sie wurde rot bis unter die Haarwurzeln.

»Nein! Das hab ich net sagen wollen. Mein Mann is ganz gut zu mir, aber ... no ja ... so wie man sich's als Mädel vorstellt, is es ja nie ... Die Ideale gibt's eben net...«

»Die Ideale! Ich hab auch einmal daran geglaubt...«

»Sie glauben schon wieder dran, wenn die Betreffende kommt.«

»Ich würde mich fürchten, daß ich das gleiche noch einmal erleben müßte...«

»Ach gehen S', alle sin doch net gleich!«

Franz zog die Achseln hoch.

»Sehen S', jetzt glauben Sie auch an keine Tugend mehr, und vorhin haben S' doch g'sagt, daß man des nicht tun darf.«

»Das ist etwas anderes. Ich sage, daß ich prinzipiell nichts Unanständiges glaube von einer Frau, solang ich nicht die strikten Beweise habe. Aber ob ich persönlich noch einmal das tiefe Vertrauen fassen kann, das bezweifle ich...«

»Sie sind doch noch so jung!«

»Auf das kommt's nicht an. Eine einzige Erfahrung macht einen in der Beziehung ... wie soll ich sagen ... gereift...«

»Haben Sie s' noch allaweil gern?«

»Nein! Wenn ich einmal kein Vertrauen mehr haben kann,

kann ich auch keine Liebe mehr fühlen ... Aber, nicht wahr, das, was ich Ihnen gesagt habe, bleibt unter uns?«

»Selbstverständlich! Wem sollt ich denn was sagen?«

»Es wäre ja möglich g'wesen, daß Sie zufällig mit Ihrer Freundin ... und ich möcht vor allem nicht, daß mein Vetter was hört ... er macht oft Späß, die einen verletzen ...«

»Von mir hört niemand was ...«

Paula streckte ihre Hand zum Versprechen hin, und Franz hielt sie dankbar und nachdenklich in der seinen.

»Holiä ... holiä ... juhu!«

Frau Resi juchzte aus einiger Entfernung herüber; sie kam Arm in Arm mit Herrn Jüngst, lachend und zuweilen einen Schrei ausstoßend, heran.

»Mir sin um die ganze Insel rumgangen ... war'n mir lang aus?« rief sie.

»Net so arg«, erwiderte Paula, »aber es is doch Zeit, daß mir heimtracht'n ...«

»Ah, papperlapapp! Mein Alt'n bringt d' Sehnsucht net um ...«

Resi war merklich ausgelassener und fröhlicher wie vor dem Spaziergange.

Als sie sich anschickte, in den Kahn zu steigen, raffte sie den Rock kokett bis zum Knie und stützte sich sehr fest auf ihren Begleiter.

»Net auslassen ... Ottibubi«, rief sie, »sonst fall ich ... so ...no, Paulilutscherl ... wie hast dich unterhalten mit dein schweigsamen Kavalier?«

»Danke schön, ganz gut. Mir war'n gar net so schweigsam, gelten S'.«

»Schad, daß ihr net mitgangen seid's ... die Insel is nett«, sagte Resi mit einem entzückten Augenaufschlag. »Die alten Bäum' ... und diese Ruhe! Ganz romantisch ... Jessas ... Ottibubi, jetzt wärst mir beinah auf d' Hand nauftreten ...«

Herr Jüngst, der sich in der kurzen Zeit unter den romantischen Bäumen den zärtlichen Namen erworben hatte, schob den Kahn vom Ufer ab, und bald fuhren sie rasch über den See.

»Am Steg steht wer«, sagte Paula. »Ich glaub, das is mein Mann ...«

Resi sah scharf hin.

»Der mei is g'wiß net ... So besorgt is der net«, meinte sie.

Paula wurde ängstlich.

»Was sag'n mir denn, wo mir die Herren kennen g'lernt haben?«

»Wo? Ganz einfach, das Schifferl war das einzige, das frei war, und ...«

»Na, der Benno nimmt mir's übel, wenn ich mich von Fremde einladen laß ...«

»Ich sag ganz einfach, der Ottibubi is der Bruder von einer Freundin von mir. Mir hamm uns zufällig am Steg troffen ... Übrigens, dös is ja gar net dein Mann ...«

Paula atmete auf.

»Na ... er is net ... Gott sei Dank! ...«

»Dös is ja der fade Mensch, der in der Eisenbahn so viel g'red't hat ...«

Sie waren nahe genug ans Ufer gekommen, um Herrn Laubmann zu erkennen, der, auf seinen Regenschirm gestützt, in den See hinausspähte.

Als er die Bootsinsassen ins Auge gefaßt hatte, schwenkte er lebhaft seinen Hut.

»Der will was«, sagte Jüngst.

»Wahrscheinlich uns wieder ansoßen ... Der gräusliche Mensch ...« Frau Resi schüttelte sich. »Aber dösmal laß ich ihn g'hörig abfahr'n ...«

»Lieber net«, bat Paula. »Ma weiß net, ob er net recht dumm daherred't, wenn er beleidigt is ...«

Herr Laubmann hielt die Hände vor den Mund und schrie herüber:

»Die Damen werden von ihren Gatten erwartet ...«

»M-hm ... ja ... Da braucht ma di dazu ...« brummte Resi.

Paula nickte anscheinend freundlich mit dem Kopfe und winkte dem besorgten Herrn beschwichtigend mit der Hand.

»Die Damen werden von ihren Gatten ungeduldig erwartet ...« wiederholte Laubmann, als der Kahn anlegte.

Resi sprang zuerst heraus und glättete ihren Rock.

»Die Ungeduld wird net so groß sei«, sagte sie etwas schnippisch.

»Doch! Ich nehme an, daß Ihr Mann sehr besorgt ist, weil er

öfters nach Ihnen gefragt hat ... die Herren machen ein Spielchen und wollten dem Kellner den Auftrag geben, nach den
Damen zu forschen ... ich habe mich selbstverständlich dazu
erboten ...«

»Gestatten ... Otto Jüngst ...«

»Sehr angenehm ... mein Name ist Laubmann, Vertreter der
Firma Probst in Hof ...«

Franz murmelte seinen Namen und verhehlte kaum seinen
Mißmut darüber, daß ihn der Mensch so verwundert anstarrte.
Herr Laubmann war aber etwas erstaunt, den jungen Studenten
in Gesellschaft der Damen wiederzufinden.

Resi machte der langweiligen Szene ein Ende.

»Wir müssen jetzt zu unsern Strohwitwern zurück ... Dank
schön für die Fahrt ... und auf Wiedersehen ...« In dem Blick,
den sie mit Herrn Jüngst wechselte, lag ein Versprechen.

Paula schüttelte Franz die Hand.

»Adjö.«

»Ich würde mich freuen, wenn ich wieder einmal die Ehre
hätte«, sagte er.

»Vielleicht in der Stadt ... adjö!« wiederholte sie.

Herr Laubmann ging neben ihnen her.

»Wenn ich eine Ahnung gehabt hätte, daß die Damen Verehre-
rinnen des Wassersports sind, hätte ich Ihnen meine Dienste zur
Verfügung gestellt ...«

»Es is so auch gangen«, erwiderte Resi.

»Gewiß ... aber wir hätten im Einverständnis mit Ihren Gatten das Vergnügen ausdehnen können ...«

»Ja, wir müssen uns jetzt trennen«, sagte Paula.

Laubmann lächelte.

»Wenn Sie gestatten, möchte ich Sie doch Ihren Gatten in die
Arme führen ...«

»Na, dank schö ... dös schaut gar so arretiert aus ...« rief Resi
sehr energisch.« »Adjö ... Herr ... Herr ...«

»Laubmann«, ergänzte der Reisende mit einer ritterlichen
Verbeugung.

Er sah hinter ihnen drein und bürstete seinen Schnurrbart in
eine herausfordernde Lage, und in seinen Augen lag so etwas wie
ernste Mißbilligung des weiblichen Leichtsinns.

*

Schegerer lag auf dem Kanapee eines kleinen Hotelzimmers und schnarchte. Benno lag auf dem Bette daneben und wachte soeben auf; er schaute wild um sich und erinnerte sich allmählich, daß er auf einer Landpartie in Schliersee war.

»Glasl! ... Glasl! ... He ... Du! Herrgottsakra ... Glasl! ... wach amal auf!«

Schlaftrunken hob der andere den Kopf vom Kissen.

»Was is? Was gibt's?«

»Aufsteh tean ma ... mir hamm lang g'nua duselt ...«

»Was tean ma nacha in dem Höft, wenn ma auf san?« Schegerer brummte es und blieb auf dem Kanapee sitzen; dabei schaute er unverwandt vor sich hin auf den Boden.

»Jetzt mach amal!« drängte Benno, der die Schuhe einschnürte. »Sonst kriagn mir wieder die Lamentationen der verehrten Damenwelt.«

»Von mir aus. Überhaupts, mei Liaba, mi stimmst so glei nimmer raus in dei schöne Bergwelt. In da Stadt drin gang i halt jetzt zu an vernünftigen Tertl ins Kaffee Perzl, und da heraus kon i d' Natur o'schaug'n mit die Aug'n. So schnell nimma, dös sag i dir ...«

»Du bist granti wia die kloan Kinda nach'n Schlaf'n ...«

»I bi scho z'erscht belzi g'wen, mei Liaba; weil i dös so gern hab, Familienausflug mit traulichen Gesprächen ...« Schegerer sagte es hochdeutsch, um seinen Abscheu deutlich zu machen.

»Jetzt san mir amal da und müass'n do a kloans bissel dergleichen toa ... Freuen tuat mi de Aufgab ja ungefähr so wia di ...« beschwichtigte Benno.

Schegerer hatte sich fertig gemacht, blieb aber noch am Fenster stehen und sah in den Hof hinunter.

»Hier ist zu sehen eine ländliche Idylle«, sagte er. »A Misthaufen nebst einigen Mistkratzern und dem dazugehörigen Gockel ... Ja, krah no, dummer Teufi! Wenn's d' amal g'scheiter werst, treibst di nimma mit die Henna umanand! Na schaugst aa, daß d' dein Grüabig'n hast ...«

Benno lachte.

»Jetzt wenn di dei Alte höret!«

41

»Was waar's nacha? Glaabst d' vielleicht, de erfahret was Neu's?«

»Aber vielleicht saget s', daß s' di aa wieder amal gern krah'n höret …«

»M-hm … I glaab allaweil, mit dein Stimmstock is aa nimma weit her …« Das Gespräch hatte Schegerer in bessere Laune versetzt, und er ging nun lachend mit seinem Freunde ins Gastzimmer hinunter.

An einem Tische saß ein Mann hinter einer Zeitung versteckt. Als er die lärmenden Stimmen hörte, ließ er das Blatt sinken, und in diesem Augenblicke rief Schegerer:

»Jessas … da Rabl! Ja … Schorschi, wia kimmst denn du da außa?«

»G'schäftshalber, aba was teat's denn ös da?«

»Familiensimpeleihalber … Er, woaßt d' …« dabei deutete Schegerer auf Benno … »Aba jetza, Schorschi, kimmst d' uns nimmer aus, jetzt geht a Tarock z'samm, sag i …«

»Warum net?«

»Also … Wirtschaft! He da! A neue Kart'n … Blöck' … Jetza bin i a bissel versöhnt mit dera Idylle und der schönen Bergwelt … Kreuzsakra, dös hätt i mir heut nimmer g'hofft …«

»I will g'schwind schaug'n, wo unsere Weiber san«, sagte Benno.

»Dableib'n!« kommandierte Schegerer, den die gute Laune sehr laut werden ließ. »Kreuz Birnbaam und Hollerstaud'n, dös waar mir dös Wahre! Da Bubi möcht d' Mama holn … gehst ma net weg mit dem Schmarrn!«

»Aba mir müass'n …«

»Nix müass' ma, tarock'n müass' ma, verstand'n … Da san d' Kart'n scho … hock di hi auf deine fünf Buchstab'n und woan net nach der Mammi … Du gibst, Schorschi.«

Benno ließ sich gerne überreden, und bald hatte er seine Frau genau so vergessen wie Herr Schegerer.

Er wurde an Paula erinnert, als Herr Laubmann ins Gastzimmer kam und an den Tisch hertrat.

»Die Herren machen ein Spielchen? Darf ich mich erkundigen, was die Damen unternommen haben?«

»I glaab, daß s' beim Konditor hocka und Zeitlang hamm nach

Eahna«, antwortete Schegerer, der aus seiner Abneigung gegen den imposanten Reisenden kein Hehl machte.

»Sehr schmeichelhaft«, sagte Laubmann, der einen Scherz nie übelnahm.

»Ich nehme an, daß die Damen eine Kahnpartie machen; wenigstens hat mir der Bootverleiher erzählt, daß zwei Frauen und zwei Herren nach der Insel gefahren sind. Die Beschreibung läßt mich vermuten, daß es sich um Ihre Damen handelt.«

Schegerer zeigte keine Überraschung; auch Benno blieb ruhig.

»I schick von der Wirtschaft wen nunter an See, daß d' Paula woaß, wo i bin, wenn s' z'ruck kommt ...« sagte er.

»Wenn Sie mir die Ermächtigung geben, will ich die Botschaft gerne bestellen.«

»Gib s' eahm!« sagte Schegerer trocken. »Vielleicht kriag'n ma nacha unser Ruah beim Tarock'n ...«

»Sie entschuldigen, wenn ich gestört haben sollte ...«

»I entschuldig gar nix, Sie hamm die Ermächtigung, Sie bestellen die Botschaft, Sie gengan am See abi, Sie lass'n uns in Ruah ... und jetzt spiel i a Graßsolo ... Du kimmst raus, Beni ... i bin in da Mittelhand ...«

Der Vertreter der Firma Probst entfernte sich mit verzeihendem Verständnisse für süddeutsche Derbheit und wurde am Seeufer Zeuge dessen, was die Damen unternommen hatten.

Durch Resis schroffe Ablehnung wurde er um die Möglichkeit gebracht, der Rückkehr der schuldbewußten Frauen beizuwohnen.

Sie vollzog sich einfach und herzlich.

Schegerer machte eine halbe Wendung gegen seine Frau Gemahlin und fragte: »Bist da? Warum seid's denn net länger am See blieben?«

Benno lächelte freundlich.

»Grüß di Gott, Muckerl! Setz di her und schaug zu, daß d' was lernst.«

Diese Einladung nahm Paula nicht an; sie setzte sich mit ihrer Freundin an einen Nebentisch.

»Da hast dei G'wissenhaftigkeit«, murrte Resi. »I hab's ja g'wußt, bei dir is genau wie bei mir, und i komm mei'm Mann allaweil no z' früh. Eigentli hätt i gute Lust und gehat nomal nunter am See.«

»Dös geht net«, flüsterte Paula.

»Geht net ... m ... hm ... aber dös geht, daß mir a paar Stunden dasitz'n wie ang'malte Affen ... Na ... einen Zorn hab i, daß i 's Kaffeeg'schirr an d' Wand schmeißen möcht.«

»Laß dir's doch net so ankennen ...«

»Warum net? Schau do hin ... strapaziern sich vielleicht die edlen Herrn und verstellen sich vor uns? Mit der größten Offenheit zeigen s' uns, daß ihna alls lieber is als wie unser G'sellschaft. Weißt, Paula, uns Frauenzimmer g'schieht's eigentli recht, mir sin alle feig. Warum stehn mir net auf und sag'n zu dena Bierdimpfl ...«

»Bst ... aber geh ... Resi ...«

»Ja, Bierdimpfl ... sind s' vielleicht was andres? ... warum sagn mir ihna net, daß s' uns eckelhaft sin?«

»Weil ma sein Frieden haben nöcht, und weil mit der Schimpferei nix besser werd ...«

»I will gar kein Frieden haben ... na! An solchen net, wo er alles tut, was er mag, und i alles leid, was i net mag ...«

»Heut machst d' 's auch nimmer anders, Resi ... jetzt geh doch zu ... was woll'n ma denn mach'n?«

Es gelang Paula allmählich, ihre Freundin zu beruhigen. Ein Ärger hielt bei Frau Resi nicht lange an, und ihr Mißmut schlug bald wieder in Fröhlichkeit über. Sie tätschelte Paula auf die Bakken.

»Du bist a gute Haut ... viel z' gut für an g'wissen Jemand ... aber eigentlich hast d' recht, ma soll sich net ärgern. Und jetzt freut mich was! Jetzt freut's mich erst!«

Sie patschte lustig in die Hände.

»Siehgst, wenn ma sich Gedank'n machet – aber ich mach mir scho keine –, aber wenn ich mir ei' machet, na brauch i bloß da nüber schau'n, und i bin gründlich kuriert ... Die da drüben meinen, weiß Gott wie untertänig mir sin – Schnecken! ...«

»Du, Manni!« rief sie übermütig zum Spieltisch hinüber. »Auf der Insel war's heut lieb! Da möcht i no öfter nüber fahrn ...«

Herr Schegerer stach gerade mit dem letzten Trumpf und ließ sich nicht stören.

»Vo mir aus«, brummte er.

»Vo dir aus? Gibst mir du die Erlaubnis dazu?«

Sie lachte ausgelassen.

»Ja ... achtavierz'g ... neunafufz'g ... was gengan mi deine Inseln o? ... Jetzt laß mir mei Ruah! ...«

»De lass' ich dir ...« Frau Resi lachte sehr laut. »Hast d' ghört, Paulilutscherl, er erteilt mir seine Genehmigung ...«

Benno sah herüber.

Es war etwas in der lauten Lustigkeit, was ihm auffiel, aber wie er die Frau ansah, die sich so kindisch über nichts und gar nichts freuen konnte, fand er seine Meinung von der weiblichen Minderwertigkeit wieder einmal bestätigt.

Der Nachmittag verging, die Sonne neigte sich zu den Hügeln im Westen hinunter, und es wurde ein stiller, feierlicher Abend.

Auf den Spieltisch klatschten die Karten eintönig weiter; nach dem Herzsolo kam ein Schellnsolo, Assen wurden verschunden, und Zehner wurden hineingetrieben. Es blieb noch eine Viertelstunde bis zum Abgang des letzten Zuges.

»Oans geht no«, rief Schegerer übermütig ... »gib aus, Schorschi, und tua net so langsam!«

Und das Glück war mit Schegerer. Er konnte noch einen Rufer spielen und den Aufenthalt in der herrlichen Bergwelt auf das schönste abschließen. Dann mußte man aber hastig die Wirtsrechnung zahlen und in scharfer Gangart zum Stationsgebäude eilen.

Kaum hatte die Gesellschaft ihre Sitze im Kupee eingenommen, setzte sich der Zug in Bewegung und fuhr an grünen Hügeln vorbei ins flache Land hinaus. Kräftiger Duft von frisch gemähtem Heu drang zum Fenster herein, und Paula schaute träumend zu den Bauernhäusern hinauf, die sich breit und behaglich die Abendsonne auf die Schindeldächer scheinen ließen.

Frau Resi blinzelte zur Brecherspitze hinüber, die auf den See hinuntersah, und sie dachte an eine Insel, die darinlag.

*

»Es handelt sich nämlich um ein äußerst fruktifizierliches Projekt«, sagte der Privatier Schmidramsl zu Benno, der mit einem unbehaglichen Gefühle in seinem Kontor den Besuch des Herrn Schmidramsl und des Herrn Rabl empfing.

Die beiden beleibten Männer, die ihn mit ihren Bäuchen an das Stehpult hinpreßten, sahen in dieser Vormittagstunde so feierlich aus, daß er sogleich wußte, sie wünschten von ihm Geld zu erhalten.

Und er suchte im Geiste sofort nach Ausreden, die schmerzlos und dennoch stichhaltig wären.

»Wenn ich bitten darf, Platz zu nehmen«, sagte er sehr höflich und wies auf das Kanapee.

Schmidramsl keilte sich zwischen die Lehne und Herrn Rabl ein, die Federn knackten unter der Last, und Benno war nun eigentlich in der besseren Situation.

Er stand frei und sah auf sie herunter; die zwei Eindringlinge aber saßen in tiefen Mulden und teilten einander sehr viel animalische Wärme mit.

Trotzdem war Schmidramsl viel unbefangener und sicherer wie der Chef der Firma Globergers selige Erben.

»Es handelt sich nämlich um ein äußerst fruktifizierliches Projekt mit absoluter Garantie«, wiederholte er. »Der Herr Rabl, der wo ja, wie er mir sagt, ein Intimus von Ihnen ist ...«

»Dös hoaßt ...« wollte Rabl einfallen.

»No ja, den wo Sie also doch seit längerer Zeit kennen, hat ein Projekt ins Auge gefaßt ... Also, nämlich in der Arnulfstraße könnte man durch einen günstigen Zufall einen Bauplatz erlangen ...«

»Entschuldigen die Herren, aber ...«

»Herr Globerger, wenn Sie mir gestatten würden, daß ich mich zuerst über die Sache verbreite. Nämlich, Sie haben doch g'hört, ich sag: Arnulfstraße ...«

Er blinzelte bedeutsam.

Es lief da etwas Geheimes mit unter, was ein kluger, seinen Vorteil verstehender Mann sogleich erfassen mußte.

Der Appell an seinen Weitblick wirkte auf Benno ...

»M ... hm ... ja ... ja ...«

»Hamm S' mi?« Schmidramsl lächelte, fuhr aber, wie es sich bei solchen Dingen ziemte, in gebildetem Hochdeutsch weiter.

»Also, es handelt sich da nicht um ein gewöhnliches Spekulationsobjekt, wie man es jeden Tag sozusagen aufgedrängt erhalten bekommt, sondern in diesem speziellen Fall handelt es sich um eine großzügige Konjunktur ...«

»Du woaßt do, weg'n an Bahnhof ...«

»Herr Rabl, jetzt müssen Sie mich die Situation klären lassen. Also, net wahr, Herr Globerger, wie mir jetzt da beinand sind, mir drei, mir san doch lauter alte Münchner, und mir hamm mit einiger ... Einsicht, will i sagn, in die Verhältnisse die rapide Entwicklung verfolgt, die wo sich seit einigen Jahrzehnten vollzieht. Dieses Wachstum is unleugbar vorhanden, und dös is, net wahr, als wenn i an junga Menschen in a G'wand einnah ... einnähe ... net? ... und er werd größer ... er werd dicker ... er werd mächtiger ...«

Schmidramsl machte Bewegungen, die seine Fleischmassen in engste Berührung mit Rabl brachten.

»Er wachst ... er dehnt sich aus ... aber er steckt noch in dem G'wand ... Was ist die Folge? Hört sein Wachstum auf, oder sprengt er das G'wand? Ich meine doch, letzteres. Ich meine doch, für einen klaren Kopf dürfte es betreff dieser Frage kaum einen Zweifel geben.«

»M ... hm. Das is alles sehr recht, aber ...«

»Na ... na! Genga mir erst amal an Schritt weiter. Is dieser Bahnhof net wie a Sack, in den der wachsende Verkehr hineingezwängt is? Muß er nicht diese Fesseln sprengen? Und bald er sie sprengt ... Was is nacha?«

Schmidramsl machte eine Pause und sah Benno forschend an.

»Was is alsdann? Nacha sind diese betreffenden Bauplätze mitten in dem erforderlichen Rayon ... nacha muß sie der Staat, ich möchte sagen, zu jedem Preise erwerben ...«

Rabl war zufrieden mit dem Vortrage seines Begleiters und blickte lächelnd ins Weite, wo ungeheure Gewinne für ihn bereitlagen.

Aber Benno fühlte sich immer unbehaglicher.

Nun war es offenbar auf größere Beträge abgesehen, und er hätte den Angriff auf sehr kleine abweisen müssen.

»Ihre Ausführungen sind durchaus richtig«, sagte er, »aber man hat in einem Geschäft nicht immer die nötigen Summen disponibel ...«

»Naturgemäß«, pflichtete Schmidramsl bei.

Und Benno fuhr etwas erleichtert fort:

»Ihr Plan fußt auf Berechnungen, die ich immer vertreten habe. Wenn ich nicht gerade jetzt ein größeres Kapital in Waren festgelegt hätte, würde ich sofort diese Idee aufgreifen. Aber ich habe eben meine flüssigen Gelder gerade in diesem Moment fest engagiert.«

»Naturgemäß«, sagte Schmidramsl.

Benno sah ihn unsicher an.

Wollte er am Ende gar nichts?

Nein, er wollte nichts.

Er sah Herrn Globerger an, fast als weide er sich an seiner Angst, und erst nach einer kleinen Pause befreite er ihn davon.

»Sie gehn vielleicht von der Ansicht aus, daß Ihnen Ihr Freund zu diesem Behufe bei Ihnen ein Kapital aufnehmen will. Darum handelt es sich durchaus nicht ...«

Benno fiel ein Stein vom Herzen.

Es war ihm zumute wie einem Sünder, der mit einer Verwarnung durchkommt, und er wurde in fröhlichem Dankgefühle sogleich mitteilsamer.

»Ich wiederhole, daß ich jedes Wort unterschreibe, was Sie über die Entwicklung der Stadt angeführt haben, jedes einzelne Wort. Man kann nicht anders kalkulieren, wenn man einen Blick hat für die wirtschaftlichen Notwendigkeiten ...«

»Also paß auf, Beni«, fiel nun Rabl ein. »Der Geldgeber is nämlich der Herr Schmidramsl selber ...«

»Ah so. Ja, wie gesagt, ich bedaure nur, daß ich mich an dieser Spekulation nicht beteiligen kann ...«

»Du ko'st scho ... Nämli, du woaßt ja selber, wia dös is, i bin ja an Herrn Schmidramsl guat, und das Objekt is eahm aa guat, aber er suacht eben do a dritte Sicherheit ...«

»Du sagst die Hauptsach net«, unterbrach ihn Schmidramsl. »Nämlich, Herr Globerger, wenn es sich um mein Geld handeln würde, brauchat's gar nix. Ich kenne das Projekt, ich befinde es ausgezeichnet, da is die Summe ... allein mir geht's wie Ihnen, ich habe auch in diesem gegebenen Moment kein flüssiges Kapital nicht auf der Hand, und dasjenige, wo ich Ihrem Freunde verschaffen will, entspringt einem Konsortium, und dieses Konsortium ... net? ... dessen Mitglieder sich sozusagen im Hintergrunde halten, verlangt statutengemäß eine Bürgschaft ...«

»Und da hab i gemoant, den G'fall'n kunntst du mir erweis'n ... i tat's ja aa für di ...«

»Es is pro forma«, sagte Schmidramsl. »In diesem gegebenen Fall wär's ja absolut nicht notwendig, weil das fragliche Objekt alle Sicherheiten bietet, aber Sie wissen ja, Herr Globerger, daß bei einem Konsortium sich keine Ausnahmen nicht durchsetzen lassen zwegen die Statuten, die festgehalten werden müssen ...«

»No ja ...«

»I woaß ja, daß du in dera Beziehung die Noblesse selber bist ... allerdings, es kost di bloß an Unterschrift, und i hab an sichern Profit ... aber ...«

»Na ... na ... das darf nicht so behandelt werden«, fiel Schmidramsl ein. »Freundschaft in Ehren, aber in Geschäftssachen muß das geschäftliche Prinzip vorherrschen. Ich verlange direkt von Ihnen, daß Herr Globerger mit einem gewissen Prozentsatz am Reingewinn beteiligt wird.«

»Da steht von meiner Seite nix entgeg'n ... Was sagst, Beni? Zehn Prozent Beteiligung, bals dir recht is ... mi freut's ja bloß, wann du aa'r an schön Brock'n abaschneidst.«

Die verlockende Aussicht reizte Benno nicht; er fühlte wohl, daß er nicht zusagen sollte, aber diese Weigerung hätte er mit Festigkeit vertreten müssen, Ausflüchte gab es nicht, wo es sich doch nur um die Unterschrift handelte.

Festigkeit lag aber nicht in Bennos Charakter, und wenn er innerlich auch widerstrebte, so willigte er doch ein.

»Es handelt si grad um zwölftausend Mark ... a Bagatell im Verhältnis zum Profit, und auf alle Fäll bleibt da Bauplatz da, und sein Wert verliert er gar nia ...«

Rabl stand bei diesen Worten auf und schlug seinem Freunde jovial auf die Schulter.

»Siehgst, Beni, i ko's braucha, wenn i an Vater Staat a bissel rüberziag, und schwitz'n muaß a, dös versprich i dir, aber no mehra freut's mi, du derfst ma's glaab'n, wenn der Tag kimmt, wo i dir a Packl Banknot'n einatrag ... Denn du hast mir Freundschaft bewies'n ...«

Schmidramsl holte aus seinem Notizbuche ein Blatt Papier hervor.

»Ich habe da für den eventuellen Fall bereits eine kleine Urkunde aufgesetzt ...«

Es zeigte sich, daß er Herrn Globerger schon als Bürgen eingeschrieben hatte.

Eine innere Stimme warnte Benno noch einmal, als er das Papier vor sich auf dem Pulte liegen hatte.

Es fiel ihm ein, daß er doch eine Ausrede vorbringen konnte: er wolle die Sache, wie sich's unter Eheleuten zieme, mit seiner Frau besprechen. Hatte er die zwei den Raum so ungebührlich ausfüllenden Kerle nur erst zur Türe gebracht, dann war es leicht, ihnen eine Absage zu schreiben.

»Eigentlich muß ich doch meine Frau ...« wollte er eben sagen, aber ein Blick auf den jovialen Schmidramsl verschloß ihm den Mund. Der klopfte ihm lächelnd auf die Achsel: »Also ... erledigen mir diese Formalität ...!«

Da nahm Benno immer noch zögernd die Feder und schrieb seinen Namen unter das Schriftstück.

»Gratulier allerseits«, sagte Schmidramsl.

Und Rabl hielt seinem Freunde mit überströmender Biederkeit die Hand hin.

»Schlag ei, alter Spezi! Red'n tean mir da nix mehr drüber, aber du verstehst mi scho ... Balst du amal an G'fall'n brauchst ...vastehst mi scho ... und, paß auf, wia mir an Vater Staat büchseln lassen. Deine zwanz'g Prozent ...«

»Zehni«, korrigierte Schmidramsl.

»Oder zehni«, sagte Rabl, dem es bei seiner Herzlichkeit auf Geld nicht ankam ... »Deine zehn Prozent trag i dir da eina ... grad schebern müassen die Goldfuchs'n ...«

Sie verabschiedeten sich mit sehr kräftigem, sehr ausdrucksvollem Händeschütteln und schritten wuchtig und breit aus dem Kontor.

Benno sah vor sich hin. Sein Blick fiel auf die tiefen Mulden im Kanapee, und er schob die Unterlippe nachdenklich vor.

Er hatte das Bedürfnis, mit irgend jemand zu reden, und er trat in den Laden hinaus.

Ein frisches Dienstmädchen stand vor Rubatscher, der ein Gespräch mitten im Satze abbrach, als er den Chef kommen sah. Das Mädchen wurde rot und kramte in einem Handkorbe herum; Rubatscher sagte: »Seller Ceylon ischt leider nit vorrätig, aber Santosch' und Menado kinnen Sie woll hoben ...«

»Da muß ich erst fragen«, sagte das Mädchen und eilte weg; unter der Türe warf sie noch einen verliebten Blick auf den Sohn der Berge.

»Wieso haben wir keinen Ceylon?« fragte Benno. »Ich wünsche nicht, daß beliebte Sorten ausgehen. Da fehlt es eben am Disponieren.«

»Seller Ceylon war von der Firma Dudenbostel ...«

»Ach so ... m ... hm ...«

Es war eine unangenehme Erinnerung an präsentierte Wechsel, Anwaltsbriefe oder dergleichen.

Benno legte die Hände auf den Rücken und marschierte durch den Laden.

»Ich werde hauptsächlich mit der Firma Maibaum und Söhne arbeiten und die besten Javasorten hier einbürgern. Ich muß einmal ... halt! notieren Sie ... Schreiben an Kaffeehäuser, Hotels, hierorts, ditto in der Provinz vorbereiten ... betreff Javasorten ... Wir müssen die Kundschaft zu gewinnen suchen, indem wir uns spezialisieren ... ich werde als Javahaus Globerger ein Inserat erlassen ... das is eine Idee ...« Benno patschte sich in die Hände und drehte sich nach Rubatscher um, der sein respektloses Lächeln sogleich in ein beifälliges umwandelte.

»Rubatscher, das ist eine Idee. Javahaus Globerger ... Das inserieren mir ... auf die Briefbögen kommt's groß gedruckt ... ich werd's noch heut vormittag bestellen ... und ... natürlich! ... einen Schild hängen wir über das Fenster ... ich muß mit dem Maler Weiß reden ... recht auffällig ... Javahaus Globerger ... Setzen Sie gleich ein Inserat auf. Empfehlen dringend unsere großbohnigen Javasorten, garantiert rein, von Kennern über Mokka gestellt ... und ... so weiter ... Recht eindringlich machen ... Zum Beispiel: Überschrift: Kaffeetrinker, wahrt Eure heiligsten Rechte! Oder Javas Zaubertrank ... oder so ... Und drunter kommt in sehr großer Schrift: Haben uns als erstes Javahaus Münchens etabliert. Setzen Sie das Inserat sofort auf ... oder nein, ich mach's selber ... Es ist zu wichtig ...«

Er eilte, angeregt und froh über seine Tüchtigkeit, ins Kontor zurück, indes Rubatscher wieder sein beifälliges Lächeln in ein hämisches umstellte, bei dem seine geschwärzten Zähne zum Vorschein kamen.

Benno schrieb eifrig, die unwichtigen Sätze mit schwarzer, die wichtigen mit roter Tinte, er unterstrich sie sorgfältig, die einen zwei- und dreimal, die wichtigsten vier- und fünfmal.

Als er fertig war, betrachtete er das Inserat mit liebevollen Blicken wie ein wohlgelungenes Kunstwerk.

»Man soll sich bloß aufs Geschäftliche werfen«, sagte er zu sich selber und stellte sich ans Pult in nachlässiger Stellung; dabei faßte er wieder die Mulden im Kanapee ins Auge und blickte ernst und sehr gefaßt in die Richtung.

»Herr Schmidramsl«, sagte er ... »ich bin Geschäftsmann. Zuerst und zuletzt Geschäftsmann. Alles, was Spekulation ist und was außerhalb meiner Geschäftssphäre liegt, existiert nicht für mich ... und was Sie da sagen von Bürgschaft, das muß ich schon gleich von der Hand weisen. Sehen Sie, Herr Schmidramsl ... und du mußt mir recht geben, mein lieber Rabl, was heißt denn Bürgschaft? Wenn ich weiß, daß mein Freund zahlt und zahlen kann, gebe ich ihm selber das Geld, wenn ich es habe. Weiß ich das nicht, oder fehlt mir das Geld, dann kann ich auch kein Versprechen für die Zukunft geben. Das Unsolideste und das Gefährlichste, was es gibt, ist dieses Bürgschaftleisten. Das tun bloß Leute, die nicht von heut auf morgen denken und die zu feig sind, Nein zu sagen. Man muß auch Nein sagen können, Herr Schmidramsl. Und du mußt verstehen, mein lieber Rabl, daß es die ehrliche Bestätigung der Unmöglichkeit ist. Es ist mein Prinzip, nur das zu tun, was ich bestimmt tun kann, und nicht Versprechungen auf die Zukunft zu machen. Ich muß als Geschäftsmann mein Prinzip hochhalten, und Sie müssen mich eben verstehen. Es tut mir leid, meine Herren, ich habe die Ehre, adiö!«

Benno verbeugte sich gemessen gegen das Kanapee.

Er sah sie im Geiste aufstehen, zur Türe gehen und verbeugte sich nochmal.

»Wie gesagt, meine Herren, ich bedaure. Spekulation ist heißes Eisen, Bürgschaft erst recht. Ich bedauere, aber ...«

Benno zog die Achseln sehr hoch, und die beiden verschwanden.

Ja, so hätte man reden müssen ... Aber das mit dem Inserat war doch wieder ausgezeichnet.

Da lag geschäftliche Routine drin.

Und die besten Aussichten eröffneten sich damit, Massenabsatz, Vertretung der ganz großen Firmen, Alleinvertretung in München, in Oberbayern ...

Er blickte auf das Papier und las die mit roter Tinte geschriebene Zeile:

Javahaus Globerger ...

Er faltete den Briefbogen sorgfältig zusammen, steckte ihn in sein Portefeuille und nahm den Hut vom Nagel.

»Rubatscher, ich gehe in die Zeitungsexpedition, dann zum Maler Weiß ... fragt jemand nach mir, ab drei Uhr bin ich im Kontor ... Gut' Morgen!«

Und Benno eilte in die Weinstube, wo er den Stammgästen seine Ansichten über Bürgschaft und über die Möglichkeit und Notwendigkeit, Javakaffee in ganz großem Stil zu vertreiben, mitteilte.

*

»Um fünf Uhr beim Monopteros ...«

Paula saß auf einer Bank unter dem kleinen Tempel und wartete.

Es kam ihr seltsam vor, daß sie nun doch da war, obwohl sie während des Vormittags und auch nach Tisch noch den festen Willen gehabt hatte, der Bitte des Studenten nicht nachzugeben.

Aber es fiel ihr ein, daß sie nur gekommen war, um den jungen Menschen zu fragen, wie er sich hätte einbilden können, daß man sie als geachtete Bürgersfrau zu einem Stelldichein bestellen dürfe.

Vielleicht war es harmlos gemeint und sollte in allen Ehren die Fortsetzung einer flüchtigen Bekanntschaft ermöglichen.

Wäre sie nicht gekommen, hätte er in ihrer Ablehnung vielleicht eine schlimme Auffassung seiner bescheidenen Bitte sehen können, und das wollte sie erst recht nicht haben.

Denn bescheiden und sehr höflich und trotz allem schüchtern war der Brief.

Sie zog ihn aus dem Handtäschchen und las ihn wieder.

»Sie zeigten so viel Anteilnahme an dem herben Schlage, der mich getroffen und mir alle Illusionen geraubt hat, daß ich es wage ...«

Wahrscheinlich wollte er sich aussprechen. So ein junger Mensch hat ja eigentlich niemand, dem er eine Herzensgeschichte anvertrauen kann, und nachdem sie ihm damals bei dem Ausfluge in Schliersee Interesse gezeigt hatte, konnte er ja glauben, daß sie ihn auch weiter anhören wollte. Warum eigentlich nicht?

Es war Abwechslung in einem langweiligen, freudlosen Leben.

Warum sollte sie gar so ängstlich oder so streng in der Auffassung ihrer Pflichten sein? Nahm etwa ihr Mann Rücksicht auf sie? Resis Worte fielen ihr ein: »Uns Frauen g'schieht eigentlich recht, wenn uns die Männer so beiseit schieben ... Warum lassen wir's uns gefallen?«

Die Frau Schegerer vertrauerte ihre Zeit sicherlich nicht mehr.

Sie war nach dem Ausfluge schon zweimal zu Paula gekommen und war mit ihr in ein Café im Hofgarten gegangen. Und es war ihr aufgefallen, wie fröhlich und gesprächig sie geworden war. Sie hatte Resi gefragt, ob sie den Ingenieur, den Herrn Otto, noch einmal gesehen habe. Da war sie ihr um den Hals gefallen und hatte ihr einen Kuß gegeben und hatte lachend gesagt: »O du Tschaperl, du liebs ... meinst, ich bleib Strohwitwe bis in alle Ewigkeit, Amen? So gutmütig bist ja bloß du!«

So gutmütig war bloß sie.

Heute bei Tisch hatte Benno wieder einmal den Großartigen gespielt und gesagt, er hätte Aussicht, die Alleinvertretung der größten hamburger Firmen in Kaffee zu erhalten, und das wäre eine Gelegenheit, das Geschäft großartig auszubauen. Sie kannte diese Reden schon und gab nichts darauf.

Aber die Alte hatte Andeutungen gemacht, als fehle ihrem Benno bloß noch die richtige Geschäftsfrau. Sie hatte es nicht rundheraus gesagt, sondern den Angriff wie gewöhnlich in einer Erzählung versteckt angebracht.

Wie der und der in Flor gekommen sei, bloß weil eine tüchtige Frau im Laden alles überwacht hätte.

Diesmal hatte es Paula nicht schweigend überhört.

Sie hatte Benno aufgefordert, sie in Schutz zu nehmen. Ob es vielleicht nicht wahr sei, daß sie ihm angeboten habe, im Laden mitzuhelfen? Ob er sich nicht dagegen gesträubt und gesagt habe, das wolle er nicht, das tauge nichts? Und jetzt müsse sie noch die Vorwürfe einstecken ...

»Ich weiß net, was du hast«, hatte dann die alte Schlange gesagt. »Ich hab dir doch mit kei'm Wort Vorwürf gemacht. Ich hab bloß erzählt, daß der Homberger das meiste seiner Frau verdankt ...«

So machte sie's immer, und Benno nahm nie Stellung für seine Frau. Nie. »Sei doch net gar so nervös!« sagte er. »Und laßt's wenigstens mich in Ruh mit dena G'schicht'n ... Wenn ich müd und abg'spannt da rauf komm, will i kein Streit hamm ...«

Das lag in seiner Natur: alles von sich wegschieben und dazu große Worte machen.

Paula seufzte.

Ja, eigentlich war man selber schuld, wenn man sich herumschubsen ließ.

Ein Herr und eine sehr stark parfümierte Dame gingen vorüber. Die Dame musterte sie mit neugierigen Augen und wandte den Kopf nach ihr um.

Sah man's ihr an, daß sie da auf jemand wartete?

Jesus! Wenn eine Bekannte sie sehen würde!

Die Alte hatte ihr ohnehin mißtrauisch nachgeschaut, weil sie das beste Kleid angezogen hatte.

Sie stand von der Bank auf, denn mit einemmal war eine ängstliche Unruhe in ihr, und sie nahm sich vor, den Weg langsam zurückzugehen.

Kam er ihr zufällig entgegen, so wollte sie ein paar Worte mit ihm reden und ihm sein Unrecht vorhalten; kam er nicht, so war es noch besser.

Aber schon nach einigen Schritten überlegte sie, daß er auch von der andern Seite um das Rondell kommen könnte und sie dann verfehlen müßte.

Sie wußte, daß die Wohnung, die er im Briefe angegeben hatte, im Lehel lag, und wenn er von daheim kam, konnte er ihr auf dem Wege, den sie jetzt eingeschlagen hatte, nicht begegnen. So kehrte sie um, und als sie wieder bei der Bank angelangt war, sagte sie sich, nachdem sie nun doch einmal da wäre, könnte sie nichts Besseres tun, als warten.

In diesem Augenblicke kam Franz. Sie ging ihm entgegen, und er grüßte etwas befangen und sah auf seine Uhr.

»Ich wär' früher gekommen, wenn ich's gewiß gewußt hätte ...«

»Ich hab auch gar net kommen wollen«, erwiderte Paula, »aber ich hab mir denkt, schreiben soll ich auch net, und da is 's doch das gescheitest, ich sage Ihnen selber, daß so was net sein darf ...«

Franz gab ihr innerlich recht.

Er hatte sich auf dem Herweg gedacht, daß sein Brief ungehörig und mehr als kühn gewesen sei, und er hatte sich schon damit abgefunden, daß sie nicht kommen und ihm die Zumutung verübeln würde.

»Sie waren vielleicht überrascht?« fragte er.

»Was S' Ihnen nur denkt hamm? Am End hat Ihr Freund Ihnen den Rat geben? Jessas, wenn der wüßt, daß ich ...«

»Nein, Frau Paula ... Ich würde keinem Freund so was anvertrauen ...«

»Gelten S' net? Ich glaub nämlich, daß er eine schlechte Meinung von den Frauen hat, und wenns auch hundertmal wahr is, daß ich bloß deswegen kommen bin, damit ich Ihnen das ausred', des helfet mir doch nix ... Ich möcht net wissen, was er zur Resi sag'n tät ...«

»Die zwei haben sich wahrscheinlich schon öfter troffen?«

»Ich glaub, meine Freundin is ... no, wie soll ich sagen? ... sie hat halt a anders Temperament ...«

»Sie is mir damals sehr lustig vorkommen ...«

»Es is a Glück, wenn ma 's Lebn so auffassen kann. Ich denk mirs oft. Ich kann's halt net, ich bin so schwerfällig, und die Angst, die ich ausstehen müßt'. Aber jetzt hamm S' mir immer noch net gsagt, was S' Ihnen denkt hamm ...«

»Bei dem Brief?«

»Ja ... Jessas, was hätt' ich g'sagt, wenn zum Beispiel mein Mann den Brief g'lesen hätt?«

»Insofern war's unvorsichtig, aber ...«

»Ich glaub, ich wär in 'n Erdboden versunken ... Nur daß er natürlich meine Brief net kontrolliert, weil er weiß, daß er sich da verlassen kann. Mir is ja noch nie so was passiert ...«

»Da sind wir gleich am Chinesischen Turm«, sagte Franz. »Möchten Sie nicht eine Tass' Kaffee trinken?«

»Um Gottes will'n! Wenn mich wer sehen tät ... Was müßten sich die Leut' denk'n?«

»Wir können uns doch zufällig getroffen haben ...«

»Die Welt is schlecht, die is immer glei fertig mit'n Urteil ...«

Der Garten war beinahe leer; nur an einigen Tischen saßen Leute, die sich nicht um die Ankommenden zu kümmern schienen, und da Franz zögernd stehen blieb, sagte Paula:

»Eigentlich is ja nix dabei, ma kann doch mit Bekannten in an öffentlichen Garten sitzen ...«

»Ich mein', wenn man selber weiß, daß man nichts Unrecht's will ...« erwiderte Franz. Sie nahmen Platz und ließen sich Kaffee bringen.

»Ich wunder mich über mich selber«, begann Paula wieder. »Wenn mir das wer gsagt hätt, vor a paar Tag noch, daß ich mit an fremden Herrn ...«

»Ich bin Ihnen doch nicht fremd ...«

»Oder überhaupt mit an Herrn ... daß ich da förmlich zu an Rendezvous komm ... das hätt ich nie für möglich ghalt'n ...«

»Ich hab das nicht wie ein Rendezvous aufgefaßt ...«

»O mei! Solche Brief wern S' scho viel g'schrieben hamm ...«

»Noch keinen einzigen.«

»Das sagt ma so, aber ohne Übung hätten S' Ihnen das net traut ...«

Franz machte ein sehr feierliches Gesicht, als er der Frau Globerger erklärte, daß es das Prinzip eines Ehrenmannes sein müsse, nie zu lügen und immer die Wahrheit zu sagen.

Und Paula schaute ihn mit ihren gutmütigen braunen Augen fast bewundernd an.

»Ich war nur einmal verliebt, das hab ich Ihnen ja erzählt; auf meiner Seite wars wirklich eine ehrliche Neigung, aber wie ich dann getäuscht worden bin, da wars mir grad, als wenn mein Herz ausgebrannt wär ...«

»Erzählen S' mir a bissel was davon …«

»Von meiner Liebe? Da is net so viel zu erzählen. Ich hab sie im Löwenbräukeller das erste Mal g'sehen, und ein Bekannter hat mich vorgestellt. No ja … dann is es eben so weiter gangen … bis zu dem Tag, wo ich alles erfahren hab müssen …«

»Sie hamm mir's schon amal abgstritten, aber ich weiß gwiß, Sie hamm s' noch immer gern …«

»Nein … das wär unwürdig … wenn man einmal so was weiß …«

Der junge Mensch sah nett aus in seinem Ernste; er machte so schwermütige, traurige Augen, und um seinen Mund lag ein energischer Zug, der Paula besonders gut gefiel. Er war so gewissenhaft, auf die Uhr zu sehen und zu sagen, daß er die Gnädige nicht in Verlegenheit bringen wolle.

»Jetzt bin i schon amal da, und so genau brauch ich auch net Rechenschaft ablegen …«

»Ich hätt mir nur Vorwürfe gemacht, wenn Sie meinetwegen …«

»Nein … wenn mich wer sieht, bin ich halt spazieren gangen …«

Sie sah ihn an und fand in seinen Augen einen Ausdruck ehrlicher Besorgnis.

Das rührte sie, und unwillkürlich legte sie ihre Hand flüchtig auf die seinige.

»Ich glaub, Sie sin ein furchtbar guter Mensch …«, sagte sie dabei.

»Gut? Ihnen schon …« Er stieß es hastig heraus und wurde rot; dabei wandte er den Blick ab, als wolle er den Unwillen nicht sehen, den sein unbesonnenes Wort erregen mußte.

Auch Paula schwieg.

Ein Fink hüpfte auf den Tisch und wandte den Kopf mißtrauisch nach allen Seiten, dann kam er näher und pickte einige Krumen auf.

»Die Erklärung sind S' mir immer noch schuldig«, sagte Paula.

»Welche Erklärung?«

»Was Ihnen denkt hamm, daß Sie mir den Brief g'schrieben hamm?«

Ja, wie war der junge Mensch dazu gekommen, seine Schüchternheit zu überwinden? Und wie sollte ers beschreiben? Es war ein merkwürdiges Gefühl, über das er sich nicht recht klar war; er hatte immer an die Begegnung denken müssen.

Er hatte sich so verlassen gefühlt seit der Enttäuschung, und Paula war die einzige gewesen, der er sich anvertraut hatte. Warum? Dafür gab es keinen Grund, den man sagen konnte.

Er hatte gleich die Empfindung gehabt, daß sie ihn verstehe, und es war ihm merkwürdig leicht ums Herz geworden nach der kurzen Aussprache.

Es war ihm zumut gewesen, als hätte er endlich die mitfühlende Seele gefunden, die er in seiner Einsamkeit gesucht hatte. Das alles sagte er, zuerst stockend, dann in fließender Rede.

Er hatte eine von der Aufregung belegte Stimme; wenn er von seiner Seele und seiner Einsamkeit sprach, klang es verschleiert und müde.

Das machte Eindruck auf Paula.

Immer wieder legte sie ihre Hand auf die seine, und wenn er von dem merkwürdigen Zutrauen sprach, das sie ihm beim ersten Blicke eingeflößt hatte, drückte sie sie fest.

Wie lautete das anders als die kurzen, brummigen Worte, die sie daheim hörte.

Wenn sie zurückdachte an die ersten Monate ihrer Ehe, fand sie, daß Benno selbst damals nie so zart und rücksichtsvoll mit ihr gesprochen hatte.

Aber die derben Scherze und Zutraulichkeiten hatten bald aufgehört; er war immer wortkarger geworden und hatte ihr deutlich gezeigt, wie er sich in ihrer Gesellschaft langweilte; jetzt waren sie schon so weit, daß er ihr häufig auf Fragen nicht antwortete.

Ihr Vertrauen zu schenken, sich herzlich mit ihr auszusprechen, das war ihm nie eingefallen.

Franz aber sagte ihr Dinge, die sie wohl in Romanen gelesen, aber noch nie gehört hatte.

Und er sagte sie so herzlich und mit einem Unterton von Zuneigung, den sie wohl heraushörte.

Sie drückte wieder seine Hand.

»Sie sind wirklich ein guter Mensch, Herr von Riggauer …«

»Sagen Sie doch Franz zu mir! Bitt schön ...«

»Also, Herr Franz ... und wissen S', eine Seelenfreundschaft, so eine Freundschaft, wo ... wissen S' ... wo eins zum andern das größte Vertrauen hat, die könnt ich Ihnen schon entgegen bringen ... Wissen S', ohne häßliche Nebengedanken ...« fügte sie hinzu, und Franz nickte ernsthaft.

Er stimmte mit ihr überein, daß die Nebengedanken häßlich seien.

»Unsereins«, sagte Paula nach einer kurzen Pause, in der sie sich treuherzig in die Augen geschaut hatten, »unsereins hat ja so oft das Bedürfnis, sich auszusprechen, und ich hab ja auch niemand, zu dem ich offen reden könnt ...«

»Ihr Mann ...?«

»M ... m ...«

Ein Schatten huschte über ihre Augen, und sie seufzte.

»Mit mei'm Mann kann ich am allerwenigsten reden. Der hört mich net an. Aber net, daß Sie glauben, ich möcht ihm was nachsagen! Wissen S', das is halt so in der Ehe. Ich glaub, es geht alle andern grad so. D' Resi hat neulich zu mir g'sagt, daß ich in der gleichen Haut steck wie sie ...«

»Ja ... ja ...« antwortete Franz, den ihre Offenheit wieder etwas in Verlegenheit brachte.

»Aber eine Seelenfreundschaft!« rief Paula und sah ganz schwärmerisch zum grünen Laubdach der Bäume hinauf. »Oft ... du lieber Gott ... wie oft hab ich mir das g'wunschen! Und warum soll's das net geben? Sie denken nichts Schlechts von mir, gelt?«

»Im Gegenteil. Es gibt ja Leute, die das bestreiten, daß es so etwas gibt zwischen Mann und Frau, und die behaupten, daß immer die ... ein anderes Gefühl dazwischen käme, aber ich sehe nicht ein, warum ...«

»Gel, das sag ich auch, und wenn Sie mögen, und wenn Sie mir Vertrauen schenken, dann gilt's ...«

»Es gilt.«

Franz sagte es beinahe feierlich, und er schüttelte herzhaft ihre Hand.

»Eigentlich sollten wir ...« fuhr er fort, »ich meine, wenn wir wirklich Freundschaft mit einander schließen ...«

»Was?«

»Ich meine, wir sollten …« er wurde sehr rot … »wir sollten du zu einander sagen?«

Paula war viel zu natürlich, um die Erschrockene zu spielen.

»Das is eigentlich wahr«, sagte sie, »wenn wir einander gut Freund sind, is doch nix dabei … also wenn du magst …«

»Du … Gute!«

Eine halbe Stunde später gingen sie langsam der Stadt zu.

Auf dem Hauptwege begegneten ihnen viele Leute, die der schöne Abend zu einem Spaziergange verlockt hatte, und Franz schlug deswegen einen Umweg über Tivoli vor, wo es stiller war.

Es gab da ein paar versteckte Fußsteige, über denen dichtbelaubte Zweige ein schützendes Dach bildeten.

Und mit einem Mal, ohne daß Franz es sich vorgenommen, und ohne daß es Paula recht gewollt hatte, küßten sich die beiden, erst schüchtern und dann immer stürmischer.

»Jessas … wenn jetzt wer kommen wär!« rief die gutmütige Frau Globerger und setzte sich den Hut zurecht.

»Es is niemand kommen … und wenn? Das wird da herin schon oft passiert sein«, sagte Franz, den ein ungewohntes Siegergefühl verwegen machte.

»No … i dank schön! Ich tät mich ja in 'n Erdbod'n verkriechen …«

»Komm! Noch ein Bussel! Das aller-allerletzte!«

»N … nein!«

Aber sie gab's ihm doch. Und darnach sagte sie:

»Eigentlich is 's ja unrecht. Mir hamm doch g'sagt, daß mir nur eine Seelenfreundschaft schließen …«

»Das g'hört mit dazu …«

»Du! Das glaub ich net. Aber jetzt is 's amal g'schehn …«

Sie lachte fröhlich.

So leicht und heiter war ihr zumut wie schon lange nicht mehr.

»Da sin mir als Kinder oft runter kommen«, erzählte sie, als sie am Tivoligarten vorbeikamen. »Da waren alleweil Karussell, und i bin für mein Leben gern g'fahr'n. Weißt was, wenns Oktoberfest is, geh'n mir mitanand auf d' Wiesen zum Schottenhammel oder in d' Hendlbraterei. Da sitzen net so viel Leut, und i nimm mir scho an Ausred daheim, na können mir lang sitz'n bleib'n ... I freu mi scho drauf ... Und an Ausflug könnt'n mir auch amal mach'n ... nach Gauting oder nach Starnberg ... Radelst du?«

»Freilich ... du auch?«

»Und wie gern! Früher hab ich oft kleine Touren gemacht, aber in die letzten Jahr bin ich nie mehr dazukommen ...«

»Wenn du magst, am nächsten Sonntag ...«

»Ja! Ja!« Sie patschte lustig in die Hände. »Jessas, da muß i glei mein Rock zu der Schneiderin trag'n ... und mei Blusn muß i mir a bissel z'sammricht'n, und, weißt was, ich sag daheim, ich fahr wieder amal mit der Stufer Annie, das is a Freundin von mir, und der schreib ich an Brief, daß s' mir zu dem Schwindel hilft ...« Sie hielt plötzlich inne und sah ihn ernsthaft an. »Gelt, du denkst dir am End was Schlechts von mir?«

»Nein! Ich denk mir halt, du hast schon lang keine Freud mehr g'habt ...«

»Und dös is auch wahr. I hab nix g'habt wie Langweil und grantige Stund'n ... Jetzt bin i so froh, weil mir gute Freund sein wollen ... net, Franz!«

»Einen Abschiedskuß!«

»Na ... heut nimmer! Schau, es kommen auch Leut da vorn ... und in der Lerchenfeldstraß mußt d' mich allein gehen lassen, sonst könnt uns wer seh'n ...«

»Aber beim Wiederseh'n krieg ich dafür das allerbeste Bussel ...«

»Eins ... vielleicht ... und du wartst am Sonntag früh mit 'n Radl auf mich. Wo treffen mir uns?«

Franz überlegte, doch Paula kam schneller zu einem Entschlusse.

»Am Sendlingertorplatz beim Brunnen ... um acht Uhr ... Is dir recht?«

»Ich bin pünktlich da; dösmal komm ich schon früher, daß du net warten mußt ...«

»Und jetzt laß mich allein gehen! Adjö ... adjö ...«

*

Der Ausflug nach Planegg verlief hübsch und ließ die Seelen-freundschaft sich vertiefen. Paula hätte sich dem beglückenden Gefühle der Freiheit noch viel mehr hingegeben, wenn nicht eine rechte Schulmädelangst in ihr gesteckt hätte.

Jeder Blick, der ihr folgte, erregte Bedenken in ihr. Was sich der gedacht hatte? Ob er sie vielleicht gekannt hatte? Er hatte sich doch so g'spaßig umgedreht.

Wenn ihnen größere Scharen von Radlern und Radlerinnen entgegenkamen, überfiel sie ein Schrecken, der ihr Herzklopfen verursachte. Einmal sprang sie hastig ab und wollte sich im Walde verstecken, weil sie einen Bekannten von weitem zu sehen glaubte, und als sich das als Irrtum herausstellte, konnte sie sich doch noch lange nicht beruhigen. Wenn es der gewesen wäre! Und es war doch so leicht möglich, daß der oder ein anderer auf der belebten Straße daher kam!

Franz gab sich Mühe, ihr die Angst auszureden.

Erstens – dozierte er –, erstens könne in der bloßen Tatsache, daß sie einen Ausflug mache, gar nichts Sonderbares oder Ver-dächtiges erblickt werden, und zweitens würde es um so weniger auffallen, je gleichgültiger sie dabei bliebe. Natürlich, wenn sie selber eine solche Überraschung oder einen solchen Schrecken zeige ...

»Weißt, Franz, ich bin halt so was gar net g'wöhnt. D' Resi fahret lachend an die Leut vorbei oder machet ihna no wo mögli a lange Nas'n ... Aber ich zitter förmlich, wenn wer da-herkommt ...«

Indessen war alles gut vorübergegangen. Weder auf dem Wege noch im planegger Wirtsgarten waren ihnen Bekannte unterge-kommen, und der kleine Gott, der für Liebende so trefflich sorgt, schien auch das ihm weniger vertraute Gebiet der Seelen-freundschaft zu überwachen.

Diese Freundschaft aber verlangte, daß man sich einmal gründlich aussprach, an einem Orte, wo jede Störung ausge-schlossen war.

Franz schlug es vor, und Paula stimmte ein.

Aber wo ließ sich diese Sicherheit finden? Man dachte an kleine, versteckte Lokale, an Ausflugsorte, kam davon ab und nannte wieder andere, bis Franz ein bißchen zögernd die Meinung äußerte, ganz und absolut ungestört sei man am Ende nur in seiner Wohnung.

Paula widersprach, aber sie widersprach nicht so, daß man den Gedanken sogleich fallen lassen mußte.

Es gab Wenn und Aber, und mit ihnen gab es eben doch die Möglichkeit, und wo erst eine Möglichkeit ist, siegt die Liebe, und wo diese siegt, kann auch eine tiefe Seelenfreundschaft auf Erfolg rechnen.

Es wurde ausgemacht, daß Paula an einem Mittwochnachmittag in Franzens Wohnung kommen sollte. Die Türe würde offen stehen, so daß sie nicht erst läuten und warten müßte, alle Maßregeln sollten getroffen sein, daß ihr niemand im Gang begegnen könnte.

Wieder war das Glück hold, und zur bestimmten Stunde stand Paula, vor Aufregung und Verlegenheit hochrot, in dem kleinen Zimmer, das Franz bewohnte.

Nachdem sie hastig hineingeschlüpft war und noch eine Weile gehorcht hatte, ob sich keine Neugierde bemerkbar machte, blieb sie mitten im Zimmer stehen und sagte:

»Bleiben tu ich fei net. Ich geh gleich wieder ...«

»Aber mir haben doch ausg'macht, daß mir uns endlich richtig aussprechen wollen ...«

»Nein, Franz, das darfst net verlangen. Was mußt du dir überhaupts von mir denken? Daß ich als verheiratete Frau ... Jessas! Es war scho zu leichtsinnig, daß ich da raufgangen bin ...«

»Du zeigst mir damit Vertrauen«, sagte Franz, »und du darfst von mir glauben, daß ich das zu würdigen weiß ...«

»Schon, aber ich bin halt doch in dei'm Zimmer ... na, ich geh glei wieder ... weißt was, gehn wir mitanand in englischen Gart'n ...«

»Wenn du absolut willst ... aber dann haben wir unsere Absicht nicht erreicht ...«

»Was für a Absicht?«

»No, daß wir uns ungestört aussprechen; das haben wir doch neulich ausgemacht ...«

»Da hab i net g'wußt, daß 's mi so hart ankommt. Du glaubst gar net, was ich für a sonderbars G'fühl hab ...«

»Ach geh … du Gute … setz dich her und nimm dein Hut ab …«

»Na, dös tu i net … an Hut tu ich net runter …«

Sie setzte sich ganz vorne an die Ecke des Diwans, und Franz saß ihr gegenüber auf einem Stuhle.

Sie fächelte sich mit ihrem Taschentuche Kühlung zu, er hatte die Hände auf die Knie gelegt, und eine Befangenheit war zwischen ihnen, größer wie beim ersten Stelldichein. Manchmal griff Paula nach ihrem Hute, wie um sich zu vergewissern, daß er noch oben sitze, und es schien, als betrachte sie ihn als einen Talisman in dieser Gefahr.

Allmählich gewann sie ihre Sicherheit, und nun schaute sie neugierig im Zimmer herum.

Zwei gekreuzte Schläger hingen an der Wand, darunter einige Photographien, gegenüber war eine Bücherstellage, in der ein paar dicke Folianten nach schwerer Gelehrsamkeit aussahen, und Paula war gleich bereit, sie mit Respekt zu betrachten.

Es entging ihr auch nicht, daß obenauf ziemlich viele Hefte lagen, die, ebenso wie einige Tintenflecke auf dem Tische, den Fleiß des Herrn Studenten verrieten.

Die bescheidenen Möbel, das Bett, einige Stühle und eine polierte Kommode waren sehr sauber gehalten; neben dem Spiegel hingen etliche bunte Mützen und wieder einige Bilder; in der Ecke neben dem Ofen stand ein breiter, behäbiger Kleiderschrank.

Also hier hauste er.

Der Raum kam ihr recht behaglich vor, und sie dachte, wenn an den langen Winterabenden die Petroleumlampe brenne und das kleine Zimmer mit ihrem Lichte erfülle, müsse es sich darin sehr gemütlich arbeiten lassen.

Sie strich über die Plüschdecke, die über den Diwan gebreitet war. Und plötzlich kam ihr der Gedanke an die andere, die wohl oft hier gewesen war. Mit einer raschen Kopfbewegung gegen Franz sagte sie:

»Geh, zeig mir ihr Bild!«

Er verstand sie nicht gleich; erst ihr Lächeln verriet ihm ihren Wunsch.

»Du meinst von … ihr … das hab ich doch nicht mehr …«

»Das sagst d' halt …«

»Nein, wirklich net; damals hab ich's verbrannt mit ihren Briefen ...«

»War sie oft da?«

»Ach komm, wir wollen doch net davon reden ...«

»Nein, das mußt d' mir sagen ... Hat sie dich oft b'sucht ... da?«

»Erstens hab ich damals gar net hier g'wohnt, sondern in der Galeriestraß', und zweitens war sie überhaupt nicht so oft bei mir, wie du glaubst ...«

»Also da herin war s' nie?«

»Nein!«

Paula rückte vergnügt weiter auf dem Diwan zurück.

»Du ...« sagte sie, »jetzt bin ich lieber da. Weißt, es war mir doch so g'spaßig, daß ich gewissermaßen ... no ... du weißt schon ...«

»Nein ... bitte, sag's ...«

»No ... halt ... so gewissermaßen ...« Sie wurde rot und lachte.

»Du meinst?« fragte er.

»Wie die Nachfolgerin«, sagte sie resolut.

»Aber Paula, unsere Freundschaft hat doch damit ...«

»J ... ja, aber schau, ma denkt halt doch dran. Net? Wie ich jetzt da so auf dem Diwan gsessen bin, hab ich mir vorgestellt, genau so is amal die andere auch da g'sessen, und was ma sich halt so denkt, und das schiniert ein so, weißt.«

»Solche Gedanken mußt du dir nicht machen. Das is wie eine Entweihung.«

Sie schaute ihn an.

Er hatte wieder den netten, ernsten Zug um den Mund.

»Ja, wie eine Entweihung. Schau, ich vergleich dich doch nie mit ihr, ich meine, es is gar nichts in dem Gefühl, das ich dir entgegenbring, was man mit dem früheren vergleichen kann. Du bist für mich doch etwas ganz anderes, viel Höheres ...«

»Is das wahr? Hast du net denkt, die is jetzt auch kommen, und so ... du verstehst schon?«

»Nein, mit keinem Gedanken. Ich schwör dir ... das liegt mir so fern; es tut mir weh, daß du dich in Beziehung bringst zu der ...«

Sein Gesicht drückte wirklich Schmerz aus, und Paula sprang auf, nahm seinen Kopf in beide Hände und gab ihm rasch einen Kuß.

Dabei war ihr der Hut hinderlich, und ohne ein Wort darüber zu verlieren, zog sie die Nadeln heraus und legte ihren Talisman auf die Kommode.

Franz stand hinter ihr; da beugte sie den Kopf zurück, und sie küßten sich wieder.

»Du, jetz is 's aber g'nug«, sagte sie.

»Wer is das?« Sie deutete auf eine Photographie.

»Meine Eltern.«

»Ah, deine Eltern ...« Sie nahm das Bild von der Wand und betrachtete es.

»Du siehst dei'm Papa aber sehr ähnlich, und die Mama sieht noch jung aus. Wann is denn das Bild gmacht?«

»Erst vorigs Jahr ...«

»Geh, das möcht ma net glauben ... eine Frau, die so an großen Buben hat ... Du, komm, setz dich zu mir und erzähl mir was von deine Leut. I hör dir so gern zu, und, weißt, dös is mir auch so was Ungewohnt's und so was Liebs, wenn du was für mich verzählst. I bin von daheim bloß a paar Brummer gwöhnt ...«

Sie saßen auf dem Diwan, und Franz erzählte. Die Eltern hatten ein Gut, nicht weit von Landshut entfernt; der Papa war früher Offizier gewesen, Leutnant bei den Chevauxlegers. Das merke man immer noch. Er sei streng und leide keine Unordnung.

»Du hast das von ihm«, unterbrach ihn Paula, und sie zog eine Linie vom Mundwinkel abwärts. »Du kannst auch so streng ausschauen.«

»Ich soll mehr meiner Mama nachg'raten sein. Wenigstens daheim behaupten sie's ...«

»'s Mutterbuberl!«

Sie schmiegte sich an ihn.

»Bist du der einzige?«

»Nein, wir sind drei Geschwister; einen Bruder hab ich, der soll einmal das Gut übernehmen; vorläufig ist er Leutnant in Landshut, und eine Schwester, die ist erst aus 'n Institut kommen ...«

»Ihr müßts vornehme Leut sei ...«

»Wie kommst d' auf so was?«

»Ja, weißt, dös sieht man gleich … dös hab i beim ersten Mal g'sehn, schon in der Eisenbahn … Hast du mi eigentli damals auch bemerkt?«

»Freilich, und auch dein …«

»Mein Mann, meinst d' … Was hast d' dir eigentlich denkt, was das für a Gsellschaft is?«

»Ich hab scho kennt, daß ihr Münchner seid, und …«

»Du, hast du gleich das Gfühl g'habt, als obs d' mi kenna lerna möchtst?«

»Ja, du hast mir gleich g'fall'n.«

»Besser wie die Resi? Die hat nämlich allaweil auf dich nüberg'schaut …«

»Die Resi gfallt mir überhaupt nicht so b'sonders …«

»Gel, weil s' so herausfordernd is?«

»Aufrichtig g'stand'n, ich hab mich wenig drum kümmert.«

»Jessas, wenn ich denk, dös is bloß a paar Wochen her; da warn mir anander noch ganz fremd, und jetz sitz i neben dir in dein Zimmer …«

Sie lehnte den Kopf an seine Schulter; er zog sie näher an sich und küßte sie …

»Du lieber, lieber Bub!«

»Paula …«

»I hab glei g'wußt, daß i di gern hamm könnt …«

»Hast du mich gern? Richtig gern?«

»Wie kannst noch frag'n … du! … Aber Franz! Was tust d' denn? … Franz! …«

*

»Aber na! I scham mi …!«

Paula hielt die Hände vors Gesicht und guckte ein bißchen durch die Finger auf Franz, der ein netter Bursche war und keine Siegermiene aufsetzte. Er lächelte glücklich und zog ihr langsam die Hände weg.

»Jetzt wirst dir ganz gwiß denken, die is wie alle andern?«

»Ich denk überhaupt nix, ich möcht nur ein Busserl …«

»O du lieber, lieber Bub!«

Sie war ganz zärtliche Hingebung, er war heiter und viel gesprächiger wie bisher; auf ihre liebkosenden Worte, die nicht immer tiefen Sinn hatten, antwortete er auch mit einem lustigen Lachen.

Sie sah ihm mit glückstrahlenden Augen zu und rief:

»Was du für schöne Zähne hast! Ein am andern und schneeweiß ... Überhaupt bist du so reinlich ...«

»Das muß man doch sein.«

»M ... hm ... ma müßts allerdings sein ...«

Irgend etwas fiel ihr ein, und eine Falte zeigte sich auf ihrer Stirne. Sie seufzte.

»Jessas! du, wenn mei Mann wärst! ... Aber das is Unsinn ... gel? Du bist ja viel z' jung ... eigentlich bist d' noch a Bub ... wenn d' mi so anschaust, hast noch ganze Kinderaugen ...«

Sie fuhr mit der Hand in sein dichtes Haar und zog seinen Kopf an sich.

»Schlaf, Bubi, schlaf! ... Und dabei hat er an Schatz, und i bin net amal sei erster ... Du, hamm dich die andern auch so gern g'habt? Keine Falten ziehen, kein böses G'sichtl machen! Braves Bubi sein! Ich frag bloß, weil i 's wissen möcht ...«

Er lachte.

»Das glaub ich dir ...«

»Gel, ich bin recht dumm? Am End is dir mei Unterhaltung fad?«

»Nein ... aber nach der andern mußt mich net frag'n ...«

»Nach *die* andern ...«

»Jetzt soll ich dir ein ganzes Register aufzähl'n ...«

»Na, i will's net wiss'n ... aber der andern, weißt, wo du so unglückli warst, der tät ichs net gönnen, daß sie dei erste Liebe war ...«

»Ich war gar net so unglücklich ...«

»Ooh! Denk nur dran, was d' mir in Schliersee erzählt hast. Und so traurige Aug'n hast d' gemacht ...«

»Ich glaub, ich hab ein bissel Eindruck schinden wollen.«

»Was is dös?«

»No, weißt, ich war gleich in dich verliebt ... oder jedenfalls hast du mir gleich g'fallen, und da hab ich auf dei gut's Herz spekuliert ...«

»O du! Und ich hab glaubt, du kannst net bis fünfi zähln! Da sieht ma die Männer ... Ihr seids alle falsch ... Ganz g'wiß hast

d' scho was vorg'habt, wie du mich bitt' hast, ich soll da rauf-
kommen ...«

»Nein. Paula ...«

»Wirklich net?«

»Mein Ehrenwort ... ich hab nicht daran gedacht ... das is so
von selber kommen, so unwillkürlich, nein, so was darf doch
keine Berechnung sein ...«

»Ich glaub dirs auch, du lieber Bub ...«

»Und du, Paula? Reut's dich?«

Sie schlang den Arm um seinen Hals. »Gar net ... im Gegenteil ... So glücklich bin i ... Und warum soll's mich denn reu'n?
Weißt, wenn alles so wär, wie's sein könnt, oder wie's eigentlich
sein müßt ... Du verstehst mi schon ... nachher könnt ich mir ja
Gedanken machen ... aber so! Na ... gar net im mindesten reut's
mi ...«

Es klang trotzig, und wieder so, als wollte sie sich selbst einre-
den, daß sie im Recht gewesen sei.

Sie erzählte ihm von ihrer unerfüllten Sehnsucht nach Glück,
doch umschrieb sie alles und sagte nichts mit deutlich hinweisen-
den Worten.

Indes sie davon sprach, traten ihr die vielen bitteren Enttäuschungen und ihre trüben Stimmungen deutlich vor Augen, und
sie begann plötzlich zu weinen.

»Du darfst net schlecht von mir denken ...«

»Aber liebe, gute Paula ... du ... ich bin dir doch so dankbar ... ich verehr dich doch so ...«

»Das mußt d' mir versprechen, daß d' mi net für so was ...« sie
schluchzte stärker ... »für so was haltst ... Nie! Nie!«

»Ich versprech dirs ... ich verehr dich doch so ... ich weiß ja
jetzt erst, wie lieb ich dich hab ...«

Sie trocknete ihre Tränen.

»So Heimweh hab i oft g'habt ... so Zeitlang ... für jedes gute
Wort wär ich dankbar g'wes'n ... aber ...«

Sie fing wieder zu weinen an.

Er hatte tiefes Mitleid mit ihr und versuchte sie zu trösten.

»Bin ich schuld, du Liebe? Verzeih mir's doch ...«

»Nein, du bist net schuld ... es is bloß, weil mir allerhand
ei'fallt ...«

»Ich mach mir aber doch Vorwürfe …«

Sie sah ihn zärtlich an.

»Du brauchst dir kei' mach'n. Da kannst du nix dafür und kann ich nix dafür … Es war ja wirklich kei Berechnung dabei, aber gut sein mußt d' zu mir, und zeig'n sollst d' mir's net, wenn … wenn …«

»Was meinst du?«

»Zeigen sollst d' mirs net, wenn ich dir vielleicht amal gleichgültiger wer …«

»Das wirst du nie!«

»Da is ja auch kei Absicht dabei …«

»Nein – nie! Das ist so ausgeschlossen. Das ist so unmöglich! … Schau, lieber, guter Schatz …«

»Ach geh! Wie er das sagt!«

»Ich schwör dir's …«

»Sag nochmal Schatz … dös hör ich so gern von dir …«

»Schatz! Lieber Schatz!«

»Du!«

Es dämmerte schon, als Paula vor dem schmalen Spiegel stand und ihren Hut aufsetzte. Sie wehrte Franz ab, der sie immer wieder küssen wollte.

»Net … net … du! Ich muß jetzt machen, daß ich heimkomm. Du darfst mir mei Frisur net in Unordnung bringen … eins noch … aber ganz zart … so …«

Sie trat näher an den Spiegel und prüfte ihr Aussehen.

Ihr Teint war frischer, ihre Augen blickten lebhafter wie sonst, und ein Gefühl von Gesundheit und Jugend durchströmte sie. Sie legte die Hände an die Hüften und straffte sich, drehte sich blitzschnell um und umarmte Franz.

»Da! No a Bussel … und noch eins! Aber jetzt muß ich geh'n. Jessas! Es is scho acht Uhr vorbei … Was sag i denn daheim?«

»Hast du Unannehmlichkeiten?«

»N … na! Höchstens ärgert sich die Alte, daß i net pünktlich beim Essen da war … sonst wer i net so schwer vermißt … Ich glaub, daß ma scho lang ausgangen is. … Freili! Heut is ja Kegelabend …«

Sie sagte nicht »er«, und noch weniger brachte sie es über sich, seinen Namen zu nennen, sie sagte »man«.

»Ich glaub, daß ma heut nachmittag überhaupts net heimkomma is ... sondern gleich vom Kaffeehaus weg ins Wirtshaus ... i bin froh, na begegend ma sich heut nimmer ... ach ja ... Bubi ...«

Sie seufzte.

»Wie komm i jetzt raus? Meinst d', es sieht mich niemand im Gang?«

Sie stellte sich an die Türe, öffnete sie sehr leise und horchte.

Wie sie so spähend dastand, huschte ihm blitzschnell die Erinnerung an eine andere durch den Sinn; es war etwas Unangenehmes, Störendes, über das er sich keine Rechenschaft gab. Sie flüsterte:

»Adjö ... Bubi ... ich geh jetzt ...«

»Soll ich mit? ...«

»Nein ... du mußt dableib'n ... Am Samstag ... gel? Adjö ... Bubi ...«

Sie schlich auf den Zehenspitzen durch den Gang. Die Wohnungstüre knarrte ein bißchen, dann klappte das Schloß zu. Noch einmal dachte er an eine fatale Ähnlichkeit, aber er wehrte sich fast unwillig dagegen.

War es nicht häßlich und undankbar, an so was auch nur zu denken? Mit solchen Gedanken eine Frau zu beleidigen, die so reizend, so hingebend, so natürlich war?

Er blickte im Zimmer herum, in dem sich dieses Große, Merkwürdige begeben hatte, und es schien ihm, als könne er nicht recht daran glauben. Aber da lag etwas auf dem Boden, dicht neben dem Diwan.

Ein brauner Glacéhandschuh. Er hob ihn auf und legte ihn in die Kommode; dabei sah er sein Bild im Spiegel, und er lächelte sich an.

Wer hätte das gedacht? Eine ehrbare, nette Bürgersfrau, und so verliebt und so stürmisch! Man hat doch immer falsche Vorstellungen ...

Er nahm eine bunte Mütze vom Nagel herunter, setzte sie sehr schief auf und betrachtete lachend sein Bild.

So tritt man aus der naiven Jugendzeit in die reifen Jahre und in die Abenteuer.

*

»Was de hat?« brummte die alte Frau Globerger vor sich hin und blieb horchend auf der Treppe stehen. Im Wohnzimmer machte sich Paula etwas zu schaffen und trällerte ein Lied.

»Dös is was Neu's bei ihr ... sonst hat ma s' das ganz Jahr net g'hört.« Sie ließ es sich nicht nehmen: mit der Schwiegertochter war irgend was passiert; ohne Grund verändert man sich nicht so völlig in ein paar Wochen. Sonst war Bennos Frau still, so ein bißchen gedrückt und wehleidig; zanken hörte man sie selten, aber beleidigt war sie gleich, und dann saß sie schweigend bei Tisch und schmollte.

Jetzt war sie ausfällig und gab so scharfe Antworten, wie man sie nie von ihr erwartet hatte.

Neulich ... ja, wie war das gleich? – Da fing sie selber an und hielt sich darüber auf, daß Benno schmatzte beim Suppenessen ... Frau Sophie erinnerte sich jetzt genau ... es war eine Nudelsuppe ... und da sagte Paula auf einmal ganz heftig, wenn er nicht anders esse, müsse sie vom Tisch aufstehen.

Sie kannten sich zuerst gar nicht aus, sie und Benno, was Paula hatte, ob das Spaß war oder Ernst, denn so was war man von ihr nicht gewohnt. Aber sie war richtig zornig, ganz mächtig, und wie Benno vielleicht mit Fleiß oder aus Spaß die Nudeln erst recht laut hineinschlürfte, warf sie den Löffel auf den Tisch und lief hinaus und schmiß die Tür zu.

Nachher, wie Benno ins Kaffeehaus gegangen war, fragte sie die Schwiegertochter, gut und sanft, wie es überhaupt ihre Art war, was sie denn gehabt habe. Wenn ein Mann so eine Gewohnheit habe, in Gottes Namen, die müsse man halt nicht beachten; wenn man verheiratet sei, gäbe es allerhand, was man nicht so kritisch anschauen dürfe ... aber – gute Nacht!

Wie die sich brauchte!

Das hätte sie jetzt oft genug gehört, daß man das ertragen müsse und das leiden müsse und das hinnehmen müsse, und die ganze Ehe sei für gewisse Leute überhaupt nichts wie ein Recht für den Mann und ein Zwang für die Frau. Vom ersten Tag an habe man ihr das gepredigt, und sie hätte nur gesehen, daß eine Frau schlechter daran sei wie eine Magd. Vor der nehme man sich immer noch mehr zusammen.

Und da fragte sie, die Frau Sophie, und zwar in aller Güte, wie sie es nur einmal gewohnt war, was sie, die Paula, denn habe. Was ihr auf einmal eingeschossen sei ... der Benno sei doch weiß Gott der gutmütigste Mensch, den man sich denken könne.

»So? Gutmütig?« fragte sie, die Paula, zurück. Und ob das alles sei, und auch das sei erst noch die Frage, denn wenn einer letschig sei – letschig sagte sie, wortwörtlich –! deswegen sei er noch lang nicht gutmütig, und sie verlange einmal, daß er auf sie Rücksicht nehme. Wenn Gäste da seien, warum könne er sich da zusammennehmen? Aber natürlich bloß für die Frau und bloß wegen der Frau, da sei es nicht der Mühe wert. Das seien so die richtigen Spießeransichten. Woher sie bloß die Ausdrücke hatte? Spießeransichten, sagte sie, und von münchner Bierphilistern sagte sie auch was. Die keine Manieren hätten und die noch damit protzten, daß sie rüpelhaft seien. Nein, rüpelhaft sagte sie nicht ... rauhbeinig, so sagte sie ... Lauter Ausdrücke, die man im Hause noch nie gehört hatte. Die Paula hatte eine andere Sprache und andere Manieren und einen andern Humor, ganz plötzlich – und das sah sie deutlich, und blind war die alte Globergerin Gott sei Dank nicht. Es gab noch allerlei, was ihr auffiel.

Allerlei.

Zum Beispiel: daß man sich in den letzten vierzehn Tagen zwei neue Blusen angeschafft hatte.

Und daß man es verheimlichen oder gar abstreiten wollte.

Denn wie sie die Paula ganz zufällig fragte, woher die neue Bluse wäre, wurde sie gleich ausfällig. Das sei keine neue, und sie verbitte sich die Schnüffeleien.

Keine neue!

So was mußte man ihr, der alten Globergerin, weismachen wollen, die jedes Abwischtuch im Hause kannte, jeden Putzhadern, und der kein neuer Rocksaum entgehen konnte.

Keine neue!

Mit der gestreiften, vom Hirschberg, über die sie sich damals schon genug geärgert hatte, weil das nicht der Brauch gewesen war, wenigstens früher nicht, daß sich Bürgersfrauen so modische Sachen aus den Läden holten, mit der gestreiften war sie nach Schliersee gefahren.

Und die weiße mit dem Muster war danach gekauft, und die andere weiße auch.

Nur nicht glauben, daß man sie anblümeln könnte.

Und zu was mußte man denn heftig werden? Und warum ging man jeden Nachmittag aus dem Haus? Das waren lauter Dinge, über die man sich seine Gedanken machen konnte.

Dem Benno natürlich fiel nichts auf, der wollte nur seine Ruhe haben.

Wie sie mit ihm diese Sache besprechen wollte, wegen der Blusen und wegen dem vielen Spazierenlaufen, da sagte er, die Paula habe halt eine neue Freundin, die Frau Schegerer, und das wisse man doch, wie die Weiber seien, daß sie sich zuerst vor Lieb und Freundschaft beinah auffräßen, und hinterdrein lasse es nach, und meistens ende es mit Geratsch und Feindschaft.

In so was müsse ein Mann sich nicht mischen, und er kümmere sich prinzipiell nicht darum; mit solchen Läppereien gebe er sich nicht ab.

No ja, die Männer!

Er merkte gar nicht, daß die Paula anders war, daß sie ihm schnippische, boshafte Antworten gab; nicht einmal der Spektakel damals, wegen der Nudelsuppe, war ihm richtig aufgefallen.

Wann hat auch ein Mann Zeit für solche Geschichten?

Vor er ins Wirtshaus oder ins Kaffeehaus ging, gewiß nicht. Da pressierte es, und da wollte man sich nicht aufhalten lassen.

Und wenn er aus dem Wirtshaus kam, war er schon gar nicht für diesen Pfifferling und Papperlapapp zu haben. Da hatte er Schlaf. No ja ... man werde schon sehen.

Jedenfalls ein Paar Augen gab es im Hause, die waren scharf und sahen alles und ließen sich nichts vormachen.

Frau Sophie Globerger schlich sich von der Treppe zurück und ging in ihr Zimmer. Die Türe ließ sie nur angelehnt. Man hörte dann besser, was im Hause vorging.

Eine halbe Stunde später trällerte Paula im Gange. Die alte Globergerin horchte. Jetzt sang sie sogar.

»Nun leb wohl, du kleine Gasse ...
Nun leb wohl, du stilles Haus! ...«

Das war auch ein Lied, das die Alte noch nie gehört hatte.

Paula summte und schritt die Treppe hinunter.

Da schlich die Alte vorsichtig zum Geländer vor und sah sie gerade noch auf dem untersten Absatze.

Das war ja ein neuer Hut?

Sie eilte in das nächste Zimmer und stellte sich an ein Fenster.

Es dauerte nicht lange, da schritt Paula in federleichtem Gange die Gasse hinauf, wiegte sich wohlig in den Hüften und hatte wirklich einen neuen Strohhut mit dunkelroten Blumen auf dem Kopfe.

So ... so?

Ein paar Tage später erhielt Benno Besuch von einem regensburger Geschäftsfreunde, einem Kaufmann Leistl.

Sie wollten abends zu einem Konzert in den Löwenbräukeller gehen, und Paula sollte mitkommen.

Sie sträubte sich dagegen, denn in den paar Wochen war ihr das Zusammensein mit ihrem Manne immer lästiger geworden, und einen Abend lang bei ihm und seinen Freunden zu sitzen, diese Reden und diese Späße anzuhören, erschien ihr unerträglich.

Sie hatte sich ganz dem Glücke hingegeben, das sie in der Liebe zu Franz gefunden hatte; und naiv, wie sie war, sah sie alles, was sie im täglichen Umgange mit ihm erlebte, für vollkommen an und zugleich für die Erfüllung ihrer heimlichen Sehnsucht.

Was war das für eine andere Welt, die sich da auf einmal vor ihr aufgetan hatte!

Wie zart und höflich er war, wie er zu reden wußte, wie er Interesse für sie und alles, was sie anging, nahm! Sie, die so lange bescheiden und gedrückt sich die Unmanieren dieses Philisters – sie sagte wirklich Philisters – ertragen hatte, gewann Vertrauen zu sich selbst, glaubte an ihren Wert, und zugleich war sie empfindlich und überempfindlich gegen alles geworden, was Benno sagte oder tat.

Sie wunderte sich, daß sie nicht längst gesehen hatte, wie hohl und dumm die Redensarten dieses bequemen Faulenzers waren.

Jetzt traf sie jede großartige Phrase, hinter der er seine Schwäche verstecken wollte, wie ein Peitschenhieb, und ihr geschärftes Ohr hörte aus jedem seiner Worte seine Unwahrhaftigkeit heraus.

Auch die Art, wie er sich gehen ließ, das Schlumpige in seinem Äußern sah sie mit unbarmherziger Schärfe, und in ihr war nichts mehr von gütiger Nachsicht, die über Kleinigkeiten wegsehen läßt.

Sie gab sich keine Mühe, ihren Widerwillen zu verbergen; gerade weil sie unverdorben war, fiel es ihr nicht ein, zu schauspielern und Gefühle zu heucheln, die ihr größere Sicherheit verschafft hätten.

In ihrem Enthusiasmus für den Geliebten wäre ihr das wie Verrat und Untreue vorgekommen.

Zu ihrem Glücke war Benno viel zu oberflächlich und zu eitel, um die Veränderung in ihrem Wesen zu bemerken; er hielt das für üble Laune, und die üble Laune eines Frauenzimmers hatte doch wirklich nicht so viel zu bedeuten, daß sich der Herr Globerger darum gekümmert hätte.

Er hörte auch nicht, daß sie Worte gebrauchte, die sie nie gekannt hatte, und die ihr in ihrem bisherigen Umgange fremd geblieben sein mußten. Daß sie in ihren Bewegungen eine etwas gesuchte Feinheit verriet, hätte nur ein guter Beobachter gesehen.

Paula hatte schon einmal einen Sonntagnachmittag mit Franz im Löwenbräukeller zugebracht; so gründlich hatte sie ihre Ängstlichkeit abgelegt.

Es waren etliche Freunde von Franz dazugekommen, nette junge Leute, von verbindlicher Höflichkeit und doch so ausgelassen lustig.

Wie hatte es ihr geschmeichelt, daß man ihr ritterlich den Hof gemacht und sie ganz offiziell als Frau des Korpsbruders behandelt hatte. Sie brachte allem, was da besprochen wurde, das größte Interesse entgegen und war von der Bedeutung dieser studentischen Dinge fest überzeugt.

Da sollte sie nun in dem gleichen Garten mit Benno und einem dicken Banausen aus Regensburg sitzen und sich den ganzen Abend langweilen? Sie weigerte sich und wollte Kopfweh vorschützen, aber eine bissige Bemerkung der alten Frau brachte Benno in Harnisch, und er verlangte heftig, daß auf seinen Geschäftsfreund Rücksicht genommen werde.

Mürrisch und verdrossen willigte Paula ein, aber sie verlangte, daß Resi eingeladen werde, und nach Tisch ging sie zu der Freundin.

»Tu mir den G'fall'n, dann hab ich doch a Ansprach. Ich mag ganz einfach net allein sein mit dene Bierdimpfln.«

Resi lachte.

»Warum denn net? Der G'fallen is net so groß ... aber laß dir was sag'n, Paulilutscherl ... zeig's ihm net so!«

»Was?«

»No ... du verstehst mi schon ... Weißt, dir kennt ma 's wirklich auf tausend Schritt an, daß du verliebt bist ...«

Paula wurde sehr rot.

»Wie kommst d' denn auf so was?«

»Da wär auch noch schwer drauf kommen. Seit drei Wochen bist du überhaupt nimmer die alte Paula, und außerdem erzählt mir der Ottibubi allerhand ... hast ja recht ... wärst ja dumm! Aber wenn i du wär, tät ich mir's net so anmerken lassen ...«

Paula verzog ihr Gesicht zu einer Gebärde des Ekels.

»Ich halt's einfach nimmer aus!«

Resi lachte laut.

»Du Patschi! Wer wird si denn so über d' Ohren verlieben!«

»Ich sag dir's ganz offen, mir graust's vor ... vor ...«

»Ich weiß schon ... hab ich auch schon durchg'macht ... Du ... vor der Krankheit muß ma si in acht nehmen. I mein net, daß ma sich zwingen kann und net siecht, was an dem Herrn und Gebieter eigentlich dran is ... aber an Kopf muß ma ob'n b'halt'n ...«

»Ah ...«

»Nix ah ...! auch wegen dem Herzgepäppelten ... weißt. Ich hab auch amal g'meint ... und der Betreffende war älter, – da war 's viel ernster ... und da hab ich g'meint, ich muß alles liegen und steh'n lass'n ... aber wie ich alle Bedenken aufgeb'n hab wollen, hat er die Bedenken kriegt und is ganz moralisch worden. Den Brief möcht' i dir zeig'n, wenn i 'n no hätt ...«

»Das is gemein ...«

»N ... ja ... wie ma 's nimmt. D' Lieb is lusti ... die Folgen san fad ... so denken sich d' Mannsbilder ...«

»Net alle, es gibt auch andere, die viel zu anständig sin ...«

»Geh ... geh! Und der Betreffende, den du jetzt meinst, und ich vielleicht auch, der kommt do gar net in Betracht. Wär er älter, und wär a G'fahr dabei, nachher tät er auch 'n Kopf rausziehen … sei lustig … na hast d' was davon! Die Ehemänner bleib'n uns scho erhalt'n …«

Paula schwieg.

Sie konnte nicht in diesem Tone von Gefühlen reden hören, die ihr alles galten, am wenigsten vermochte sie es, selber darüber zu sprechen.

Sie war froh, daß sein Name nicht ausgesprochen worden war, und sie scheute die Möglichkeit, daß es noch geschehen könnte.

Darum brachte sie das Gespräch auf gleichgültige Dinge und verabschiedete sich rasch.

*

Im Löwenbräukeller waren alle Tische von fröhlich lärmenden Menschen besetzt, und immer noch drängten sich neu Ankommende zwischen den Reihen durch.

Leute eilten mit leeren Maßkrügen zur Schenke, andere kamen mit gefüllten von dorther zurück; man sah aufgeregte Menschen sich zur Küche hindrängen und mit aufgehäuften Tellern, die sie kaum zu tragen vermochten, an ihre Plätze eilen, dicke Kellnerinnen liefen zwischen den Tischen herum, wiederholten mit schrillen Stimmen die Bestellungen, und in das Schreien, Lärmen und Lachen hinein klangen die schmetternden Trompeten einer Husarenregimentskapelle.

Nach und nach kam Ruhe über die gesättigten Menschen, und die Musik konnte auf sie wirken.

Wenn ein feuriger Marsch gespielt wurde, sah man deutlich, wie Unternehmungslust und Verwegenheit die Männer ergriffen; mancher schob den Hut zurück und setzte ihn schiefer auf, die Augen blitzten kühner, die Füße bewegten sich im Takte.

Wenn aber ein schmeichelnder Walzer erklang, wandelten sich Ernst und Grimmigkeit in weiches Sichanschmiegen.

Die milde Regung führte wie der Trotz die Hand zum Kruge, und lange Schlucke dämpften die Tapferkeit wie die Sehnsucht nach Liebe.

Ein Signal ertönte und machte das Publikum darauf aufmerksam, daß sich etwas Sensationelles ereignen werde.

Ein schöner, etwas beleibter Husar, dessen Rundungen in der

prall sitzenden Hose sehr zur Geltung kamen, trat auf ein erhöhtes Podium und stand unbeweglich im grellen Lichte einer Bogenlampe.

Eine schmelzende Weise setzte ein; wie ein Marmorbild stand der Husar vor der Menge, bis er plötzlich, wie automatisch, eine Trompete an den Mund führte und lange, tremolierende Töne blies. Das Publikum war über seine Kunst, den Atem anzuhalten, begeistert und schrie und klatschte.

Der Husar ließ davon ungerührt das Wasser aus der Trompete laufen und wartete in steinerner Ruhe, bis sein Moment wiederkam.

Unter denen, die sich davon begeistert zeigten, war auch der Geschäftsfreund Bennos, der Kaufmann Leistl aus Regensburg.

»Ein Deifelskerl!« rief er ... »aber scho großartig ... Wenn's d' moanst, er muaß unbedingt aufhör'n, es geht einfach nimma, na blast der Deifelskerl no oan Tremolo nach dem andern ...«

»Spetakl machen ham de Breißen no allaweil kinna«, sagte Schegerer, der keinen Enthusiasmus schätzte.

»Dös is scho a bissel mehra, wia Spetakl g'macht, mei Liaba ... Das is Kunst ... Bei de landshuata Schwar'n Reiter war ein Trompetta, wart amal, wie lang is des her? No ... Ende der achzger Jahr, wia'r i in Kondition drunt'n war, ein Trompetter, der hat auch eine kolossale Atemführung g'habt ... auf d' Atemführung kummt 's o ... aber der Husar blast 's Piano entschieden feiner, der hat eine besserne Ambuschur ...«

»Von mir aus«, erwiderte Schegerer. »I gib auf de brotlosen Künst nix ...«

»Brotlos? Oho! Was glaub'n Sie, daß sich der Mann verdient? Unter dreiß'g bis vierz'g Mark blast der net ... I hab do den landshuata Kapellmeister guat kennt. Der hat mi informiert ...«

»Wann alle so waar'n wia'r i, kriagt er koane dreiß'g Pfenning ... i mag de Blaserei net und trinket mei Bier liaba mit Ruah ...«

»No ... Herr Schegerer, erlauben Sie mir, Sie könna do die Macht der Musik net läugna ...«

»De läugn' i scho.«

»Aber erlauben Sie mir ...«

»Er leugnet sie ja gar net«, fiel Benno ein. »Reschpektive er leugnet sie sozusagen bloß aus Opposition ...«

»Dös is a Schmarrn.«

»Na ... mei Lieber ... Du hast amal diesen Widerspruchsgeist ... Hab i net recht, Frau Reserl?«

Resi schreckte zusammen, da sie ihre Aufmerksamkeit gerade einem benachbarten Tische schenkte, an dem einige junge Leute saßen. Einer davon sah so aus wie Herr Otto Jüngst, und er wurde ihm noch ähnlicher, als er seinen Krug hob und sich lächelnd zum Gruße verneigte. Sie war aber gleich gefaßt und unbefangen.

»Wie?«

»Ob der Herr Gemahl net die Eigenschaft hat, daß er aus purer Opposition allaweil 's Gegenteil sagt?«

»Oh ... überhaupt die Männer!«

»Da waar i wieder ganz anders«, rief Herr Leistl, »wenn ich in zarten Fesseln waar, da gab's koan Widerstand ... kein Widerstreben«, verbesserte er sich.

»Wirklich?«

Resi warf ihm einen koketten Blick zu, der den regensburger Geschäftsfreund in Wallung brachte. Er versuchte in sein dickes Gesicht, das ein starker, durch Anleihen an den Mundwinkeln vergrößerter Schnurrbart zierte, einen huldigenden Ausdruck zu legen.

Seine hervorquellenden Augen verrieten so etwas wie Zärtlichkeit.

»Wenn i in Hymens Banden waar' ...« Leistl fand Gefallen an dem Satze, obwohl er ihm wie zäher Gummi an der Zunge klebte; er wiederholte ihn: »Gnä Frau dürfen glauben, wenn i in Hymens Banden waar' – leider, daß es nicht der Fall is ...«

»Das Leider is aber nicht aufrichtig«, sagte Frau Resi lachend.

»Es gibt Momente, wo man sich sehnt ... wo ... wo man sein Schicksal als Junggeselle beklagt ... wo man sich sagt, daß man das wahre Glück versäumt hat ...«

»Woher wissen S' denn, daß dös a Glück is, wenn Sie's net ghabt hamm?« knurrte Schegerer.

»Woher i dös woaß? No, an beiläufigen Begriff hat unseroana auch davon ...«

»Von was?«

Leistl zwirbelte seinen Schnurrbart in die Höhe und war〔
einen vielsagenden Blick auf Resi.

»Von den Freiden der Liebe ...« sagte er und drückte ein Auge
zu.

»Ah so ... i hab gmoant, Sie reden vom Heiraten ...! Dös is 〔
bissel an Unterschied ...«

Die Männer lachten; Resi rief:

»Da sehen S', wie galant mein Herr Gemahl is ...«

»I waar' anderst.« Leistl legte beteuernd die Hand aufs Herz〔
dabei glitzerten die Diamantringe, die er an seinen dicken, wurst-
artigen Fingern trug. »Wenn i so a blitzsaubers Frauerl hätt ...
kaam ... käme ein solches Wort nie aus meinem Munde.«

»Es is einer wie der andere. Ich kenne die Männerwelt.«

»Warum hamm S' denn net g'heirat, wenn S' so gschleckig
san?« fragte Schegerer.

»Ich?«

Leistl legte sein Gesicht in ernste Falten.

»Vielleicht ... vielleicht aus unglücklicher Liebe ...«

Die Musik spielte ein Potpourri von Volksliedern; die Melo-
dien paßten zu der Schwermut, die der regensburger Geschäftsfreund blicken ließ. Er nahm einen tiefen Schluck aus seinem
Maßkruge und schaute sinnend vor sich hin.

Frau Resi fühlte sich durch das Gespräch angeregt; sie rückte
mit dem Stuhle näher heran, warf einen vollen Blick zum Ottibubi hinüber und bat:

»Aus unglücklicher Liebe? Das müssen S' erzählen.«

An den nächsten Tischen murrten die Leute:

»S...ss...t! Ruhe!«

»Wenn d' Musi gar is«, versprach Leistl mit gedämpfter
Stimme.

Aber als das letzte Volkslied verklungen war, griff er wieder
zum Maßkruge, trank und schwieg. Vielleicht war er noch nicht
mit sich einig über die Geschichte, die er erfinden mußte. Indessen Frau Resi drängte, und er fuhr sich mit dem Handrücken
über den feuchten Schnurrbart.

»Ja ... mei ... am End is net viel zum verzählen ... I war halt
aa 'r amal jung und fesch ...«

»Kennt ma nix mehr«, sagte Schegerer.

»Kann sein, außerdem san Sie net maßgebend. Dös müass'n de Damen entscheiden ...«

»Erzähln S' nur weiter!« bat Resi.

»No ja ... daß i auf de Sach komm ... i war also jung – net wahr? – und bin in Landshut gwen ... i bin da in Kondition g'stand'n ... no ja ... was sag i? Da is mir halt ganga, wia's an jungn Mensch'n geht ... Eines Tages ... net? ... hab' i mi verschossen ... Die Betreffende war a sehr a saubers Madl ... aus feiner Familie ... nur prima ... es waar' in dieser Beziehung nix im Weg g'stand'n ... no ja ... eines Tages will ich mich der Betreffenden nähern ... Gewissermaßen also ... ah ... meine Erklärung abgeben ... net? ... und i geh zu diesem Behuf die Altstadt abi ... no ja ... da blend't 's mi scho von da Weit'n ... ich siech die Betreffende ... net? ... mit an Leitnant von die Jäger ... Frau Schegerer, Sie derfen 's mir glaab'n ... was ich in diesem Momente empfunden habe ... i derf scho sag'n ... gelitten habe, das spottet jeder Beschreibung ... Von diesem Moment an war's aus, es war grad, als ob in mir was z'sprunga waar ... an Schtich hat's mir geb'n, ei'wendig ... no ja ... ich möchte nur konschtatieren, in diesem Momente war mein Glaube an die Menschheit verschwund'n ...«

Herr Leistl schwieg und trank.

»A schöne Gschicht«, sagte Schegerer, »de gfallt mir aa.«

»Sie entspricht aber durchaus den Tatsachen.«

»Haben S' dann nie mehr was von dem Mädel g'hört?« fragte Resi.

»G'hört? N ... ja ...« sagte Leistl zögernd, weil er ungern daran ging, eine Fortsetzung zu erfinden.

»Hat s' den Leitnant g'heirat?«

»Ah! Der hat net dran denkt. Das war doch net auf einer soliden Basis aufgebaut ... natürli hat er s' sitzen lassen. Sie soll nacha später eine sehr bescheidene Partie gmacht hamm, an kloan Beamt'n ... hab i g'hört ...«

»Das is eine gerechte Strafe«, sagte Benno ... »Jetzt wird s' ja wissen, was ihr verloren gangen is ... der Herr Leistl hat nämlich zwei große Häuser in Regensburg und ein gutgehendes Geschäft ...«

»No ja ... es floriert ... Gott sei Dank ...«

Paula nahm an der Unterhaltung nicht teil; sie hörte kaum, was die Leute am Tische redeten.

Wenn Benno oder der Geschäftsfreund ein lautes Gelächter aufschlug, wurde sie nervös.

Über was freuten sich die? Was redeten sie? Sie dachte an die Zeit zurück, wo sie Interesse an ihnen gehabt hatte. Das war noch vor kurzem gewesen, und ihr kam es vor, als müsse es viele Jahre zurückliegen.

Ein Hausierer kam an den Tisch, der Merkzeichen für Bierkrüge verkaufte.

Sie hatte ihn auch damals gesehen, als sie mit Franz hier gewesen war, und ganz plötzlich überfiel sie eine quälende Sehnsucht nach ihm.

Wäre sie nur auch so klug gewesen wie Resi und hätte ihn herbestellt. Dann würde er drüben am Tische neben seinem Vetter sitzen, sie könnte ihn sehen und ihn mit Blicken liebkosen.

Sie winkte dem Hausierer und kaufte ihm ein Zeichen in den Farben des Korps ab, dem Franz angehörte.

Benno achtete nicht darauf, aber als sie es an ihrem Kruge befestigte, sah Otto herüber und nickte ihr lächelnd zu. Sie vergaß sich und dankte ihm deutlich für den Gruß.

»Wer is denn dös?« fragte Benno und sah nach dem Tische hinüber.

Paula wurde verlegen.

»Ich weiß sein Namen net ... ich glaub ... ich hab ihn in Schliersee kennen glernt oder in der Bahn.«

»So?«

Resi trat ihr auf den Fuß und blickte sie warnend an.

So was Ungeschicktes! Die Aufmerksamkeit auf Ottibubi lenken!

Der Zwischenfall ging unbemerkt vorüber, und als die Musik einen schmetternden Marsch blies, schmiegte sich Resi zärtlich an Paula.

Dabei sagte sie halblaut:

»Du bist gut! Sei do vorsichtig, die müssen ja was spannen!«

»Ach was!«

»Was glaubst d' denn? Und den ganz'n Abend redt'st und deut'st nix ...«

»Ich kann einfach net ...«

»Ja, und Knopfstieferl kannst beim Mandelbaum seh'n«, sagte Resi laut, da es ihr schien, als horche Benno zu ihnen herüber ... »weißt ... so was Elegants ... mei Eisbär muß mir ein Paar zum Geburtstag schenken ... gel, Manni?«

Schegerer brummte etwas Unverständliches in den Maßkrug hinein.

»Huh ... sin die Ehemänner schwerhörig ... Sind Sie auch so, Herr Beni-Beni?«

»In was für einer Beziehung?«

»Wenn man sich schön machen will für sein Mann?«

»No ja ... mit Maß und Ziel ...«

»Jessas, Sie Eiszapfen! Ma tut ja doch nur alles für euch ...«

»Wegen meiner brauchst di net so anstrenga«, sagte Schegerer. »Da fallt mir allaweil da Ding ei, der Karpfhammer Schorschi ... Dem sei Alte hat si a Biß ei'setz'n lass'n wolln ... ›Zu was denn?‹ sagt da Schorschi ... ›du brauchst de Leut net z' g'falln ... mir g'fallst aa net ...‹«

»Übrigens ...« sagte Herr Leistl ganz unvermittelt ... »übrigens, hamm de Herrschaften scho g'les'n von unserm regensburger Ehedrama?«

»Nein ... was hat's da geb'n?« fragte Benno.

Herr Schegerer verdaute noch an seiner humorvollen Geschichte.

»›Du brauchst de Leut net g'fall'n‹, sagt da Schorschi, ›mir g'fallst aa net‹.«

Resi beugte sich zu Paula hinüber.

»Du ... wirkli ... nimm di a bissel z'samm ...«

»Hamm de Herrschaft'n dös net g'les'n, von unserm regensburger Ehedrama?« wiederholte Leistl.

»Was war denn?« fragte nun auch Resi.

»Der Goldarbeiter Flunger, der im Gemeindekollegium drinna war, a sehr a angesehener Mann, hat si daschoss'n. In der Zeitung is bloß g'stand'n, zwegn ehelichen Dissidien, aber i kenn die Verhältnisse sehr genau, dös hoaßt, wenn's Ihna intressiert ...«

»Bitte, erzählen S'!«

Frau Resi rückte wieder näher; für solche Geschichten, und gar wenn sie gruselig ausgingen, war sie Feuer und Flamme.

»Ja ... also de Frau Flunger ... sie war von Straubing ... net? ... eine Getreidehändlerstochter ... a saubere Person, sehr stattlich ... de war bedeitend jünger wia er und hat gern Staat gmacht. Er ... der Flunger war a kloans Manndl ... unscheinbar und koana von Gebenhaus'n ... a Notniggl, um mich also richtig auszudrück'n ... No, die Ehe hat net lang dauert, a Jahr vielleicht, da hat ma scho allerhand gmunkelt. Es soll da ein Kammerherr eine Rolle gspielt hamm ... de Sach hat aber zu keiner Konsequenzen nicht geführt ... Derweil is vor ungefähr zwoa Jahr ein ungarischer Musiklehrer in Regensburg aufgetaucht .. net? ... no, und daß i 's kurz sag, die Flungerin is auf oamal musikalisch worn. Sie hat Stundn g'numma bei dem Schlawina, d' Hausleut hamm da allerhand pikante Vorkommnisse beobacht' ... aber, net gnua, mit da Zeit hat sie den schwarzhaaret'n Donauratz'n auch ins Haus zog'n. D' Leut hamm g'red't, aber der Flunger hat nix g'spannt. Mit da Zeit is er do mißtrauisch worn, und es soll'n sehr heftige Szena sich abgspielt hamm. Amal soll er'n mit'n Revolver in der Hand ausgschafft hamm, aber sie hat's do wieder durchgsetzt, daß er blieb'n is ... kurz und guat ... was sag i? ... eines Tags is der Schlawiner fort, aber d' Flungerin aa, und dem Vernehmen nach a großer Teil Diamantn und anderne Edelstein. Da Flunger hat koa Anzeig gmacht ... laßt si ja denk'n ... überhaupt hat a von der Gschicht koa Wort verlautn lass'n. Sei Schwager, da Hofrat Singer, ein bedeitender Arzt, hat 'n tröst'n woll'n ... net ... reschpektive er hat si über de Sach informieren wolln, aber der Flunger hat si umdraht, und hat 'n ohne Antwort steh lass'n. Dös dauert a Monat a zwoa ... im Gemeindekollegium laßt er si nimmer sehgn, in koa Gsellschaft geht er ... und am Johannitag hamm zwoa Schifferknecht an Mensch'n beobacht, der am Ufer naufgloffen is und mit die Arm g'fuchelt hat ... sie kümmern si weiter net drum, und bald drauf hörn s' an Schuß ... net? wia s' hilaff'n, finden s' eine Leiche ... an Herrn Flunger.«

Leistl schwieg und sah mit Befriedigung, daß seine Erzählung Eindruck gemacht hatte.

Frau Resi zog die Luft hörbar ein.

»Der arme Mensch!« sagte sie.

»Das Bedauernis war auch allgemein, und ein Leichenbegängnis hat er ghabt, geradezu pompös ...«

»Da hat er was davo ...« sagte Schegerer.

»Es war halt der Ausdruck der Teilnahme ... net?«

»I will Eahna was sag'n ... wenn i der g'wen waar ... i lebet no ... vielleicht fressat'n d' Fisch den sell'n Donauratzen ... aber i lebat ... dös woaß i g'wiß ...«

»Es san net alle Menschen gleich«, erwiderte Resi. »Der Mann hat halt den Schmerz net überwinden können.«

»Das is auch bei uns die allgemeine Ansicht«, bestätigte Leistl. »Ma glaubt sogar Anhaltspunkte zu hamm, daß er a Zeitlang g'hofft hat, sie kommt wieder.«

»Jetz is recht ... so a Schmieselmadam ... wieder kemma? Wieder Klavier spiel'n mit 'n Schlawina? Jetzt is sei Grabschrift firti ... für mi scho ...«

»In gewisser Beziehung haben Sie recht.«

»In jeder Beziehung hab i recht. Mir ... ah was ... Da mag ma ja gar net red'n ... mir sollt a so a Schlawina ins Haus eina schmeck'n ... Du z'sammklaubter Rastelbinder ... saget i ... Du! saget i ... Mir? ... saget i ... Und er scho drauß'd lieg'n auf der Straß'n ... So a Zigeuna, aus sei'n Wanz'nsanatorium kaam er in a Bürgerhaus ... Raus! saget i ...«

»Aber Klasi, schrei do net so! D' Leut schaug'n scho ...«

»Weil 's wahr is! A Hack'n nehmet i, a buach'ns Scheitl nehmet i ... hi' müaßt er sei ... so a Krattlermusikant ...«

»Es ist net jeder so energisch«, sagte Frau Resi beschwichtigend.

Sie schickte zuvor ein Lächeln zu Herrn Jüngst hinüber, der einen fragenden Blick auf sie gerichtet hatte.

Denn das Geschrei Schegerers, der im Geiste den ungarischen Musiklehrer mißhandelte, war weithin vernehmlich gewesen.

»Reg di do net auf, Manni! Es is net jeder wie du ...«

»Jetzt, ich«, sagte Benno, »ich muß schon auch sag'n, dieser Selbstmord kommt mir äußerst unmotiviert vor. Ich würde das System der Rache vorziehen ...«

»Is auch meine Ansicht«, pflichtete Leistl bei.

»Zum Beispiel, wenn Sie sag'n, daß der Mann gewarnt war und schon einmal dem Betreffenden mit der Waffe entgeg'ntret'n is, z'weg'n was schießt er ihn net nieder? Wie einen Hund? Z'weg'n was richtet er die Waffe gegen sich selbst?«

»Weil er ... ah was! ...«

»Laß mi amal red'n, Schegerer! Gesetzt den Fall, es kommet ein solchener Eingriff in meine Ehre, na machet ich doch dem Betreffenden net Platz dadurch, daß ich aus der Welt scheide. Sondern im Gegenteil, ich muß doch trachten, daß ich den andern hinausbeförder. Ich schießet ihn nieder wie einen Hund ...«

»Schiaß'n?« lärmte Schegerer. »Na, mei Liaba ... dös gang z' schnell, dös waar koa Straf ... De Händ tat i so an Kerl auf 'n Buckel z'sammbind'n und ziahgat 'n langsam in d' Höh, an Kupferdraht, daß 's eahm d' Arm auskegeln müaßt, und nacha ... vastehst ... rennat i eahm 's Messa in d' Wampn ... so machet 's i ...«

»Auf jed'n Fall tat i 'n aus der Welt befördern«, sagte Benno.

»Oder i passet eahm auf, wenn er grad über d' Stiag'n naufschliafat zu der Madam ...«

»Jetz hör do amal auf!« sagte Resi.

»G'setzt den Fall, sag i«, fuhr Schegerer fort, der in grausamen Vorstellungen schwelgte ... »bis zu der Tür lasset i 'n schleicha ... und da stand i da mit a'r a viereckat'n Eisenstang ... wünsch viel Vergnüg'n, saget i, er si umdrahn ... wumms ... schlaget i eahm an Schädel ei ... so machet 's i ...«

Herr Leistl gab auch noch einige Methoden an; er glaubte, daß man mit einer langen, leicht gekrümmten Schusterahle gute Erfolge erzielen würde, oder mit einem Bleiknopfe, oder mit einem japanischen Krummsäbel.

Aber Schegerer war der grausamste.

Er wollte nicht bloß töten, sondern langsam töten, Qualen verursachen. Er sprach von Widerhaken, glühend gemachten Eisenspitzen, Sägen und anderen Marterwerkzeugen.

Benno blieb bei der Schußwaffe.

Die Kapelle hatte schon längst zu spielen aufgehört, fast alle Gäste hatten den Garten verlassen, als die Ehemänner und der Geschäftsfreund aus Regensburg noch immer die furchtbaren Folgen einer Verletzung ihres Hausfriedens besprachen.

Immer leerer wurde es.

Nur Herr Jüngst blieb an seinem Tische sitzen und verwandte kein Auge mehr von Resi, die bei dem Eifer ihrer Tischgenossen Gelegenheit fand, mit ihm die zärtlichsten Blicke zu wechseln.

Paula sah es und dachte an einen andern, den sie herbei wünschte, obwohl sein Leben durch spitzige Eisen, Bleiknöpfe, Schusterahlen und Revolverkugeln theoretisch bedroht war.

Es gab kein Bier mehr.

Da erhoben sich die grimmigen Rächer ihrer Ehre und gingen mit ihren Frauen heimwärts.

Am Bahnhofplatze nahm man Abschied. Herr Leistl wohnte dort in einem Hotel.

Schegerer sagte noch beim letzten Händedrucke, er würde dem Betreffenden eine dreizinkige Mistgabel in den Leib rennen oder ihn an einem Kupferdraht aufhängen. Dann ging er mit Frau Resi der Schillerstraße zu.

Paula schritt schweigend neben Benno her. Sie waren schon fast bei ihrem Hause angelangt, als er fragte:

»Was hast denn du eigentlich g'habt? Den ganz'n Abend hast du koa Wort g'red't ...«

»Vielleicht hab ich Kopfweh«, antwortete sie müde. »Und so viel Phantasie haben mir ja auch net wie ihr.«

＊

Die Bürgschaft, die Benno geleistet hatte, beunruhigte ihn nicht lange. Ein paar Tage war ihm die Erinnerung daran unangenehm, doch wußte er sich zu trösten und seinen Leichtsinn zu entschuldigen.

Man ist halt gutmütig und kann einem Freunde die Hilfe nicht verweigern. Er gab sich nicht einmal Rechenschaft darüber, ob er, wenn er in Anspruch genommen würde, der eingegangenen Verpflichtung nachkommen könnte.

Dazu würde es schon nicht kommen; der Rabl war ein Ehrenmann und der Schmidramsl ein geriebener Kerl, der sein Geld nicht an zweifelhafte Spekulationen setzte. Nach einer Woche hatte Benno die ganze Sache vergessen.

Er wurde daran erinnert, als ihm Schmidramsl ordnungshalber mitteilte, daß der Schuldner die Zinsen nicht bezahlt habe. Da schrieb er an Rabl einen Brief, in dem der Standpunkt eines ehrenhaften Geschäftsmannes mit starken Worten hervorgehoben wurde.

»Es gibt gewisse Ehrenpflichten«, schrieb er, »die man unter keinen Umständen verletzen darf. Ich hoffe nicht, daß sich mein Vertrauen, welches ich auf Deine anständige Gesinnung gesetzt und selbes auch bekundet habe, als ein blindes herausstellt. Andernfalls müßte ich verlangen, daß man gegen Dich unnachsichtlich vorgeht, denn ich bin nicht gewillt, für etwaige Liederlichkeit in die Bresche zu treten...«

Er unterstrich die schärfsten Stellen seines Schreibens zweimal und dreimal.

Zwei Tage darauf kam Rabl zu Benno und wies ihm die Quittung des Herrn Schmidramsl vor.

»Dös hätt's net braucht, daß d' ma du an solchen Brief schickst ... I war in geschäftlichen Angelegenheiten abwesend und hab in Gotts Namen net dran denkt, daß i vor der Abreise diese Lappalie erledigt hätt' ... desweg'n schmeißt ma oan net solchane Ausdrück an 'n Kopf...«

»Erlaub du mir...«

»Das is net freundschaftlich gehandelt; dös muaß i dir scho sag'n...«

»Erlaub du mir, ich stell mich da auf den Boden der Tatsachen, net wahr? Ich erhalte ganz einfach eine Zuschrift vom Schmidramsl des Inhalts, daß du de ersten Zinsen nicht bereinigt hast. Ergo muß ich doch annehmen, daß diese Kapitalistengruppe ... net wahr ... von der du die Summe bezogen hast, deine Kreditwürdigkeit in Frage gestellt hat. Z'weg'n was schreibt mir denn sonst der Schmidramsl?«

»Dös is zum Lacha! I muaß in einer Angelegenheit, bei der a bissel mehr im Feuer is als wia der Pfifferling da, verreis'n, es pressiert, daß i grad no den nächst'n Zug erwisch', und in der G'schwindigkeit vergiß i auf de paar Markl'n...«

»Zugegeben, aber das kann doch ich net wissen! Ich hab mich einfach auf den Boden der Tatsachen g'stellt. Mein Brief an dich war nur eine gegebene Konsequenz...«

»Schön, also betracht'n wir die Sach als erledigt...«

Rabl schüttelte Benno herzlich die Hand. Es konnte einem Ehrenmanne nicht leicht fallen, so herbe und so ungerechte Vorwürfe zu vergessen, aber echte Freundschaft überwindet viel.

Diese Mischung von gekränktem Biedersinne und verzeihender Gutmütigkeit war in den Augen Rabls deutlich zu lesen.

Benno war gerührt.

Sein heftiger Unwille, der sich tags vorher in langen Selbstgesprächen Luft gemacht hatte, wich dem Frohgefühle über die Abwendung der Gefahr.

Und dies machte ihn gesprächig und jovial.

Er schlug dem Freunde kräftig auf die Schulter.

»No, alter Spezi, wie geht's dir denn sunst?«

»Guat, wenn i koane Brief kriag ...«

»Ah was! Dös is jetzt vergess'n ... aber daß ma di gar nia siecht?«

»Was glaubst d' denn, was i für G'schäft hab. Jetz is der gegebene Zeitpunkt, mei Liaba, wo i allaweil g'sagt hab, München steht vor einer Entwicklungsperiode wie no gar nia ... Jetzt bringt ma sei Heu rein.«

»Hast d' wieder eine Spekulation?«

»Oane? Zehni ... zwanz'g ... dös sag i dir, Globerger; sag, i hab's gsagt, mir mach'n aus München die Zentrale des Fremdenverkehrs ... den Treffpunkt der feinen Welt ... wer si amisier'n will, muaß nach München ...«

»Man hört allgmein, daß si da Fremdenverkehr hebt, und neuli, der Bürgermeister ...«

»Ah ... was! Heb'n ... Organisier'n tean ma'n ... Mir gründen erst die Fremdenzentrale München ... bis jetzt war's ja nix ... was is denn g'schehg'n? A bissel inseriern und Zeitungsschmarrn und vielleicht Festspiele, na hamm ma's beinand. Mit dem macht ma's net, mei Liaba ... man muß dem reisenden Publikum ganz was anderes bieten. Von diesem Gesichtspunkte gehen wir aus ...«

Rabl wurde eifrig und kam ins Hochdeutsche; es klang, als lese er Sätze aus einem Prospekte vor.

Benno wurde aufmerksam.

»Du sagst allaweil ›wir‹ ...«

»Ja ... ein Komitee von ungefähr zwanzig Personen ... hat

sich im stillen gebildet, is nix in d' Zeitung kumma, denn derartige Unternehmungen im größten Stil verlangen eine gewisse Diskretion ... Dös kannst dir ja denk'n ...«

»Is der Schmidramsl dabei?«

»Ja ... dös hoaßt ... er is zugelassen als Vertreter einer bestimmten Kapitalistengruppe ... aber er spielt keine Rolle ... mei Liaba, da san ganz andere Persönlichkeiten beteiligt ... Vertreter der Finanzwelt, Künstler, bedeitende Anwälte, in erster Linie Architekten ...«

»Daß ma da no nix g'hört hat davo?«

»Vorläufig hängt ma's net an de groß Glock'n ... dös is doch ganz klar ... weil mir inbetreff der Baugründe eine vorsichtige Politik treib'n ... wenn mir unsere Direktiven verrat'n, treib'n mir ja selber die Preise in eine schwindelnde Höhe ... dös sagt oan doch der Verstand ...«

»Seit wann is denn dieses Komitee beinand?«

»Seit wann? No ... mit dir kann i ja drüber red'n ... obwol mir sonst die größte Diskretion wahren ... das is jetzt zwoa Monat ... da hat sich der Verein zur Organisation der Fremdenzentrale konstituiert ... es san dann mehrere Gruppen gebildet worden ... die kaufmännische Abteilung, die künstlerische Abteilung ...«

»Also is dös in an ganz an großen Stil?«

»Dös glaab i! Es san erste Namen dabei, Baufirmen, Künstler ... und dös sag i dir, dös ganze intelligente München ... was überhaupt in Betracht kummt und was an' Unternehmungsgeist hat, wird sich da in kurzer Zeit anschließn, oder muaß si anschließ'n ...«

»M ... hm ... ja ...«

Benno verhielt sich noch reserviert, obwohl ihn als neuzeitlichen Münchner das Wort Fremdenverkehr sogleich in seinen Bann gezogen hatte.

»Übrigens fallt mir grad ei«, sagte Rabl, »heut nachmittag kommen einige Vertreter von alle drei Gruppen im Kaffee Gröber z'samm ... wenn's di intressiert ...«

»I mag mi nimmer auf Spekulationa einlass'n ...«

»Von dem red i do net ... Mei Liaba, dö hätt i aa gar net den Einfluß, daß ich dir den Beitritt zu Spekulationen verschaffen kunnt ... dös geht net so leicht ... aber i hab g'sagt, wenn's dich intressiert, weil du früher Interesse zoagt hast, in diesem Fall hätt ich dir Gelegenheit verschafft ...«

»Man is also net gezwungen, daß ma si da g'schäftlich beteiligt?«

»Gezwungen!« Rabl lachte herzlich. »Du bist guat! Da muaß ma verschiedene Garantien leist'n, bis ma die Genehmigung kriagt, daß ma si beteiligt ... So liegt die Sache ...«

»Dös mag scho sei. Ich sag's ja auch bloß zu dir, damit i mein Standpunkt klar leg. I hab mir's zum Prinzip g'macht, daß i nimmer spekulier ...«

»Dös is dei Sach. I sag dir bloß, dös Prinzip gibst no amal gern auf, Mannderl! Sag, i hab's g'sagt ... Aber i will di wahrhaftig net überred'n ...«

»Hinschau'n kann i ja amal. Im Café Gröber, sagst?«

»Ja ... Um zwoa bin i dort. Wenn's d' kumma willst, is recht ... aber, wia g'sagt ... ganz nach dei'n Belieb'n ...«

»Vielleicht kimm i ...«

»Also pfüat di Good, Beni ... und gel, dös siechst ei, daß ma bei dem Großbetrieb a so a Lappalie übersegh'n ko?«

»Von dem red'n ma nimmer ... pfüat di Gott ...«

Rabl ging bis zur Türe. Als er die Hand auf die Klinke legte, fiel ihm noch etwas ein.

»Ah ... paß auf ... Beni ... daß i net vergiß ... gel ... die alte Frau Harwig in Schwabing drunt ... de dös Anwes'n hat ... den Gart'n ... woaßt scho ... bei der Seestraß'n ... de is a Verwandte von dir?«

»Ja ... sie is a Bas'n von mein Vater selig ... Wie kommst denn auf de?«

»Neuli war die Sprach davo. De Frau hat ein großes Vermög'n und woaß 's net ...«

»Du ... wenn du vielleicht da was glaabst ... da sag i dir glei, gib dir koa Müah! De alte Frau hängt an ihrem Häusel und will nix von der Welt ...«

»Ko' ma net wiss'n ...« Rabl zog die Achseln hoch und machte eine geheimnisvolle Miene. »De alt'n Leut rechna mit ganz andere Verhältnis ... Aber wenn amal Riesensummen geboten wer'n, verstehn de Leut auch, daß sie si net selber Feind sei de'n ... Es kummt a neue Zeit ... Beni ... dös sag da'r i ... also adje!«

✳

Es traf sonderbar zu, daß gerade um diese Zeit die alte Frau Sephi Hartwig von einem schweren Kummer bedrückt wurde, denn aus der neumodischen Welt, von der sie und ihr stilles Häuschen abgeschieden waren, drang eine Nachricht zu ihr, die ihr alle Ruhe nahm.

Der Magistrat wollte den südlichen Friedhof, der mit dem Wachstum der Stadt von neuen Straßen eingefaßt worden war, auflassen, und der Beschluß war schon gefaßt, daß von einem nahen Zeitpunkte ab niemand mehr darin begraben werden dürfe.

Nichts hätte die Alte härter treffen können als die Befürchtung, daß sie nicht, wie sie es immer gedacht hatte, einmal neben ihrem Manne und ihrer einzigen Tochter, die vor mehr als dreißig Jahren als angehende Zwanzigerin gestorben war, liegen sollte. Die Nachricht kam ihr zuerst unglaubwürdig vor. So grausam konnte doch die Verwaltung ihrer Heimatstadt nicht vorgehen, so wichtig konnten doch diese neuen Interessen nicht sein, daß man ihr den billigen Wunsch, den einzigen, den sie noch hatte, verwehrte.

Damals, als ihr Katherl sterben mußte, hatten sie, die Hartwigs, noch ihre Wohnung in der inneren Stadt gehabt; erst später hatten sie, weil sie die Erinnerung an das einzige Kind bedrückte, das kleine Haus mit Garten in Schwabing gekauft.

Und wie vor acht Jahren auch ihr Xaver Abschied genommen hatte, war es ganz selbstverständlich gewesen, daß er zur letzten Ruhe neben die Tochter zu liegen kam. Da wartete er jetzt auf seine Sephi, die auf dieser Welt nichts mehr zu suchen und alle Freude in der andern zu erwarten hatte.

Wie hätte sie je daran denken können, daß die neue Zeit, die ihr München so verändert, ihr Leben, wo es nur möglich war, bedrängt hatte, nun auch noch die so ehrwürdige Hoffnung bedrohen sollte?

Sie war gleich ins Rathaus gegangen und hatte sich in den finstern Gängen, wo man Stufen auf und Stufen ab und immer um

Ecken herum gehen mußte, zu dem Rechtsrat durchgefragt, der diese Sachen zu verwalten hatte.

Der behäbige Herr mit dem Zwicker auf der Nase hatte mit einem überlegenen Lächeln dieses Überbleibsel aus einer vergangenen Zeit betrachtet.

»Gute Frau«, hatte er dann gesagt ... »gute Frau, Ihr Wunsch ist ja begreiflich, obwohl ... aber das ist am Ende ein anderer Standpunkt ... ich meine, mir wäre es nicht so wesentlich, ob ich im östlichen oder nördlichen oder im südlichen Friedhof beerdigt würde ... ich verstehe«, der Herr Rat war eine Säule des Liberalismus und eigentlich über so was erhaben, »ich verstehe, daß Sie als gläubige Christin einmal – wir wollen hoffen, erst nach einiger Zeit – in geweihter Erde Ihre Ruhestätte finden mögen, aber was nun das Spezielle anlangt, obwohl ich, wie gesagt, den Wunsch begreiflich finde, was das Spezielle anlangt, so können wir uns nur an den Beschluß halten. Wo kämen wir hin, wenn wir Ausnahmen machten? Bedenken Sie, dreißig Jahre nach der Bestattung des letzten Toten kann der Friedhof erst dem Verkehr übergeben werden ...«

»Ja ... ich muß doch neben meine Leut kommen ... mir hamm doch auch allaweil unser Sach richtig g'macht und war'n ordentliche Bürgersleut ...«

Frau Sephi hatte vor Weinen nicht weiter reden können.

Da war dem Herrn Rat die Einsicht gekommen, daß er mit Vernunftgründen nichts ausrichten könne, und vielleicht hatte ihn auch das Mitleid ein wenig gefaßt.

»Jetzt trösten Sie sich nur«, hatte er gesagt. »Wir wollen einmal sehen, ob sich eventuell was tun läßt.«

Frau Sephi war aber nicht getröstet; in der Trambahn sprach sie still vor sich hin, und da sie die Hände auf dem Schoße gefaltet hielt, glaubten die andern Fahrgäste, das alte Weiblein bete.

Nahe beim großen Wirt stieg sie aus und ging in der Richtung gegen den Englischen Garten zu.

Da war vor kurzer Zeit noch ein Dorf mit kleinen Häusern und niedlichen Gärten davor gewesen.

Nun waren die meisten verschwunden und hatten kahlen Miethäusern Platz gemacht, aus deren Fenstern die grämliche Verdrossenheit zusammengepferchter Menschen schaute.

Ein Steinhaufen nach dem andern hatte sich über die Wiesen vorgeschoben und die alten Wohnstätten eingepreßt, daß ihnen Licht und Luft fehlte, und daß sich die Besitzer bestimmen ließen, dem Zeitgeiste nachzugeben und ihr vererbtes Gut Spekulanten zu überlassen.

Aber etliche Dorfhäuser waren erhalten geblieben, und eines der nettesten, das Hartwigsche, das mit einem stattlichen Vorgarten an der Kreuzung zweier neu angelegter Straßen lag, konnte die Aufmerksamkeit fortschrittlicher Bauschwindler in hohem Grade erregen. Und konnte die Freunde alter Behaglichkeit erfreuen.

Die kleinen Fenster schauten mit hellen Scheiben zwischen dem Laub der Spalierbäume heraus auf Blumen und Gemüsebeete; ein blanker Kiesweg lief vom Gartenzaune bis zur überdachten Haustüre und schien jeden einzuladen, sich aus der angerußten Stadt in diese Reinlichkeit zu flüchten.

Aber Frau Sephi freute sich nicht über all das Anheimelnde, als sie von ihrem Gange zurückkehrte.

Und doch war der Herbsttag feierlich schön, und das Sonnenlicht lag wie flüssiges Gold auf den Blumen; an den eben erst aufgeblühten Astern saßen scharenweise die Bienen, und bunte Schmetterlinge klammerten sich gierig daran fest.

Frau Sephi beachtete es nicht; sie machte sich auch nicht wie sonst an den Beeten was zu schaffen, sondern ging zum besorgten Erstaunen ihrer alten Magd in die Wohnstube und setzte sich am hellen Vormittag, kurz vor der Essenszeit, wo sie immer in der Küche nachgesehen hatte, in einen Lehnstuhl.

Über der polierten Kommode hingen zwei Porträts, in der Manier der vierziger Jahre gemalt; eine junge Münchner Bürgersfrau mit der Riegelhaube auf starken Zöpfen. In dem frischen Gesichte fielen zwei rehbraune Augen auf, die schalkhaft zu dem dicken Herrn hinüberschauten, der nebendran aus seinem Rahmen ehrenfest auf den Beschauer blickte.

Sein rosiges Gesicht erzählte eine ansprechende Geschichte von der alten münchner Wohllebigkeit, vom Gedeihen des bürgerlichen Handwerks und von seiner Ehrlichkeit.

Das war das Porträt des Bortenmachers Xaver Hartwig, der

mit seiner Eheliebsten vor beinahe dreißig Jahren dieses Haus erworben und seine Ruhetage darin beschlossen hatte.

Heute schien er seine Blicke verwundert auf seine Sephi zu richten.

Was sie nur hatte?

Warum sie hier vor ihm so müde und zerschlagen im Lehnstuhl saß, statt wie sonst in Haus und Garten nach dem Rechten zu sehen?

Ging es schon an Krankheit und Sterben? Aber kürzlich war sie doch noch frisch und munter gewesen und hatte ihm liebevoll mit dem Staubtuche über das Gesicht gewischt, nachdem sie, ganz wie sich's gehörte, die Uhr im Säulentempelchen aufgezogen hatte. Und wenn das Ende herankam, warum war sie darüber gar so betrübt? Wie oft hatte sie gesagt und es ganz gewiß auch gedacht, daß es Zeit für sie werde, neben ihrem guten Xaver Platz zu nehmen!

Darin war keine Wehleidigkeit gelegen, die ja zur heiteren Frau Sephi nicht gepaßt hätte, das war mit klarer Vernunft überlegt und ausgesprochen, denn wer den Achtziger überschritten hat, kann nichts Schönes mehr erwarten und darf daran denken, wie er das letzte Geschäft richtig und mit Anstand abmachen werde.

»O mei Xaver!« seufzte unten im Lehnstuhl Frau Sephi, und die Tränen kugelten ihr über die eingeschrumpften Wangen auf den Schoß herunter.

»Wie s' di naustragen hamm, is mir net so traurig z' Mut g'wes'n wie heut. I hab mir denkt, wegen de paar Jahrl Trennung is net aus, und i kumm bald, und nacha schlaf'n mir nebenanander bis zum Jüngsten Tag …«

Sie weinte ins Taschentuch hinein.

»Daß es eine solchene Zeit und solchene Leut geben kann! Vor nix Respekt haben, alles z'sammreiß'n, alle Ruh und Gemütlichkeit aus der Welt schaff'n, und jetzt gunnen s' einem nicht einmal das Platzl unterm Boden …«

Draußen klapperte die alte Resi mit Geschirr und Schüsseln und kam herein.

»Frau Hartwig …«

»Was denn?«

Das klang müde, beinahe krank.

»Ja, was hamm S' denn?«

»Nix hab i ... Mußt mi heut net frag'n und plag'n ...«

»Zweg'n da Dampfnudeln, hab i gmoant ...«

»Mach s' no selber ... I hab net derweil und mag net außi.«

Kopfschüttelnd ging Resi in die Küche zurück, und kopfschüttelnd räumte sie nach dem Essen ab.

Ihre Frau hatte kaum was angerührt; wenn sie krank würde,
das wär arg. Siebenunddreißig Jahr war sie im Hause, und jetzt
in den alten Tagen da heraus müssen, unter fremde Leut?

Da setzte sich auch Resi auf einen Küchenstuhl und weinte.

Am Gartentor läutete es.

Die alte Magd stand mühsam auf und sah hinaus. Gott sei
Dank! Da kam der Herr Reindl, aber schon wie gerufen! Sie
ging, so rasch sie konnte, über den Kiesweg zum Eingange und
öffnete:

»Ihna hat heut unser Herrgott g'schickt«, sagte sie.

»No ... no ... no ... feit was?«

»I woaß net, mit unserer Frau is was ...«

»Ja waar net übi ... is s' krank?«

»Sie sagt Na.«

»No, mir wer'n amal schaug'n ...«

Herr Simon Reindl war nämlich der einzige überlebende
Freund des alten Hartwig, ein quieszierter Bräumeister und,
dem Äußern nach zu schließen, recht wohl geeignet, mit Le-
bensmut und Frische ansteckend zu wirken.

Im Alter mochte er der Frau Sephi wenig nachgeben, eher drüber als drunter sein, aber man sah es weder seiner gedrungenen
Gestalt, noch dem von Gesundheit geröteten Gesichte an. Seine
weißen Haare bildeten eine dünne, aber ausreichende Decke für
den Schädel, und sie waren an den Seiten sorgfältig nach vorne
gestrichen.

Seine lustigen, viel Schlauheit verratenden Augen waren auch
völlig klar, und Simmerl schrieb das dem Umstand zu, daß er
Ohrringe, oder vielmehr kleine goldene Sterne, in den gut ent-
wickelten Ohrlappen trug.

Der lange braune Rock, den er anhatte, und die brokatne, ge-
blümte Weste hatten alten Schnitt und zeigten, daß der Herr
Bräumeister noch immer was auf sein Äußeres hielt.

Er erzählte gerne und oft von der Zeit, wo er Pfannenbursche beim Pschorr gewesen war.

Da hatte ein berühmter Ringer, ein Franzose, ein Musje, sagte Simmerl, eine Ankündigung gemacht, er wolle mit dem stärksten Mann in München ringen und soundso viel hundert Gulden geben, wenn er geschmissen werde.

Es meldeten sich gleich drei Bräuburschen, alle vom Pschorr, der ordentlich stolz drauf war, und der dritte war Simon Reindl, gebürtig aus Lenggries.

Aber leider kam er nicht zum Ringen, denn der erste Bräubursche schmiß auf der Bühne des Hoftheaters, wo der Kampf vor einem dichtgedrängten Publikum ausgetragen wurde, den Musje mit den ersten paar Griffen auf die Bretter, daß ihm Hören und Sehen verging.

»Es war schad«, setzte Simmerl jedesmal bei, »daß mir andern zwoa net z' toa kemma san ... Mir hätt'n an grad a so hi'g'schmissen ...«

Mit Hartwig war er gemeinsam bei der münchner Landwehr gewesen, beim Artillerie-Korps. Zu mancher Parade waren sie ausgerückt, und wie sie Gefallen aneinander gefunden hatten, war Simmerl ein gern gesehener Gast im Hause und ein treuer Freund geworden.

»Mir wern amal schau'n«, sagte der Herr Bräumeister und schritt bedächtig zum Hause hin, denn Hastigkeit mochte er nicht.

Er stellte seinen polierten Spazierstock mit der silbernen Kugel darauf in den Schirmständer und stand bald in der Wohnstube, wo er zu seinem Erstaunen Frau Sephi mit verweinten Augen am Fenster sitzen sah.

Es gelang ihr nicht wie sonst, freundlich zu lächeln, sie nickte nur mit dem Kopfe.

»Ja, was waar denn jetzt dös? Sephi, mir scheint gar, du hast gwoant ... hat ma d' Resi scho g'sagt ...«

»Ah! De muaß allaweil tratschen ...«

»Scheint aber, sie hat recht. Bei dir feit was ...«

Der Anblick des alten Freundes stimmte Frau Sephi wieder recht wehmütig, und sie hatte Mühe, ihre Tränen abzutrocknen.

»No ... no ... no ... geh! Was is denn?«

»Nix is mehr ... so alt hat ma wer'n müss'n, daß ma dös nc derlebt! Waar i vor mein Xaver g'storbn, oder do vor a paar Jahr, nacha hätt i dös net erfahrn müss'n ...«

»Ah was ... sterb'n! Dös kimmt auf d' letzt, jetzt sag mir amal, was g'schehg'n is ...«

Sephi erzählte, und Simmerl unterbrach sie oft mit einem:

»Ja, was sagst mir denn da? ... Ja, was waar denn nei dös?«

»Die Stadt dehnt sich ins Weite, hat der Rat zu mir g'sagt, das Leben verlangt sein Recht ... sagt er ... Siehgst, Simmerl, da hab i mir denkt, seiner Lebtag hat ma de Stadt als Hoamat betrachi und hat s' gern g'habt, und jetzt hätt ma net amal als Toter an Platz drin, und wo is denn 's Recht von de Lebendigen, wenn ma net amal dös g'wiß hat, daß ma sei Ruah im Grab find't, und daß ma bei seine Leut lieg'n derf?«

»Dös woll'n wir amal sehgn, ob a solchene Gemeinheit existiern derf«, sagte Simmerl und strich sich zornig über die Haare. »Da hört si na do scho alls auf! Ma is nacha do Bürger seit fufzg Jahr und länger, und koa herg'laufene Bagasch, und daß d' Frau neb'n an Mo begrab'n g'hört, dös Recht is am End do älter als wia de neumodische Gaudi. Müassen s' am End an Zirkus außi bau'n oder a Großmarkthalle oder an Ausstellung oder an andern Schmarrn? Aber da muaß nacha do de ganz Bürgerschaft hi'steh' und muaß amal sag'n, was der Brauch g'wen is, und was da Brauch bleib'n muaß. Daß ma no a sogenannte Pietät aa braucht, net bloß Warenhäuser und Schwindel überanand. Laß da Zeit, Sephi, allssammt kinnan de Leut net umstöß'n ...«

»Aber der Rat hat mir gar koa Hoffnung g'macht ...«

»Ko scho sei. Is vielleicht aa so a neumodischer, so oana, der für d' Amerikaner Buckerln macha muaß und d' Zigeuner herzügeln muaß. Aber da werd's nacha wen geb'n, der wo ober eahm is, und wenn ma bis zum Regenten geh müass'n, da lass'n mir net aus ... Was tat denn da Xaverl sag'n, wann er di net daneb'n hätt, wenn amal Zeit is zum Aufsteh? Müaßt a no als seliger Geist auf Schwabing oba, und gang net amal a Tramway!«

Simmerl hielt einen Spaß für das beste Mittel gegen Traurigkeit, und Sephi tat ihm auch den Gefallen und versuchte es, zu lächeln. Sie seufzte ein bißchen erleichtert auf.

»Da muaß 's doch a Hilf geb'n ... moanst net?«

»Natürli gibt 's oane; höher gang 's nacha do scho nimma, als daß ma oan so an selbstverständlichs Recht nehmat ...«

»Du kunnt'st mir do aa behülfli sei, Simmerl. Geh, i bitt di schö, denk an mein Xaver ...«

»Braucht koa Bitt'n, Sepherl ... dös versteht si von selber ... i muaß mir de G'schicht überleg'n ... wia mir dös am g'scheitest'n o'pack'n. Mein Vettern sei Bua, an Ringler Toni, kennst d' ja, dem sei Ältester is Advokat, und bei dem wer i amal z'erscht frag'n ...«

»Sei halt so guat!«

»I bin scho so guat, und jetzt hör auf mit'n Woana und schaug a bissel auf mi. Übers Ei'grab'nwern muaßt d' 's Lebendi fei net vergess'n ... i hätt a bissel an Durscht kriagt ...«

»Ja, gel? Und i laß di da sitz'n und frag net ... Resi!«

Die alte Magd mußte aus der nächsten Wirtschaft Bier herüber holen, zum Vespern gab es etliche gute Sachen, und der Simmerl blieb noch lange sitzen.

Er redete von alten, schönen Zeiten, und natürlich kam auch die Geschichte vom Ringkampf im Hoftheater daran, und da Sephi so aufmerksam zuhörte, als wäre sie ihr neu, wurde er heiter und gesprächig.

Beim Abschied fand er noch tröstliche Worte.

»Du werst sehg'n, du kriagst dei Platzerl hintern Sendlinger-tor draußd. Aber net, daß dir nacha recht pressiert, wenn i dir de Wohnung verschaff'. Dös bitt i mir aus ...«

»Gar z' lang mag i nimmer wart'n ...«

»Auf mi wartst, Sepherl. I mach dir an Vorreiter und sag di beim Xaverl o ...«

»Du denkst no lang net ans Geh'n, Simmerl ...«

»Sag dös net! Mir kimmt 's öfter so vor, als waar i scho viel z' lang blieb'n. Waar ma liaba g'wen, i hätt 's net derlebt, wia dös alte München verschwindt ... I hab mir 's heut wieder denkt, wia'r i zu dir her ganga bin ... Hinter'n Siegestor siecht ma koan Münchna mehr. Nix wia Schlawiner, lauter Schlawiner. Und drin in da Stadt is net viel besser; seit vierasechz'g Jahr bin i do, na, wart amal, seit fünfasechz'g ... selbigsmal bin i beim Gilgenrainerbräu ei'g'standen in der Sendlingergassen. Du liabe Zeit, alls werd mehra, d' Leut wer'n mehra, 's Geld werd mehra, bloß de Bräuer san weniger wor'n. Um d' Sendlingergass'n und d' Neuhausergass'n rum hat 's selbigsmal mehra Bräu geb'n wia jetzt in der großmächtig'n Stadt. Wo san s' denn, der Hascherbräu, der Schleibinger, der Loderbräu, der Menterbräu, da Hallmayer, da Büchlbräu? All's weg und verschwund'n. Nix mehr als wia a paar große Bierfabriken. Fünfasechz'g Jahr ... und jetzt kenn i mi in da Stadt nimmer aus. Alle Bäch san zuadeckt, alle Wies'n und Gärt'n san überbaut ... all's is anderst, und nix is schöner wor'n ... Sag 's amal, Sepherl, g'fallt 's dir no?«

»Mir scho lang nimmer ...«

»Gel ... und wann mir uns z'ruckziahg'n woll'n untern Boden, weil 's uns drob'n nimmer paßt, müaßt ma si um de paar Schuah Erden no streit'n ... is dös aa no a Menschheit? Aber dös derstreit'n mir dennerscht no ... pfüat di Good!«

✱

Paula saß mit einem verdrossenen Gesichte auf ihrem Karussellpferde; ihre Miene paßte gar nicht zu dem heiteren Walzer, den die Orgel dröhnend und pfeifend spielte, indes sich Pferde, Schwäne, Schlitten in immer rascherem Schwunge drehten. Ihre Augen blickten finster, ihr Mund war zu einem Schmollen verzogen, und während sich vor ihr und hinter ihr lustige Paare lachend und kreischend dem kindlichen Vergnügen hingaben, schaute sie düster vor sich hin.

Das Karussell hielt. Paula stieg langsam ab und ging zu Franz, der verstimmt oder gelangweilt dem Treiben zugesehen hatte.

»Also, jetzt sei net so fad und tu halt mit! Warum verdirbst mir denn das bissel Freud'?«

»Ich fahr nicht am Tag. Prinzipiell nicht. Ich hab dir 's schon g'sagt ...«

»Allaweil prinzipiell. De andern Leut sin lustig, und du bist prinzipiell fad ...«

»Mit den Dienstbot'n da herumkutschieren, das tu ich nicht.«

»Früher warst d' anders ...«

»Ach bitte ...«

»Ja, dös is amal wahr. Da wärst halt auch naufg'sess'n und wärst lusti gewes'n, wie die andern Leut. Aber i kenn 's scho lang ...«

»Du hättest ja warten können. Ich hab dir am Herweg gesagt ... jawohl, wortwörtlich hab i dir 's g'sagt: unter Tags setz ich mich nicht in ein Karussell. Ich hab meine Gründe dafür ...«

»Vielleicht schinierst dich mit mir ...«

»Ich genier' mich mit der Gesellschaft da ... jetzt fahren andere Leute als wie abends ...«

»Na muß i halt heimgeh'n ...«

Paula drehte sich um und ging weg. Am liebsten hätte sie laut hinausgeschrieen.

Es war nicht wegen der Kinderei, o nein! Deswegen war's wirklich nicht.

Er zeigte ihr mit seinen Launen, daß er abgekühlt war; sie fühlte es so deutlich, sie merkte es an allem, was er sagte und was er nicht mehr sagte. Ja, daran am meisten.

Er redete oft wie ein Schulmeister und korrigierte an ihr herum.

Wenn sie zusammen ausgingen, mußte sie acht haben auf ihre Worte und ihre Bewegungen; gleich war ihm etwas zu auffallend oder zu zärtlich.

Sie hatte ihre Scheu beinahe überwunden, wo sie doch viel mehr zu fürchten hatte wie er, und jetzt weigerte er sich oft, mit ihr Arm in Arm zu gehen, und predigte Vernunft.

Und einmal war sie rasch vom Hause weg zu ihm gekommen, und vielleicht waren ihre Haare wirklich nicht ganz in Ordnung gewesen. Wer sieht denn so was?

Einer, der wirklich verliebt ist, paßt auf solche Kleinigkeiten nicht auf.

Aber er hatte gleich die Stirne gerunzelt und ihr einen Vortrag gehalten, daß man sich nicht gehen lassen solle, wenn man sich länger kenne, und daß er prinzipiell gegen solche Nachlässigkeiten sei. Er wisse schon, viele Frauen hätten das so, daß sie glaubten, man müsse sich nicht mehr voreinander genieren, aber die Art von Vertraulichkeit könne er gar nicht vertragen.

Und so rechthaberisch wurde er. Früher, da war er immer entzückt gewesen und hatte nichts wie lauter Schönes und Gutes an ihr gesehen.

Das war jetzt alles anders. Heute hatte sie ihm vorgeschwärmt von ihrer Freude am Karussellfahren, und da war er gleich wieder der Schulmeister gewesen. Erstens sei es überhaupt kein Vergnügen für Erwachsene, und zweitens, wenn man so was schon mitmache, müsse man in Stimmung sein. Ach! Die Ohren taten ihr oft weh, wenn er so anfing. Und dann fuhr sie doch, und er bockte, wie er's oft machte.

Wegen solchen Läppereien konnte er Streit suchen, ihr den Tag verderben! Nein, da war's gleich gescheiter, es war alles auf einmal aus.

Aber wie sie es nur dachte, wußte sie auch, daß ihr die Liebe zu ihm alles geworden war. Sie sah ins Leere; da war doch nichts mehr, gar nichts mehr, wenn das nicht mehr war.

Tränen verdunkelten ihren Blick ... aber sie ging von ihm weg.

Sie wollte nicht bleiben und seine guten Lehren anhören ...

Franz sah ihr nach.

Einen Augenblick hielt er noch an seinem Trotze fest. »Man muß Frauen nicht immer nachgeben«, sagte er altklug zu sich selber. Sie sollte sehen, daß er seinen Willen behielt.

Als er bemerkte, wie ihr Schritt unsicher war, wie sie den Kopf sinken ließ und die Schultern nach vorne zog, ergriff ihn tiefes Mitleid, und er eilte ihr nach.

»Paulimutsch ... du! Sei wieder gut!«

Sie sah ihn von unten auf an wie ein Kind, und um den Mund zuckte ein heftiges Weinen.

»Ich war doch net ...« Sie konnte nicht weiter reden und klappte hastig ihre Handtasche auf, um ihr Sacktuch herauszuholen. »I war doch net bös ...«

»Aber ich? Gelt? Wein net, guts, liebs Mädel! Ich war so verdrießlich, so dumm, i weiß ja selber ...«

»So garstig bist d' jetzt oft mit mir ... Dös halt i net aus ... wenn's d' mi nimmer magst, sag mir's do lieber glei ganz!«

»Geh, wie magst d' so red'n? ... Du weißt doch ...«

»Na ... dös weiß i oft nimmer ...«

»Daß i di gern hab? Dös weißt du net? Geh, Paulimutsch …
Das fühlst du doch …«

»Wenn man ein' gern hat, plagt ma'n doch net.«

»O ja … erst recht … Da steigt's ei'm oft so in 'n Kopf, da
bitzelt all's an ei'm … ma muß ei'm weh tun …«

»Ich kunnt's net … g'wiß net …«

»Du freilich net … du bist so gut … aber schau, vielleicht
war's Eifersucht, weil i net mag, daß dich die andern Leut aus-
g'lass'n seh'n …«

»Was is denn dabei? Schau, i bin als Kind scho so gern Karussell
g'fahr'n, und jetzt, 's erste Mal auf der Festwies'n mit dir …«

»Du hast ja recht … und jetzt geh'n mir zum Schottenhammel, und darnach fahrn mir mitsamm …«

»Na … fahr'n tu i nimmer … dös möcht i net nomal
hamm …«

»I fahr ja mit, und recht lusti woll'n mir sei …«

»Jessas!« Paula drehte sich hastig um.

Auf der anderen Seite der Straße stand Rubatscher mit einem
jungen, ziemlich aufgedonnerten Frauenzimmer, das eben zu
überlegen schien, wie es durch den aufgeweichten Schmutz
kommen könne.

»Was hast du?« fragte Franz.

»Tu so, als ob d' net zu mir g'hören tätst«, antwortete Paula
ziemlich aufgeregt.

Sie schien angelegentlich die Photographien zu betrachten, die
in einem Auslagekasten hingen, Franz ging etliche Schritte von
ihr weg.

Der Budenbesitzer schrie ihm nach:

»Kommen Sie herein, mein Herr! Lassen Sie sich aufnehmen
mit Ihrer reizenden Gemahlin! Es wird ein bezauberndes Bild
geben. Es wird für Ihre Kinder ein liebliches Andenken sein …
Nur ein paar Minuten, meine Dame!«

Paula war erschrocken; es waren in der frühen Nachmittags-
stunde so wenig Menschen auf dem Festplatze, daß sie von Rubatscher gesehen werden mußte. Und das Geschrei des Photo-
graphen konnte er kaum überhören.

Sie nahm sich zusammen und ging rasch, als hätte sie einen
bestimmten Gang zu machen, an Franz vorbei.

»Komm mir unauffällig nach!« murmelte sie ihm zu.

In einiger Entfernung blieb sie vor einer Menageriebude stehen und sah sich wie zufällig um. Rubatscher war nicht mehr zu sehen, und sie atmete auf.

»Was war denn?« fragte Franz.

»Unser Kommis ... i hab glaubt, i gib kein Tropfen Blut mehr. Wenn mich der beobacht'; hätt mit dir! I kann den Kerl a so net aussteh'n ...«

»Was hätt er denn beobacht'n können? Daß du zufällig mit an Herrn g'sproch'n hast? No, was is dabei?«

»I hab doch g'weint, und du hast in mich nei'g'red't ...«

»Ah! So genau hat der das net g'sehn ...«

Paula war gleich wieder beruhigt und ging nun, glücklich über die Versöhnung mit Franz, zum Schottenhammel. Ab und zu machte sie halt und spähte vorsichtig umher, ob der ekelhafte Kerl nicht auftauchte.

Aber der war ja nach der entgegengesetzten Richtung gegangen.

Rubatscher hatte mehr gesehen, als die Frau seines Chefs ahnte; jedenfalls so viel, daß er von der Begegnung für sich keine schlimmen Folgen befürchtete.

Er hätte eigentlich ein schlechtes Gewissen haben müssen, weil er den Lehrling allein im Laden zurückgelassen hatte, angeblich um einen notwendigen Gang nach dem Zollamt zu machen.

Statt dessen bummelte er mit einem Dienstmädchen auf der Wiese herum.

»Dös war die Frau Globerger?« fragte das Mädel.

»Sell woll ...«

»Herrschaft na! De sagts am End?«

»Wos sagt sie?«

»Daß s' di auf der Wies'n g'sehgn hat mit mir ...«

»Beileib net. De werd niacht sog'n ... sinst sog i eppan aa wos ... sell braucht di gar nix bekimmern ...«

»Was sagest du?«

»Allerhand um an Kreizer ...«

Rubatscher war nicht mitteilsam. Er brummte vor sich hin: »So ... so? Hiatzt geht mir a bengalisch Liacht auf. Hab mir schun alm denkt, warum sie gar nimmer dahoambleibt. Sell isch er g'wösen, der Fack. Wie er in sie einig'redt hot, aft hot sie trenzt ... sell isch er g'wösen ...«

»Lassen Sie sich aufnehmen, schöner Herr!« rief der Photograph. »Ein reizendes Familienbild für die lieben Angehörigen ... Arm in Arm mit der lieblichen Braut. In drei Minuten ist das Bild fertig ... Kommen Sie herein, mein Herr!«

Rubatscher ging an ihm vorbei. Er überlegte sich, ob er Paula nicht von weitem beobachten könnte. Aber wenn sie es merkte, konnte sie leicht eine Geschichte erfinden und ihn beim Globerger verklagen. »Sell war niacht ratsam ...« Er ging lieber mit seinem Mädel in eine Wirtsbude und trank Märzenbier zu sehr viel Schweinswürsteln.

Erst nach etlichen Stunden brach er auf und schimpfte daheim über das schlamperte Zollamt.

Franz und Paula fanden Gesellschaft in der großen Halle von Schottenhammel: Herrn Otto Jüngst und Frau Resi Schegerer. Etwas später kam ein Freund von Jüngst dazu, ein Maler Nottebohm aus Hamburg. Er stellte die junge Dame, die bei ihm war, als Fräulein Merry vor, ohne einen Familiennamen anzugeben.

Vielleicht war er ihm entfallen; ein Mann von der Waterkant wird sich den Namen Stingelwagner nicht leicht merken. Wozu dann freilich Merry oder Mary nicht wohl paßte, und eigentlich hieß sie auch Zenta, und der Name lag ihr.

Zenta Stingelwagner, dem Äußern und etlichen in unbewachten Momenten sich verratenden Manieren nach aus dem östlichen München, aus dem Viertel der ruhmreichen Erinnerungen – Weißenburg, Wörth, Orleans.

Sie hatte ein keckes Gesicht, das man hübsch nennen konnte, und das ansprechender gewesen wäre, wenn es nicht Versuche zur Vornehmheit entstellt hätten; sie zog dabei die Brauen hoch und blickte unter halbgeschlossenen Lidern blasiert über die Menschheit weg.

»Das ist Geschmackssache«, sagte sie, als Nottebohm die münchner Fröhlichkeit rühmte, die sich schon ringsum in der Halle bemerkbar machte. »Man fühlt sich doch nicht recht wohl dabei.«

»Sie müssen sich halt bei uns einleben, gnä Frau ...« erwiderte Jüngst. »Sie wern sehen, es g'fallt Ihnen großartig ...«

»Das glaube ich nicht. Es sind doch meistens Leute, die nicht zu einem passen ...«

»Aber das is ja grad nett ... Gibt's denn was Faderes als eine G'sellschaft, in der alle z'sammpass'n?«

Zenta zuckte die Achseln; sie war nicht zu überzeugen.

»Das ist Ansichtssache. Manchen gefällt der Ton, manchen nicht.«

Sie musterte mit einem sehr vornehmen Blick den nächsten Tisch, an dem eben ein Herr, der gebratene Hühner brachte, mit überlauter Fröhlichkeit begrüßt wurde.

Eine junge Dame sprang auf und umarmte ihn stürmisch, eine andere kreischte vor Entzücken und warf ihm Kußhände zu.

Es waren Leute vom Theater, die sich redliche Mühe gaben, erkannt zu werden; als es ihnen gelungen war, spielten sie dem Publikum eine sich ganz vergessende Ausgelassenheit vor.

Die Herren lachten in dröhnendem Basse, die Damen in wohlklingendem Sopran; alle beanspruchten Aufmerksamkeit für ihre selige Stimmung und erwiderten sie.

»Kinder! Ist das nicht herrlich?« rief der Älteste in der Schar, dessen Augen hinter starken Fettpolstern vergnügt funkelten. Er gab wie ein Chorführer immer wieder das Zeichen zu neuen Ausbrüchen, wenn Pausen eingetreten waren.

»Was sagt ihr zu dem Göttermahl? Nüsse, Würste und Huhn am Spieß gebraten, und dieses Bier! Und wären wir hier, wenn Maxe nicht auf die großartige Idee gekommen wäre? Kinder! Wir müssen auf sein Wohl trinken ...« Maxe wurde wieder umarmt. Die lebhafte Blondine neben ihm zog seinen Kopf an sich und küßte ihn schallend auf die Glatze.

Der dicke, recht gewöhnlich aussehende Herr hatte ein stilles Lächeln für all das Übermaß von Freude, das er um sich verbreitete. Er besaß irgendwo im Rheinischen eine gut gehende Fabrik und reiste mehrmals im Jahre nach München, wo er Gott und Protektor der Kunst, und wo er Maxe bei allen Tinis und Lillys war.

Zur andern Seite der Blondine saß ein jüngerer Mann von gutem Aussehen; seine dunkeln Augen und das wellige, braune Haar konnten sicherlich Eindruck auf empfindsame Frauen machen; er war der einzige, der nicht von der allgemeinen Heiterkeit mitgerissen wurde. Nur zuweilen raffte er sich mit Gewalt zusammen und stimmte ein Lachen an, aber es klang höhnisch und schneidend. Dann stützte er den Kopf wieder mit der Hand und blickte finster, beinahe drohend in die Ferne.

Sein deutlich zur Schau getragener Schmerz fiel Paula auf, die nach Zwist und Versöhnung in sehr weicher Stimmung war, und sie fragte sich mitleidsvoll, was der arme, hübsche Mann wohl für einen geheimen Kummer haben müsse.

Manchmal fuhr er auf und preßte die Lippen zusammen, oder er fuhr sich mit der Handfläche über die Stirne, als wolle er einen bösen Traum verscheuchen.

Er bemerkte bald den Eindruck, den er auf die gutmütige Frau gemacht zu haben glaubte, und seine tieftraurigen Augen suchten die ihrigen.

»Kinder! Das geht nicht!« rief der Chorführer. »Seht mal Rolf an! Was ist dir denn passiert, Junge?«

Rolf antwortete nur mit einem sehr bitteren Lächeln, und er zog die Achseln hoch.

»Na also, sprich dich aus! Du bist doch unter Freunden!«

Die Blondine winkte ab. Man sollte nicht darüber reden, nicht in dem Schmerze wühlen, nicht Wunden aufreißen. Sie beugte sich über den Tisch und flüsterte dem Chorführer so laut, daß es alle hörten, zu:

»Man hat ihm eine Rolle genommen.«

»Tini!« Der junge Schauspieler rief es sehr eindringlich und sehr wohllautend.

»Man hat sie dir *ja* genommen, und es ist und bleibt eine unsägliche Gemeinheit.« Der Chorführer streckte mit einer herzlichen Gebärde seinen Krug vor.

»Stoß an, alter Freund! Trink ihn aus, den Trank der Labe, und vergiß den großen Schmerz!«

»Schmerz! Ihr werdet doch nicht glauben, daß mir der Alte Schmerz zufügen kann …«

Rolf lachte sehr höhnisch auf.

»Na also, dann nicht Schmerz, aber Entrüstung oder Indignation, und nun trink mal und sei fröhlich. Was soll denn Maxe denken?«

Alle wollten mit Rolf anstoßen und ihm Teilnahme und treue Freundschaft zeigen.

Vielleicht hätte er sich umstimmen lassen, wenn nicht gerade Maxe, dem zu Liebe ungetrübte Heiterkeit herrschen sollte, die unvorsichtige Frage gestellt hätte: »Was für eine Rolle hat man dir genommen?«

Da brach der Gekränkte los.

Genommen war kein Wort für dieses Vorgehen. Hinterlistig entwendet hatte man ihm die Rolle; mit gemeinen, niedrigen Lügen hatte man ihn in Sicherheit gewiegt, um den Arglosen dann um so schmählicher zu betrügen.

Man neidete ihm den jungen Ruhm, man wollte seine Existenz untergraben. Hätte man wenigstens einem Würdigen die Rolle gegeben! Aber so einem ... man werde ja sehen ... diesen Vormittag, bei der Generalprobe hatte es sich schon gezeigt, was für eine haarsträubende Fehlbesetzung das war. Es kam da eine Stelle vor ... der beleidigte Graf mußte aufspringen und seinen Gegner niederdonnern ... »Und *das* ... *das* sagen Sie mir? ...« In diesem wiederholten »Das« lag die Steigerung, lag eigentlich die Wirkung der ganzen Szene.

Rolf beugte den Oberkörper langsam zurück, ruckweise, sah Maxe mit starren Augen an, sprang auf und brüllte die gewichtigen Worte in die Halle. »Und *das* ... *das* sagen Sie mir?« So mußte es gemacht werden. Der Graf mußte aufspringen wie ein Löwe, wie ein verwundeter Löwe. Aber dieser impotente Kerl war aufgestanden, wie ein krankes Pferd. Man würde ja sehen. Wenn der traurige Lump von einem Kritiker nicht einmal das sah.

»Bst!« mahnte der Chorführer.

»Ein bestochener trauriger Lump sage ich ... meinetwegen kann ihm das jeder erzählen ...«

»Bst! Er sitzt doch selber da.«

»Wo?«

»Am zweiten Tisch hinter dir ...«

Rolf wandte langsam den Kopf nach der Richtung.

Ein pausbackiger Mensch aß dort gebratene Würstchen und gab sich Mühe, bedeutend auszusehen, als er sich von den Schauspielern entdeckt sah.

»Doktor!« rief der Chorführer und schwenkte seinen Krug. Die Blondine stand auf und jubelte ihm zu, andere winkten ihm, so daß er nicht anders konnte, als herüber kommen und seine Schlachtopfer begrüßen. Man schüttelte ihm bieder die Hand, sah ihm liebeheischend ins Auge, und lud ihn ein, Platz zu nehmen. Das lehnte er ab, denn irgendwelche ungeschriebene Gesetze verboten es Richtern, mit Delinquenten, und Kritikern, mit Schauspielern zusammen zu sitzen.

Als er sich wieder verabschiedet hatte, sagte Rolf, man hätte eigentlich den Schurken erdolchen müssen; er warf ihm finstere Blicke nach und versank in seinen Schmerz zurück.

Aber Paula beachtete seine tieftraurigen Blicke nicht mehr; sie war näher an Franz gerückt und tauschte heimliche Zärtlichkeiten mit ihm aus.

Frau Resi schwieg, und es war deutlich genug zu merken, daß sie ihrem Ottibubi zürnte.

Wie hatte er nur dieses Weibsbild einladen können! Das war doch eine unverzeihliche Rücksichtslosigkeit, Paula und sie als verheiratete, angesehene Bürgersfrauen mit einer solchen zusammenzubringen.

Sie wollte ihm aber sagen, daß sie sich derartige Dinge schönstens verbitte.

Und wie ekelhaft war es, daß er die Person als gnädige Frau titulierte!

So eine, der man es auf hundert Schritte ansah, daß sie vor ein paar Wochen noch Wassermädel in einem Kaffeehause gewesen war.

Zenta, die merkte, daß man ihr einige Abneigung entgegenbrachte, war nun erst recht entschlossen, ihre Bedeutung hervorzuheben.

Als ein italienischer Händler an den Tisch kam und gebratene Kastanien zum Kaufe anbot, wechselte sie mit ihm etliche Worte.

»Quanti costa?« und »Grazie tanto ...«

Otto tat ihr den Gefallen, zu fragen, ob die gnädige Frau italienisch spräche. Sie hätte, was ihm schon gleich aufgefallen wäre, einen südländischen Typus.

Das gab Zenta Gelegenheit, den Roman ihres Lebens zum besten zu geben.

Es schien nicht das erstemal zu sein, denn Nottebohm hustete, rückte unruhig auf seinem Stuhle hin und her und wollte ein anderes Gespräch anschlagen.

Aber nach einem strafenden Blicke auf ihn erzählte die gnädige Frau dennoch die Geschichte einer Verlassenen.

Natürlich hatte sie südländisches Blut in den Adern. Ihre Mama war nämlich mit einem italienischen Grafen verlobt gewesen. Das Paar liebte sich innig, und alle Bedingungen zum Glücke waren vorhanden, wenn sich nur die Eltern des Conte nicht so erbittert und hartnäckig seiner Verbindung mit einem bürgerlichen Mädchen widersetzt hätten.

Lange Zeit schien er im Kampfe gegen die Seinen stark bleiben zu wollen; aber eines Tages war er verschwunden. Die Unglückliche hörte nie mehr von ihm; sie gab einem Mädchen das Leben, kränkelte und starb.

Das Mädchen war Zenta, das heißt Merry, die dann von Verwandten an Kindes Statt angenommen und erzogen wurde.

»Du, ich geh jetzt ...« sagte Resi zu Otto.

»Warum denn? Mitten am Nachmittag?«

»Weil i Kopfweh hab ... I kann den Spektakel nimmer vertrag'n ...«

»Jetzt bild dir doch keine Schwachheit'n ei ... i hol dir nachher was z' ess'n, da wird's dir scho wieder besser ...«

»Nein, danke. Du kannst ja bleib'n, wenn du so rücksichtsvoll bist ...«

»Alles, was recht is, aber i lauf do net um sechs Uhr von der Wies'n heim ...«

»Ich will ja gar net, daß du das herrliche Vergnüg'n aufgibst ... adjö!« Resi stand auf.

»Gehst du mit?« fragte sie Paula. Diese zögerte, aber als ihre Freundin beleidigt den Kopf zurückwarf und durch die Tischreihen schritt, sagte sie zu Franz:

»Ich komm dann wieder; wir gehen bloß ein bissel ins Freie,

ınd wenn Resi eine Tablette nimmt, ich hab was bei mir, dann wird's ihr schon wieder gut.«

Sie eilte Resi nach.

Als sie an dem Tische der Schauspieler vorbeikam, verneigte ∶ich Herr Rolf sehr ehrerbietig vor ihr. Sie dankte flüchtig und ∶twas erstaunt. Am Ausgange holte sie ihre Freundin ein, die ∽ochrot vor Aufregung war und mit ihren Tränen kämpfte.

»Geh, was hast denn?«

»Nix. Eigentli is ja so a Mensch net wert, daß ma ... daß ...«

Nun schluchzte Resi und eilte voran, zwischen den Buden ∃urch auf die freie Wiese, wo sie allein waren.

»Hast du an Streit mit ihm g'habt?«

»Nein ...«

»Ja, was war denn auf einmal?«

Resi fuhr sich ungestüm mit dem Taschentuch über die Augen.

»Laßt du dir dös g'fallen, daß si so a giesinger Schlampn an ınsern Tisch herhockt? Wenn uns ein Mensch g'sehen hätt, was ∽üßt ma si denn da nachsag'n lass'n?«

»Da kann er do nix dafür!«

»Net? Der Maler is do sei Freund. Hätt er ihm net sag'n ⸱önna, daß er in Begleitung is und a g'wisse Diskretion wahren ∽uß? Wär dös net ganga?«

»Er hat vielleicht net g'wußt, daß sei Freund wen mitbringt.«

»Na hätt er's ihm merk'n lass'n sollen, daß dös unpassend is.)der er hätt jetzt mitgeh'n sollen. Aber Aug'n macht er ihr hin, ınd gnä Frau hin und gnä Frau her sagt er zu dem G'schoß ...«

Paula lächelte.

»Du bist gar eifersüchtig ...«

»I? Fallet ma'r ei! Weißt, wenn er so weni G'schmack hat – ⸱on mir aus! Na, ich dank schö! Mit so was konkurrier ich noch ang net. Es muß ja net sei ...«

»Aber Resi, mach's net ärger, wie's is ...«

»I find's arg g'nug. Sei ganze Existenz setzt ma für an Men-⸱chen auf's Spiel, und das is der Dank! Der nächstbeste Schlam-∍en werd ei'm vor'zogen ... Wenn dös net arg is ...«

»Was soll er denn machen? Schau, sie is amal mit sei'm ∃reund kommen, und auf der Wiesen nimmt ma's am End net so ∶'nau ...«

»Weil's mi kränkt ... net, daß er so einer auch noch schö tut ... von mir aus! Ich sag dir ja, da konkurrier ich net; und merk i was, hamm mir ein für allemal ausg'red't ... na, desweg'n gar net, aber daß ma sich dös g'fallen lassen soll, mit so an davo'g'hauten Wassermadel auf gleich behandelt wer'n ... sie a G'schpusi ... i a G'schpusi ... na, mei Liebe, da hört's bei mir auf ... am End is ma doch eine verheiratete Frau und hat sein' anständigen Verkehr ...«

»An dös hat der Herr Otto gar net denkt; der hat dich doch net kränken woll'n ...«

»Ah, geh mir mit die Männer! Vor drei Monat hätt er sich net mit der Person abgeb'n ... Da hätt er mir net zug'mut', daß ich mit der an ei'm Tisch sitzen soll. Aber es dauert ja scho lang g'nug, und mir wer'n nie g'scheit. Mir geb'n allaweil z' stark nach und vergess'n, daß bei die Männer d' Lieb abnimmt, wenn s' bei uns wachst. Desweg'n taugen die meisten Ehen nix, und die Verhältniss' erst recht net ... aber i zeig's ihm schon ...«

»Ich mein', das gescheitest is, wir gehen jetzt wieder nei' und setzen uns ruhig hin ...«

»Freili, und horchen zu, wie de Schmieselmadam sich als a Grafentochter aufspielt. Daß i net lach! Sonst sin die Herrn der Schöpfung so g'scheit, und da hocken s' da und lassen si an solchen Schmarrn vorerzähl'n ... Mit an italienischen Grafen is die Mama verlobt g'wes'n ... ja, mit an Ziegelbrenner von Ismaning; und wie's kalt worn is, hat si der Herr Graf mit sein Bolentag'schirr verzogen ... und hat ihr die Ziegelpatscherprinzeß als teures Andenken hinterlassen ... Eigentli ärgert's mi, daß i's ihr net glei in's G'sicht nei' g'sagt hab ...«

»Es war besser so ... und jetzt komm!«

»Na ... ich geh net nei. I verkehr amal net mit dem italienischen Adel.«

»Aber schau, ich muß do wieder zum ... ich muß do wieder nei' ...«

»I will di net aufhalt'n ... bis zum Eingang geh i mit, da begleit i di no, und nachher geh ich heim ...«

»Vielleicht überlegst dir's no ...«

»Na ... jetzt is 's amal g'sagt, und der Herr soll nur sehg'n, daß ma sich net jede Rücksichtslosigkeit bieten laßt ...«

Vor der Halle trafen sie auf Franz, der unruhig wartete.

»Wo bleibst denn, Paulimutsch?«

»Ich hab doch mit der Resi gehen müssen, schau ... warum hast net drin auf mich g'wart?«

»Ich hab nicht allein in dem Spektakel bleiben mögen ...«

»Is der Otto weggangen?« fragte Resi hastig.

»Ja ... gleich nach Ihnen ...«

»Mit ... mit sein' Freund?«

»Ja ... sie haben noch Buden anschauen wollen ...«

»Gehen wir auch?« fragte Paula.

»Gern, wenn's dir recht is.«

Sie hing sich an Franz ein; Resi schritt neben ihnen her. Sie überhörte Fragen, die beide an sie richteten, und wenn sie Antwort gab, war ihre Stimme heiser vor Aufregung; in ihrer Ungeduld lief sie voraus, blieb wieder stehen und schaute mit suchenden Blicken herum. Sie wollte allein sein, um rascher vorwärts zu kommen; an einer Straßenkreuzung verabschiedete sie sich, murmelte hastig etwas von Eile und Heimgehen und ging mit raschen Schritten weg.

»Die Arme!« sagte Paula.

»Was is eigentlich?«

»Hast du net gemerkt, daß sie eifersüchtig war? Da is sie rausgangen, und jetzt is er weg ...«

»Die finden sich schon wieder.«

»Ach ja ... ihr! Eigentli wißt ihr gar net, wie's unserei'm z' mut is ... Ihr seid viel gleichgültiger. D' Resi hat recht. Bei euch nimmt d' Lieb ab, und bei uns wachst s' ...«

Franz lachte.

»Du warst heut auch so hart zu mir«, sagte Paula.

»Erstens war ich net hart, und zweitens haben wir uns wieder versöhnt. Und das is doch so nett!«

»Ach du!«

»Find'st du nicht? Man sollt sich eigentlich hie und da ein bissel zerkriegen, bloß weil die Versöhnung so lieb is ...«

»Nein! Du darfst nie mehr so zu mir sei' ... Ich hab an Augenblick g'aubt ... nein, gelt, du bist nie mehr so zu mir?«

»Was hast du glaubt?«

»Ach geh! Ich mag net dran denken ... An Augenblick hab

ich gar nimmer g'wußt, wo ich hing'hör ... Zu dir nimmer ... und ... und ... dorthin ja erst recht nimmer ... und da war's so leer und ganz schwarz um mich rum. Das mußt nimmer tun, Franz!«

»Ich tu's ja nimmer ... gib mir ein Bussel!«

»Dös geht doch net ... mitten unter die Leut!«

Er ging mit ihr aus dem Lichtkreis der Bogenlampen in den Schatten einer Bude.

»Aber da geht's ...«

»Ach ... du! ...«

Resi lief mehr, als sie ging, an den hell erleuchteten Buden vorbei; vor den Karussells blieb sie stehen und suchte sie in fiebernder Unruhe ab. Dann eilte sie weiter und sprach und weinte vor sich hin.

Das konnte er ihr antun! Das! Mit dem Weibsbild, mit dieser schmierigen Person weglaufen, um sie recht tief zu kränken.

Sie wollte umkehren, heimgehen, nie mehr etwas von sich hören lassen. Er sollte nur sehen, daß sie ihren Stolz hatte. Sie malte sich aus, wie das wäre, wenn er flehentlich an sie schriebe. Ganz kalt würde sie ihm antworten. »Mein Herr! Sie haben gewählt ... Man beleidigt mich nur einmal ...« So würde sie ihm zurückschreiben. Ob ihm das weh täte? Es wäre die gerechte Strafe für seine Rücksichtslosigkeit ... weglaufen und sie einfach stehen lassen ... und mit so einer gehen ...

Sie stieß oft an Leute an; manche sahen ihr verwundert nach, etliche riefen ihr derbe Worte zu ...

»Oho ... pressiert's so? Wo aus denn so schleuni? Sie, Fräulein, könna S' as nimmer derwart'n? Herrgottsakra, wenn no de weg'n meiner so laufet ... Teufi! De hat Holz vor der Hütt'n!«

Ein junger Mensch eilte ihr nach.

»Fräulein, darf ich Sie begleiten?«

Sie gab keine Antwort, und er faßte nach ihrem Arm.

»Sie unverschämter Mensch! Lassen Sie mich gehen!«

»Entschuldigen Sie halt, daß man herumirrende Damen bei der Nacht verwechselt ...«

Er rief ihr noch allerlei nach, doch sie eilte weiter.

Der Lärm der Drehorgeln, der Musikbanden vor den Schaubuden tat ihr weh.

Was war das für eine sinnlose Fröhlichkeit? Waren alle diese Menschen wirklich vergnügt und bloß sie von Zorn und Schmerz herumgejagt?

Aber weit wollte sie nicht mehr gehen. Nur mehr bis zu dem zweiten hell beleuchteten Karussell vor ihr, dann wollte sie einen Wagen nehmen, heimfahren, ihn nie mehr sehen.

Sie kam zum nächsten Karussell, blieb stehen und suchte.

Einen Augenblick war's ihr, als sähe sie die Ziegelpatscherprinzessin ... Aber es war eine andere, sie hatte nur den gleichen Hut auf.

»Ah! Was sehe ich? Die gnädige Frau!«

Resi drehte sich erschrocken um.

Herr Fritz Laubmann, Vertreter der Firma Probst in Hof, stand vor ihr und verbeugte sich höflich. »Auch auf der Wiese? Aber Sie erinnern sich meiner vielleicht nicht mehr?«

»O ja ...« sagte sie ungeduldig.

»Auf jener hübschen Fahrt nach Schliersee hatte ich erstmals das Vergnügen ... leider waren Sie etwas okkupiert ... sozusagen ... ich hatte es fast bedauert ... Darf ich fragen, ob Sie allein ...«

»Nein, ich hab mich mit mei'm Mann zusammenb'stellt ...«

»Natürlich ... ja ... es läßt sich denken, daß Sie nächtlicherweile nicht allein in diesem Trubel sind ... fährt Ihr Herr Gemahl?«

Resi zitterte vor Ungeduld.

Wenn sie den gräßlichen Kerl nicht anbrachte, konnte sie nichts anderes tun, als gleich zum Fiakerstand eilen ...

»Ich such ihn ja ...« sagte sie gereizt.

Herr Laubmann überhörte den ungeduldigen Ton und bot seine Begleitung an.

»Wir könnten dann gemächlich nach beiden Seiten hin Ausschau halten; Sie nach der einen, ich nach der andern ...«

»Nein ... ich dank schön für die Freundlichkeit ... lassen S' Ihnen net stören ...«

»Ich habe nichts vor, und gnädige Frau dürfen überzeugt sein, es geschieht gerne ...«

»Ich mag aber net ...«

Resi schrie es beinahe heraus.

»Pardon!«

Herr Laubmann hielt seinen Hut mit edler Gebärde, den kleinen Finger weggestreckt in die Höhe. Resi wollte den barschen Ton etwas entschuldigen.

»Mein Mann is so eigen ... ich mag net, daß er mich in Begleitung sieht ...«

»Ach so ... die Eifersucht ist begreiflich ...« lächelte der Reisende etwas säuerlich ... » als Gatte der schönsten Frau Münchens hat man ein Recht dazu ...«

»Adjö!« sagte Resi kurz und eilte weg.

Laubmann folgte ihr langsam und sprach allerlei vor sich hin, was nicht ganz so ritterlich war ...

»Und der Dämlack hat auch Ursache genug. So was von einer verkommenen, sittlich tief stehenden Gesellschaft gibt es Gott sei Dank bei uns zu Hause nich. Der Lumich hat nischt gemerkt, wie sie doch damals gleich angefangen hat, Zicken zu machen ... aber Friedrich Wilhelm Laubmann kannste nich bedeppern ... du Aas ...«

Resi hatte Herzklopfen.

Nun wollte sie ganz gewiß nicht mehr weiter gehen als bis zum Schiffskarussell ... wie leicht konnte ihr der Mensch folgen und sie beobachten. Er hatte sie mit seinem falschen, schielenden Blick so mißtrauisch angesehen, und beleidigt hatte sie ihn obendrein. Endlich war sie angelangt. Sie stellte sich in den Schatten, und beim ersten Blick erkannte sie Zenta, die in einem der auf und ab schaukelnden Kähne saß und sich laut lachend festhielt. Ihr gegenüber saß Nottebohm; aber Otto? ...

Sie blickte angestrengt hin, als die zwei bei der Drehung wieder nach vorne kamen.

Otto war nicht bei ihnen.

Sie atmete auf, und gleich dachte sie zärtlicher an ihn. Vielleicht war er in die Halle zurückgegangen und suchte sie nun mit der gleichen Unruhe wie sie ihn.

Sie überlegte, wie sie auf dem kürzesten Wege zum Schottenhammel gelangen könnte ... da faßte sie jemand am Arm.

Ungestüm riß sie sich los und sah nach dem Frechen um ...

Herr Jüngst stand vor ihr mit dem gemütlichsten Lachen, das seine weißen Zähne sehen ließ.

»Na ... ausgschmollt? du ... Dumme ...«

»Gar net dumm ...«

»Net z' wenig ... Resl ...«

Sie war zu froh, als daß sie ihm ein böses Wort hätte sagen können.

»Gib acht ... Otto ... der ekelhafte Sachs ... i hab dir ja erzählt ... der in Schliersee war ... hat mich vorhin ang'redt, wie ich dich g'sucht hab ...«

»Du hast mich g'sucht?«

»Leider ... war i so blöd ... aber im Ernst ... der Kerl spioniert mir ganz g'wiß nach ...«

»Da geh'n mir einfach ums Karussell rum über d' Wiesen; da is dunkel ...«

»Aber vielleicht mußt auf dei italienische Gräfin wart'n ...«

»Mei ... Gräfin? Siehgst, da hast di scho verratn ... jetzt warst halt doch dumm ...«

»Der Dumm' warst schon du! Auf der ihr'n z'sammklaubten Schmarrn rei'flieg'n!«

»Bin i?«

Otto lachte lustig.

»Glaubst du wirkli, i kenn unsern Adel von Giesing net?«

»Warum hast du nacher per gnädige Frau damit g'redt?«

»Rauskitzelt hab i's ... und di damit ...«

»Ja ... sagt ma ... hinterdrei ...«

»Hättst d' mi halt a bissel lieb ang'schaut; i hab a paar Mal 's linke Aug zudruckt. Du hättst mi leicht geh'n hör'n könna ... aber mach, daß mir weiterkommen, sonst lauft der Nottebohm noch a mal mit uns ...«

Die Eile, mit der er einer Begegnung mit dem Maler und seiner Italienerin auswich, versöhnte Resi ganz und gar.

Sie schritten eng aneinander geschmiegt über das Feld, das hinter den Budenreihen völlig im Dunkel lag, und schlüpften, um die Versöhnung zu feiern, in eine kleine Weinbude, wo sie ungestört blieben.

*

Zweimal war Benno schon im Café Gröber bei dem Organisationskomitee, das München zur großen Fremdenzentrale umgestalten wollte, zu Gast gewesen, und die kühle, fast abweisende

Behandlung, die er bei den Leuten gefunden hatte, war nicht ohne Wirkung auf ihn geblieben. Man hatte in seiner Gegenwart ganz allgemein und etwas verschleiert von den ungeheuren Projekten gesprochen, die teils begonnen waren, teils in Vorbereitung standen, aber die Sicherheit, ja die Gleichgültigkeit, mit der über große Summen verfügt zu werden schien, überzeugte Benno davon, daß nun wirklich im großen Stile an die Hebung seiner Vaterstadt herangegangen werde. Ein Architekt Firnkäs, der jahrelang in New York Bedeutendes geleistet haben sollte, war, wie er sagte, nur durch diese glänzenden Aussichten auf dem Kontinente festgehalten worden. Er war eigentlich nur auf Urlaub nach Deutschland gekommen und hatte die Absicht gehabt, sehr bald wieder nach den Vereinigten Staaten zurückzukehren, als er bei einem vorübergehenden Aufenthalte in dieser heiteren Kunststadt urplötzlich auf die Idee gekommen war, sie zur Zentrale der Europäer, die sich amüsieren wollen, zu machen.

In echt amerikanischer Weise hatte er den Gedanken sogleich verwirklicht, oder wenigstens die einleitenden Schritte dazu getan.

Norddeutsches Kapital und amerikanisches Kapital, wie es hieß, waren sogleich flüssig gemacht oder fest gezeichnet worden.

Es handelte sich für Herrn Firnkäs nur darum, geeignete Leute zu finden, die seine Ideen im Detail ausarbeiten und die notwendige Grunderwerbung mit Klugheit in die Wege leiten konnten.

Wie Benno unter der Hand erfuhr, war die regsame Baufirma Pflamminger & Kotzbauer sofort auf den Plan getreten.

Man wußte, das heißt, man konnte erfahren, wenn man Beziehungen zu eingeweihten Persönlichkeiten wie Schmidramsl, Rabl und ähnlichen Herren hatte, man konnte unter dem Siegel der Verschwiegenheit in Erfahrung bringen, daß Pflamminger & Kotzbauer drei ungeheure Projekte ausgearbeitet und schon seit Jahren fix und fertig in feuersichern Schränken liegen hatten.

München als Kunststadt, München als Fremdenstadt, München als Gartenstadt. Dann gab es noch eine aufsehenerregende

Broschüre von einem Dr. Petuchowski, betitelt »München als Mittelpunkt des Kontinents«, in welcher der geradezu schwindelerregende Aufstieg der heitersten Stadt der Welt geschildert war.

Firnkäs hatte in richtiger Abschätzung des ungeheuren Wertes einer regelmäßigen, klug geleiteten Propaganda sofort die Gründung einer periodischen Zeitschrift ins Auge gefaßt.

Sie sollte »Isar-Athen« heißen und in riesigen Auflagen gedruckt werden.

Um den durchaus reellen Charakter des Unternehmens für alle Welt darzutun, wollte man Beratungskomitees konstituieren, denen die geistigen Führer im Lande ebenso angehören sollten wie die geschäftlichen Koryphäen.

Und zwar ging die Absicht dahin, die einzelnen in Betracht kommenden Interessen verschiedenen Komitees zu überweisen.

Die künstlerische Ausgestaltung hatten die bekanntesten Maler, Bildhauer und Architekten zu überwachen, die Finanzierung sollte durch die größten Unternehmer, Industriellen und Handelsherren klar gehalten werden, die Anlage neuer Straßen und Plätze unterlag ja ohnehin der städtischen Kontrolle, aber es war nur billig, daß auch die staatlichen Behörden zu Worte kamen, da man durch die neu erstehenden Stadtteile zur Belebung des landschaftlichen Bildes einen Fluß durchleiten wollte, der wieder Teichanlagen zu speisen hatte.

Außerdem mußte man endlich daran gehen, den Norden der Stadt an die Bahnlinien anzuschließen.

Der umfassende Weitblick des Architekten Firnkäs, seine Gabe, das Größte wie das Kleinste zu berücksichtigen, konnte nicht deutlicher dokumentiert werden, als durch seinen Vorschlag, auch die Geistlichen der verschiedenen Konfessionen heranzuziehen. Er dachte daran, aus dem Erzbischof, dem Konsistorialpräsidenten und dem Oberrabbiner ein Trifolium, wie er sagte, zu bilden, das über den Ausbau neuer Tempel, die bei dem zu erwartenden kolossalen Verkehr notwendig wurden, zu entscheiden hätte.

Allerdings kam man davon zurück, diesen Vorschlag zu Protokoll zu nehmen und den Akten der Münchner Bodenverwertungsgesellschaft einzuverleiben, da sich über die religiösen Bedürfnisse noch nicht existierender Stadtteile keine feste Meinung bilden ließ, und da man doch in erster Linie daran gehen wollte, durch ausgesprochen weltliche Reizmittel kapitalkräftige Leute anzulocken. Und kapitalkräftige Leute, wurde gesagt, seien doch nur in Ausnahmefällen religiös.

Ging man also darüber hinweg, so wurde die Errichtung modernster Kulturstätten als der Trägerinnen der Entwicklung um so eingehender erwogen.

Es sollte womöglich in einem zusammenhängenden Komplex von Palästen alles geboten werden, was dem deutschen wie dem internationalen Publikum zum Bedürfnisse geworden war.

Theater, und zwar mit besonderer Berücksichtigung der Operette, Lichtspiele, Konzerte, Varietékunst, Kabarett, Tänze.

Die Lebewelt, die bis jetzt immer noch gezwungen war, die einzelnen Arten des Amüsements mit erheblichem Zeitverlust und mit Aufwand von Mühe aufzusuchen, sollte endlich in der Lage sein, von Saal zu Saal ein ganzes Stadtviertel der Freude und der Kunst bequem zu durchwandeln. Um sicher zu sein, daß in jedem Genre das Beste geboten werde, sollte ein ganzes Konsortium von bewährten Direktoren angeworben, und die Oberleitung sollte einem durch seine großartigen Darbietungen berühmten Berliner Direktor übertragen werden.

Das war es ungefähr, was Benno nach zwei Besuchen im Café Gröber erfahren hatte.

Man darf aber nicht glauben, daß Firnkäs oder Heigelmoser, der Vertreter der Firma Pflamminger & Kotzbauer, sich dazu verstanden hätten, ihr Vorhaben dem kleinen münchner Kaufmann auseinanderzusetzen.

Er konnte wohl einiges aus ihren kurzen Bemerkungen und Gesprächen heraushören, aber den Einblick in diese Welt von Ideen und kühnen Plänen verdankte er ausschließlich seinem Freunde Rabl, der, wie er selbst bescheiden sagte, nur als kleiner Agent in der Abteilung für Terrainankauf beschäftigt wurde.

Benno war berauscht von der ungeheuerlichen Größe der Projekte; alles, was er da zu hören bekam, war auf den Gipfel getriebene Steigerung alles dessen, was er in bescheidenen Maßen gedacht, geträumt, geplant hatte.

Als münchner Bürgerssohn war er natürlich aufgewachsen

mit Vorstellungen von Reichtum, der sich mit Grundstücks-spekulationen schnell erwerben ließ. Vielleicht träumt der Rheinländer von der Entdeckung reicher Kohlenflöze, der Hamburger von Konjunkturen in Kaffee, der Sachse von der Erfindung praktischer Gebrauchsgegenstände, der Münchner sieht in holden Träumen das Glück stets im Hinaufschnellen der Preise von Quadratschuhen, in der Umwandlung von Wiesen zu Bauplätzen.

Benno war, wie die meisten seiner engeren Landsleute, vollgepfropft mit Geschichten von ausgenützten und von versäumten Gelegenheiten; er konnte Leute nennen, auf deren Kartoffeläckern ganze Reihen von Mietkasernen erbaut worden waren, und wieder andere, die wertlose Flächen um ein Spottgeld erwerben und Millionen verdienen hätten können, er kannte Abfallplätze und Kiesgruben, die später ein Sündengeld kosteten, und er beklagte Dutzende von Gelegenheiten, die sein Vater gehabt und nicht erkannt hatte.

Aber was war das alles gegen den verwirrenden Glanz, der da mit einem Male seine Augen blendete?

Er machte beim Frühschoppen Andeutungen, daß München vor einer Umwälzung stehe, daß es in kurzem die Stadt des Luxus und der Lebensfreude sein werde, und den Zweifeln seiner Tischgenossen setzte er ein siegesgewisses Lächeln entgegen.

Wenn sie wüßten!

Allerdings, manchmal wunderte er sich selbst, daß die Kunde von diesen kolossalen Gründungen nicht in die Öffentlichkeit gedrungen war; man hätte glauben sollen, daß sie wie fressendes Feuer um sich greifen werde. Aber es setzten sich darum keine Zweifel in ihm fest.

War er doch unbeteiligt, hatte doch niemand das geringste Interesse daran, ihn zu täuschen; und die Männer, die er von dieser fertigen, vollendeten Tatsache hatte sprechen hören, waren weltgewandte Geschäftsleute. Daß sie das Geheimnis so strenge gewahrt hatten, bewies nur ihre Tüchtigkeit, und daß er, Benno Globerger, als einer der ganz wenigen, ins Vertrauen gezogen worden war, zeigte, daß er etwas galt.

Es gab ihm Selbstgefühl und Würde, und davon bekamen seine Leute zu Hause einiges zu kosten.

Er kehrte die Herrennatur stark heraus und sprach bei unbedeutenden und bei unpassenden Gelegenheiten von Rücksichten, die er verlangen könne und verlangen müsse. Schon der Ton seiner Stimme war verändert, sie klang voller und kräftiger, und er vermied es offensichtlich, im Dialekte zu sprechen.

Er konnte mit der Uhr in der Hand und einen sehr strafenden Blick aussendend mit scharfem Tonfalle fragen:

»Warum ruft man mich zu Tisch, wenn die Suppe noch nicht dasteht? Ich habe gestern gesagt ...«

»No, auf de paar Minuten geht's aa nimmer z'samm«, erwiderte seine Mutter.

»Nicht? Weißt du das besser wie ich? Wenn ich im Kontor stehe und fieberhaft arbeite ... Glaubst du, es ist mir angenehm, wenn ich da herausgerissen werde? Und dann muß ich hier die kostbare Zeit versitzen ...«

»Jetzt hör auf! Du kummst halt vom Frühschoppen ... net?«

»Kontor, habe ich gesagt. Ich komme eben aus dem Kontor ...«

»Na ... bist halt vor fünf Minuten hoamkumma ...«

»Ich bitte, mir nicht fortwährend solche Sottisen zu sagen ... ich glaube, daß ich gewisse Rücksichten verlangen kann, wenn ich nervös und abgespannt von der Arbeit heraufkomme ...«

»Was hast denn eigentli, Beni?«

»Ich glaube, daß ich in meinem Hause, an meinem Tisch wenigstens das bißchen Anerkennung beanspruchen darf ...«

»Seit acht Tag kenn i di nimmer ...«

»Möglich.«

»Mir ham dir doch nix in Weg g'legt. Woaßt du eigentli, was er hat, Paula?«

»Nein.«

Paula sagte es sehr ruhig, sie hätte hinzusetzen können, daß es sie nicht im mindesten interessiere.

Sie beachtete die Wichtigkeit und das aufgeblasene Wesen ihres Mannes nicht. Das Zusammensein mit ihm wurde ihr stets unerträglicher; zuerst hatte sie sich ihm gegenüber schuldbewußt gefühlt, und sie war geneigt gewesen, durch Güte ihr Unrecht auszugleichen. Sie hatte sich gegen die Erkenntnis von seinem Unwert und seinen Schwächen gewehrt, aber aus jedem Worte hatte sie die Verlogenheit seines Wesens herausgehört.

Nichts war an ihm, gar nichts.

Es war zwischen ihnen nie zu einer Szene oder auch nur zu einem erregten Streite gekommen, seit sie Franz liebte.

Ganz so wie früher lebten sie nebeneinander; es fielen sogar die verdrießlichen Stimmungen weg, die ehedem durch ihr Schmollen über seine Gleichgültigkeit entstanden waren.

Aber viele Kleinigkeiten, die sie früher nicht beachtet hatte, sah sie jetzt mit grausamer Deutlichkeit, und jede zeigte ihr, wie der Mensch für nichts als schale Vergnügungen Sinn hatte, wie ihm jede ernste Auffassung vom Leben, jeder Mut zur Arbeit fehlte, wie er sich selber mit Redensarten belog, wie unfertig er war. Sie gab sich über die Einzelheiten keine Rechenschaft, sein ganzes Wesen stieß sie ab, reizte sie zum Zorne, ekelte sie.

Ob sie wußte, was er hatte?

Irgendeine dumme Laune, die ihn hoffärtig stimmte, ihn an seine Bedeutung glauben ließ, nachdem er vielleicht den Tag zuvor von seiner Schwäche überzeugt gewesen war und die Eltern einer verfehlten Erziehung, das Schicksal der größten Ungerechtigkeit beschuldigt hatte.

Sie wußte ja, irgendein eingebildeter oder auch wirklicher Fortschritt im Geschäft machte, daß er ein paar Tage auf Stelzen ging; kamen erst wieder Mahnbriefe und Wechsel, so wurde er kleinmütig und trank im Weinhaus aus Kummer, wie er zuvor aus selbstgefälliger Freude getrunken hatte.

Nein, sie wußte nicht, was mit ihm war. Früher hatte sie es zuweilen gewußt; das war vorbei.

Sie sah ihn nicht einmal an. Sie kannte die Miene schon, die er jedesmal aufsetzte, wenn die Bedeutsamkeit über ihn kam.

»Is denn was B'sonders im Geschäft?« fragte die Mutter.

»Was? Geschäft?«

»No, weil d' sagst, daß d' so arbeit'n muaßt?«

»Das muß ich vielleicht immer. Aber man denkt net bloß an sich und seine Interessen. Man sieht vielleicht hie und da weiter...«

Das kannte die alte Globergerin nun auch zur Genüge, das

Weitersehen, die G'schaftlhuberei. Von der wollte sie nichts hören, und sie stellte das Fragen ein.

Der Gleichmut dieser zwei Frauenzimmer reizte Benno. Indes er in den Zähnen stocherte, nahm er sich vor, sie aufzustacheln.

»Hat niemand von einem Komitee nach mir gefragt?«

»Woaß nix von an Komitee…«

»Oder vom Magistrat? Hat überhaupt niemand nach mir gefragt?«

»Na…«

Die Unterhaltung stockte wieder. Paula stand auf und räumte das Geschirr ab; die alte Globergerin gähnte; sie hatte Schlaf. Es war für Benno wenig Aussicht vorhanden, noch etwas Geheimnisvolles anzubringen. Aber ohne den Versuch dazu wollte er nicht abgehen. Er zog seine Uhr heraus, denn das tat er immer, wenn er ganz Herr der Situation und ganz Geschäftsmann war.

»Sollte … ah … für den Fall, daß jemand nach mir fragen sollte, so bin ich bis halb drei Uhr im Café Probst anzurufen…«

»Was gibt's denn so Pressant's?« fragte nun doch die Mutter. »Oder Wichtig's?«

»Jedenfalls etwas so Wichtiges, daß ich sofort angerufen werden muß.«

»Is 's weg'n a Lieferung?«

»Nein.«

»Oder wieder amal weg'n der Straßenverbreiterung?«

»Verbreiterung?« Benno lachte überlegen. »An unser Winkelwerk da herin denkt zurzeit niemand. Vielleicht handelt es sich um neue Straßen, um Straßenzüge, um Stadtviertel…«

»Was geht denn dös uns o?«

»Das heißt, was es mich angeht? Sehr viel, kann ich dir sagen. Mehr, als du denkst…«

»Straßenzüg?«

»Ja … Stadtviertel, neue Zentren … aber ich habe nicht das Recht, darüber zu reden … wie gesagt, bis halb drei Uhr Café Probst…«

»Du … paß auf … Beni…«

»Adjö einstweilen!«

»Beni …«

Er hatte schon die Türe hinter sich geschlossen. Die Alte war aber unruhig geworden.

»Er werd do net wieder a Spekulation im Kopf haben? Woaßt du was davon?«

»Nein«, sagte Paula gleichmütig.

»Hat er nix g'red't mit dir?«

»Nein.«

»Na … sagst d' allaweil. Und g'rad so, als wenn's di nix o'gang. Werst scho sehg'n, was 's is, wenn er de Dummheit wieder o'fängt! Hamm ma no net g'nua Hypothek'n auf'n Haus?«

»Ich bin doch net schuld …«

»Soll'n d' Schuld'n allaweil no mehra wer'n? Und wer zahlt denn die Zinsen? Und wenn oan de amal über'n Kopf wachsen, was is denn nacha?«

»No ja.« Paula zuckte die Achseln.

»I versteh di net. ›No ja‹, sagt s', ›i bin net schuld‹, sagt s' … als wenn's gar nix waar, als wenn ma net von Haus und Hof kumma kunnt! Als wenn net anderne auf de Weis' scho ihr ganz' Sach' verlor'n hätt'n … ›No … ja … Wer'n ma halt bankrott‹, net? ›Lass' ma halt 's Haus versteigern‹, net? ›Find'n ma scho wieder an anders … Was liegt denn dro?‹«

»Kann ich was machen?«

»O ja … red'n ko ma … moanst du, mir hätt'n no an Ziegel auf'n Dach, wenn i mein Mann selig alloa wurschteln hätt lass'n? In die siebaz'ger Jahr, wia der groß' Schwindel war? Da hab i mi aa auf's Red'n verleg'n müass'n und auf's Bitt'n … bloß auf de Weis' hab i 's Ärgste verhüat. Alles net, aber do wenigstens 's Ärgste. Wie oft hab i g'sagt: ›Denk an dein Buam!‹«

»I weiß ja gar net, ob er was vorhat …«

»Da fragt ma halt! Da red't ma, und red't und fragt … amal ruckt er scho raus … Di schauet's scho anderst o, wenn's d' a Kind hätt'st … aber freili, wenn's ös Kinder hätt's, waar' alles anders …«

Paula ging schweigend hinaus.

Wenn die Alte davon anfing, war kein Ende abzusehen.

Wie es der Zufall wollte, kam aber wirklich der beste Freund Bennos – der war Rabl geworden – und fragte hastig und geheimnistuerisch nach ihm. Er hielt der alten Globergerin, die ihn ausfragen wollte, nicht stand, sondern eilte in das Kaffeehaus, wo er Benno auf die Seite zog, um ihm mitzuteilen, daß man seine Anwesenheit bei einer Beratung in der Kanzlei des Justizrats Hiergeist wünsche. »Man«, nämlich ein Ausschuß der Bodenverwertungsgesellschaft.

Benno war sehr überrascht. Was konnte man denn von ihm wollen?

»Dös kann i dir leider net sag'n ... Es muaß was Wichtig's sei, weil mir der Firnkäs selber den Auftrag geben hat. Beni, laß dir de Gelegenheit net auskemma! Wenn du mit de Leut amal in Beziehungen treten bist ... verstehst? ... wenn du mit dena amal z' toa kemma bist, nacha bist drin in dem Kreis ... verstehst? ... und dös will was hoaßen. De Leut' nutzen oan net aus, sie verlangen allerdings streng reelles Vorgehen, zum Beispiel, wenn s' von dir an Auskunft hamm wollen, wia g'sagt, i woaß ja net, warum dein Erscheinen gewünscht wird, aber wenn s' an Auskunft wollen, schneid net um, bleib bei der Wahrheit, kurz und guat, reell, du vastehst mi scho. Und daß i's nomal sag, bist d' oamal drin, nacha bleibst d' aa drin, und dös waar dir g'schäftlich da größte Nutzen. Zum Beispiel de ausschließliche Lieferung für de Etablissements kunnt dir übertragn wern ... Was moanst denn, daß dös hoaßet? Beni! Die ausschließliche Lieferung, die aus ... schließ ... liche ... also konkurrenzlos ... verstehst? ... für die sämtlichen Objekte? Hast d' an Idee? Was moanst denn, daß da amal Kaffee g'suffa werd? Thee? Schokoladi? Oder was d' Zigarren ausmacha? Und d' Zigarett'n? Oder d' Sardell'n? Mei Liaba ... Und dös ander, was de feine Welt frißt und sauft? Mensch, da liegen ja Vermög'n für di auf da Straß'n!«

Benno zwang sich zur Ruhe.

»Das liegt im weiten Feld«, sagte er. »Ich weiß ja noch net, ob und wie und mit was ich den Leuten dienlich sein kann ...«

»Zum o'schaug'n lassen di de Herrn net komma. Dös ko'st da denk'n. Irgend was muaß da im Werk sei … Und bal's dös Geringste is, so hast du jedenfalls die G'legenheit, daß du vorläufi amal Fuaß fassen ko'st … Haut scho … Beni! I hab an Ahnung, daß du heut an Glückstag hast …«

»Abwart'n«, antwortete Benno mit Würde. »Um wieviel Uhr soll ich bei dem Justizrat sein?«

»Punkt vieri … verspät di net! Es machat an schlecht'n Eindruck …«

»In Geschäftssachen gibt's bei mir nur Pünktlichkeit; Justizrat Hiergeist, nicht wahr?«

»Ja … der bekannte Vertrauensmann bei alle Unternehmungen … Du woaßt scho … Kaufingerstraße …«

Um vier Uhr stand Benno vor der Türe der Anwaltskanzlei.

»Nicht anklopfen!« war angeschrieben. Er trat in ein geräumiges Zimmer ein, in dem vier Schreiber an Pulten saßen; einer davon wandte sich halb gegen Benno hin.

»Sie wünschen?«

»Mein Name ist Globerger …«

»Globerger … mit G? Fischer … hamm mir an Akt Globerger?«

Ein junger blasser Mensch, der an einem Stück Brot kaute, murmelte mit vollem Mund:

»Globerger … Globerger … contra … hab i no nia was g'hört …«

»Ich bin nämlich eingeladen zu einer Sitzung der Bodenverwertungsgesellschaft.«

»Boten … verwertungsgesöllschaft … bei ins da?« fragte der Buchhalter.

Der blasse Mensch ging zu ihm hin und flüsterte ihm etwas zu.

Benno fühlte sich unbehaglich. Er hatte sich einen Saal vorgestellt, einen langen, grünen Tisch, um ihn herum feierlich blickende Männer, und jetzt stand er vor einem kauenden Schreiber.

»Botenverwertungsgesöllschaft?« fragte der Buchhalter noch einmal. »Hamm mir an Akt Botenver…«

Der junge Mann flüsterte ihm wieder was zu; diesmal deutlicher, weil er sein Brot hinunter geschluckt hatte.

Nun schien ihn der andere zu verstehen.

»Ah so ... da Firnkaas ... so ... soo ... ja ...« fragte er Benno ... »san Sie b'stellt?«

»Man hat mich ersucht, mich hier einzufinden ...«

»Fischer ... fragen S' amal beim Chef o ...«

Der Blasse ging langsam zur Türe, die in das Zimmer nebenan führte, da wurde diese rasch geöffnet, und ein dicker, mit etwas auffälliger Eleganz gekleideter Herr kam in die Schreiberstube.

Justizrat Hiergeist, der Sachwalter der Spekulanten.

Es war ein Hauch von Unsolidität um den Mann, und der ließ sich nicht an Einzelheiten feststellen, er war undefinierbar und machte sich doch geltend.

Kam es davon, daß sich seinem Äußern die Absicht, als etwas anderes zu erscheinen, anmerken ließ?

Der Stehkragen mit den umgebogenen Ecken, der den Adamsapfel frei ließ, die nachlässig geschlungene Krawatte konnten auf einen Sänger raten lassen.

Auch den karierten, gut gearbeiteten Anzug hätte man nicht bei einem Aktenmenschen gesucht.

Das Auffälligste waren Ringe mit großen Brillanten, die er an zwei Fingern der linken Hand trug. Der Zipfel eines sehr merkbar parfümierten Sacktuches sah aus der Seitentasche heraus, und der Geruch vermengte sich mit einem leisen Duft von Wein.

In seinen Bewegungen zeigte der Justizrat die Eleganz eines Ballettmeisters, eines Zirkusdirektors, eines Mannes, der das Auftreten einer Diva verkündet. Er verbeugte sich mit einem fragenden Blicke leicht gegen Benno.

»Mit wem habe ich die Ehre?«

»Globerger ist mein Name ...«

»Ah! Scharmant! Freut mich sehr, Ihre Bekanntschaft zu machen, Herr Firnkäs sagte mir schon ... Bitte, wollen Sie eintreten? Die andern Herren werden im Moment kommen.« Er verbeugte sich kavaliermäßig, er schlürfte mit dem Fuße und ließ Benno den Vortritt.

Das war doch etwas anderes wie der erste Empfang, das hatte Ähnlichkeit mit dem, was man sich beim Herweg vorgestellt hatte.

Der Raum, in den Benno eintrat, war durch schwere Plüschvorhänge verdunkelt; die Einrichtung war altdeutsch, wie es der Münchner nannte.

Auf einem der hochlehnigen Stühle saß Herr Firnkäs, der sich nachlässig erhob und den Eintretenden mit dem durchdringenden amerikanischen Blicke musterte.

»A-ch! Ich kenne Sie. Ich habe Sie gesehen in das Kaffeehaus am Gemüsemarkt ...«

Herr Firnkäs hatte viele Jahre bloß englisch gesprochen und beherrschte das Deutsche nicht mehr völlig korrekt. In seiner Aussprache machten sich auch die angelsächsischen Gaumenlaute sehr bemerkbar.

»Ich hab schon die Ehre gehabt ... Globerger ist mein Name ...«

»Yes ... ja wohl ... Sie haben das große Geschäft beim Felber... beim Färbergraben ... sehn Sie ... ich weiß es ...«

»So groß, möcht ich nicht g'rad behaupten ...«

»Es ist mir gesagt worden, Sie sind ein tüchtiger Mann ... ein moderner Geschäftsmann ... ich weiß es ... ein Mann hat es gesagt, auf den Vertrauen ist ...« Herr Firnkäs sah Benno noch einmal durchdringend an. Wenn Amerikaner einen Mann so anschauen, geht der Blick durch Herz und Nieren; sie prüfen den Mann; und schütteln sie ihm dann die Hand, fest, beinahe schmerzend, dann haben sie ihn für gut befunden und halten zu ihm. For ever. Und Herr Firnkäs schüttelte Benno die Hand ruckweise, sehr fest, und nochmal mit einem Ruck.

Das Vertrauen war da.

Der Justizrat bot den zwei Männern, die gegenseitig ihren Wert erkannt hatten, Zigaretten an. Aus einem goldenen Etui, das er nachlässig wieder in die Westentasche steckte.

Er wandte sich an Benno.

»Ich nehme an, daß Sie über den Gegenstand unserer Beratung ausreichend informiert sind. Wenn Sie 's aber wünschen, lege ich Ihnen den Akt vor mit den Protokollen der vorausgehenden Sitzungen.«

»Entschuldigen, Herr Justizrat, aber ich muß aufrichtig gestehen, daß ich inbetreff dieses keine Ahnung habe, was eigentlich die Einladung bezweckt ... beziehungsweise ... also ... womit ich sozusagen dienen kann.«

»Ach so ... Sie sind nicht eigentlich eingeweiht ...?« Hiergeist warf einen fragenden Blick auf den Amerikaner, der heimlich die Augenbrauen hoch zog.

Der Justizrat verstand, daß er Zurückhaltung üben sollte.

»So ... so ... übrigens fällt mir jetzt ein ... ja ... ja ... ganz richtig. Was wollten Sie sagen, Herr Ingenieur?«

Firnkäs blies Rauch durch die Nase.

»Oh ... eigentlich wollte ich nichts bemerken ... ich will nur meinen, vielleicht abwarten wir, bis die ganze society ... bis alle gekommen sind, sonst wird es zweimal gesagt, und ich finde, Wiederholung ist immer Zeitverlust.«

Er wandte sich an Benno.

»Wir wollen guten Nutzen ziehen aus Ihrer großen Kenntnis von München ... Ihr Einblick in das Leben hier ist sehr wertvoll. Überhaupt ist notwendig die Mitarbeit von mehreren. Ich sage immer, man muß Verteilung der Kraft suchen. Ich nehme ein Rad; für ein Rad allein ist zu viel Anstrengung geboten, ich nehme zwei Räder, ich nehme drei Räder und übertrage und habe sofort die power, die Kraft, and velocity kolossal vermehrt. Understand? So muß man es auch machen in unser Bodenverwertungsassoziation, damit die größte power gehabt wird. Wir wollen, daß Sie ein Rad sind ... Agreeing?«

Benno lächelte zufrieden und glücklich. Er sah, daß man ihm hier gerecht wurde.

Der Justizrat fragte ihn:

»Finden Sie nicht auch, daß der Herr Ingenieur jeden Begriff außerordentlich scharf umrissen, ich will sagen, plastisch gibt?«

»Jawoll«, erwiderte Benno, »bin in dieser Beziehung durchaus Ihrer Meinung.«

»Ich habe meine Begriffe aus dem Praktischen«, sagte Firnkäs, »und ich bringe sie wieder ins Praktische. Ich sage, der Staat, die human society, die Gemeinde, das ist alles eine Maschine. Wenn man sie kennt, wenn man weiß, wie sie in Bewegung ist, wenn man ihre Leistung kennt, kann man sie benützen ...«

»Und Sie kennen sie«, sagte der Justizrat voll Anerkennung.

»I mean so or ich hoffe, sie zu kennen ...«

Es klopfte, und gleich darauf traten zwei Männer ins Zimmer, die von Hiergeist freundlich begrüßt wurden. Er stellte vor:

»Herr Architekt Frühbeis, Herr Hofrat Almus … Herr Kaufmann Globerger.«

Frühbeis, den Samtjakett und Lavallièrekrawatte als Künstler kennzeichneten, war ein sogenannter Urmünchner, ein Mann von erfrischender Derbheit und zupackender Treuherzigkeit, ein Mann, dessen Benehmen jedem sagte, daß er nie eine Schmeichelei und immer nur die Wahrheit sprechen könne, die Wahrheit auf Kosten seines Nutzens, seines Wohlergehens, die Wahrheit unter allen Umständen, aus innerer Notwendigkeit.

Hofrat Almus war sichtlich Schauspieler, oder war es gewesen. Wenn er guten Tag sagte, wußte man es, wenn er sich verbeugte oder die Hand zum Gruße bot, fand man es bestätigt.

Seine tiefe Stimme und seine Art, willkürlich Vokale ein- und umzuschalten, um die Bedeutung wie die Schönheit eines Wortes zu heben, verrieten ihn als Heldenvater.

Seine königliche Würde machte auf Benno einen so tiefen Eindruck, daß er sich jedesmal verbeugte, wenn er dem Mimen antwortete.

»Herr Globerger«, sagte Almus, »es freut mich, einen Vertreter des intelligenten Bürgertums zu sehen … Sähr angenähm … Nein, wiraklich, es tut wohl, einen Mann zu sehan, der als einar der erstan dem Panier des Foratschrittes folgt …«

Man wartete noch auf Schmidramsl, der als Vertreter einer Kapitalistengruppe eingeladen worden war.

Endlich kam er, und der Justizrat übernahm gewandt die Leitung der Versammlung.

»Die Herren gestatten … es ist notwendig, ein kurzes Resumé zu geben, um Herrn Globerger, dem ich für sein Erscheinen den Dank der Bodenverwertungsgesellschaft, insbesondere den Dank der heute hier vertretenen Abteilung für künstlerische Ausgestaltung, darbringen möchte, es ist notwendig, sage ich, ganz kurz auszuführen, was der Zweck unserer heutigen Versammlung ist, was wir wollen, was uns veranlaßt hat, Herrn Globerger zu bemühen. Ich nehme an, daß unserem verehrten Gast das große Projekt der Gesellschaft bekannt ist …« Eine Verbeugung und ein fragender Blick heischten Antwort von Benno.

»Ja, im allgemeinen, das heißt beziehungsweise …«

»Nun«, fuhr Hiergeist fort und nahm sich eine Zigarette, »es ist mit einem Satze zu sagen. Die Bodenverwertungsgesellschaft will auf Anregung und in Verfolg der gigantischen Pläne unseres Herrn Firnkäs München zur Zentrale des europäischen Fremdenverkehrs machen. Dazu ist es« – der Justizrat lächelte ironisch – »in seinem jetzigen Zustande nicht geeignet – ich bin sehr für Originalität, ich verkenne durchaus nicht den ethischen und künstlerischen Wert der Originalität, aber bloß Hofbräuhaus, Sommerkeller und Prinzregententheater, meine Herren! Das allein genügt nicht auf die Dauer. Damit machen wir 's nicht ... Vergessen wir nicht: das europäische Publikum, auf das wir rechnen, kommt aus Großstädten mit hervorragender Kultur und will wieder Großstadt und Kultur, denn sonst geht es eben in die Schweiz, nach Tirol. Also Umgestaltung, Neugestaltung ...«

»Hörat!« rief Almus.

Hiergeist verbeugte sich.

»Über Neugestaltung des Hotelwesens, des Verkehrs, des Wohnungswesens habe ich mich heute nicht zu verbreiten. Ich will nur kurz sagen: die Reform nach dieser Richtung hin ist nicht weniger großzügig geplant und ausgearbeitet als die Reform in der Sparte, die wir heute behandeln. In der künstlerischen Ausgestaltung des Vergnügens, des Amüsements ...«

»In den Darabietungen der Kunst«, warf Almus ein.

»Gewiß, auch die höhere Kunst soll die würdigste Stätte finden. Ich kann unserm Gaste die bündige Versicherung geben, daß der bis ins kleinste ausgearbeitete Plan unserm München das geben wird, was ihm bisher gefehlt hat, einen Sammelplatz der eleganten Welt, die auf einem Punkte vereinigt alle feineren Vergnügen findet ...«

»Und die Darabietungen ...«

Hiergeist nickte dem Hofrate lächelnd zu.

»Und alles, was gewählte, auserlesene Schauspielkunst an Befriedigung des verwöhntesten Geschmackes zu bieten vermag. Was ist?«

Der Justizrat sah den eintretenden Schreiber ungeduldig an.

»Da Herr Grünbaum fragt, ob er nicht eintreten derf ...«

»Natürlich ... Grünbaum! Wollen die Herren ...?«

»Lassen Sie ihn kommen ... er ist sehr lively ... ich will sagen, smart ... er lauft sehr heftig hinter einer Sache nach ...«

Firnkäs sagte es gelassen, und der Justizrat nickte dem Schreiber zu.

Gleich darauf kam der lively Charles Grünbaum eilig ins Zimmer.

Ein kleiner, fetter Mann, der so aussah, wie man sich südöstliche Mädchenhändler vorstellt.

Er gab sich für einen Wiener aus, und er bemühte sich auch, den Dialekt der Donaustadt zu sprechen.

»Oba bidde ... Herr Justizrat ... bin ich engagiert für die Varietéabteilung. Bin ich der Vertreter davon? Wenn ichs *ja* bin, warum sagt man mir nix'n. Wenn ich's *nein* bin, warum lauf ich mir d' Füß weg?«

»Sie sollen es sein ... nehmen Sie Platz!« sagte Firnkäs in seiner kurzen, bestimmten Art.

»Gut ... soll i 's sein heute, war i's g'wes'n gestern ... warum sagt man mir nix'n?«

Der Justizrat wurde wohlwollend, da er wußte, daß er sonst nicht fertig würde.

»Nur keine Aufregung, lieber Grünbaum. Wir werden heute über die Varietéabteilung wenig oder nichts zu sagen haben. Es handelt sich um Grundstücke und Bauplätze, es handelt sich ...«

»Erzählen S' mir nix. I weiß eh alles. Bidde, wer hat in Schwabing ...«

»Sie sollen sein ruhig«, sagte Firnkäs.

»No ja, i bin ja scho wieder gut.«

»Also, meine Herren, um wieder auf die Sache zurückzukommen: die großen, allgemeinen Gesichtspunkte, aus denen heraus sich ... oder ... äh ... die für die nächsten Schritte der Bodenverwertungsgesellschaft bestimmend sein müssen, habe ich insoweit berührt und dargelegt, daß unser verehrter Gast imstande ist, sich ein Bild von den Bestrebungen zu machen. Heute«, der Justizrat hob die Stimme, »heute ist die große, vielleicht entscheidende Frage zu stellen, und es ist an ihre Lösung heranzugehen: Wo soll der mehrfach erwähnte Sammelplatz sein? Wo soll der Komplex von Gebäuden errichtet werden, die den angegebenen Zwecken dienen sollen?«

»Wie heißt Frag'? Es is do kei Frag' ...«

»Herr Grünbaum, ich möchte Sie wirklich ersuchen, mich nicht zu unterbrechen!«

»Weil Sie sag'n, es is a Frag' ... es is ka Frag' ...«

»Sie sollen sein ruhig!« rief Firnkäs.

»Und Eahnern verehrten Brotladen in Gotts Namen endlich amal fünf Minuten lang zuhalt'n«, ergänzte Frühbeis.

»Diese Frage ist«, fuhr der Justizrat fort und sah Grünbaum strafend an, weil er schon wieder den Ansatz zu einem Zwischenrufe machte, »diese Frage ist, wie unser rühriger Vertreter der Abteilung für Varietékunst andeutete, im Prinzip schon beantwortet.« Er machte eine Pause. »Schwabing ... daß nur Schwabing in Betracht kommt, in Betracht kommen kann, ist die übereinstimmende Ansicht aller Sachverständigen, aller Beteiligten, es ist und war von vorneherein die Ansicht des Vaters der Idee, unseres Herrn George Firnkäs.« – »Tschortsch« sagte Hiergeist. – »Es liegt eigentlich auf der Hand, daß hier, wo sich der leichtbeschwingte künstlerische Geist Münchens seine Heimstätte gesucht hat, daß hier, sage ich, wo der genius loci den geplanten Darbietungen entgegenkommt, der den Grazien und Musen geweihte Gebäudekomplex stehen muß.«

»Bravo! Voratrefflich!« rief Almus.

Hiergeist dankte ihm und erteilte das Wort dem Ingenieur Firnkäs.

Dieser schlug ein Bein über das andere, lehnte sich in seinem Stuhl zurück und verstärkte seine angelsächsische Aussprache.

»Wir wollen Schwabing nehmen, wir müssen Schwabing nehmen. Gut! Wir werden es nehmen. Hier ist der moderne Geist. Er ist nicht in der Umgegend vom Hofbräuhaus, er ist nicht dort, wo es nach Bier riecht. Sondern er ist außerhalb von das Siegestor. Ich habe sofort meinen Blick dorthin geworfen, und Sie wissen, aber Herr Globerger weiß es nicht, ich habe dort wundervolle Gelegenheit gefunden. Herr Frühbeis wird es auseinandersetzen. Wie ich den Ort gesehen habe, da habe ich gesagt: ›Hier oder nirgends!‹ Ich habe Leute gefragt, ich habe Pläne gemacht, ich habe viele Gedanken darüber gehabt, und ich habe das Resultat: Hier oder nirgends. Ich bitte, Herr Frühbeis, das andere zu sagen.«

»Also … wenn ich also das Wort ergreifen darf, dann möcht ich eigentlich das nämliche sag'n, was der Herr Firnkäs bemerkt hat … meine Herren! Das Projekt ist bloß in Schwabing möglich. Wo denn sonst? Im Westen is der Bahnhof, und wenn unser Bierdimpflministerium – die Herren entschuldigen schon, i red gern deutsch –, wenn de da droben amal an Begriff vom Verkehr kriegen, wird der ganze Westen nix wie Bahnhofviertel, Rangierbahnhöf, Werkstätten et cetera. Im Süden? Da is die Festwiesen, das heißt also Heringsbrater, Hendlbrater, Volksbelustigung mit luftgeselchtem Einschlag. Die Eleganz müßt sich in der Umgebung g'spaßig ausnehmen. Und erst drenter der Isar! Soll mer vielleicht am Nockherberg oder in der Näh von Berg am Loam internationale Kultur entfalten? Na, meine Herren, der erste Blick sagt's einem, und je mehr ma drüber nachdenkt, desto deutlicher wird's einem: für das Projekt gibt's bloß eine Möglichkeit, und de is Schwabing. I woaß scho: wenn ma Schwabing sagt, denkt ma an Schlawiner. Aber dös macht nix. Der haut goût, den dös Schlawiner-Zigeunermäßige hat, der derschreckt mi gar net. Im Gegenteil. Er paßt a bissel dazu. Mir woll'n ja keine Kindergärten errichten. Mir woll'n was Fesches, Pikantes; regen S' Ihna nur net auf, Herr Hofrat …«

Almus hatte sich halb vom Stuhle erhoben …

»Regen S' Ihna net auf! I woaß scho, die hohe Kunst … kommt aa … alles kommt … aber über dös können mir jetzt net red'n … i muß jetzt auf den eigentlichen Gegenstand übergeh'n, weg'n dem der Herr Globerger uns seine Anwesenheit geschenkt hat … Also … net wahr … Herr Globerger … mir zwoa brauchen net viele Wort macha … mir kennen uns auf den erst'n Blick … als Münchna … hamm ma's Herz auf'n recht'n Fleck, wenn ma'r aa … no, sag'n ma, a bissel rauhschalig san … und gradaus … mit die feine Sprüch hamm mir's halt net … uns muaß ma scho nehma, wia ma san … also, jetzt passen S' auf …«

Frühbeis breitete eine Karte aus … »Da schaug'n S' jetzt amal her … da is d' Leopoldstraß'n … da drunt da große Wirt … weiter herob'n, sehg'n S' rechts ab … de Fläche, i hab' s' rot markiert … da muaß des Zentrum von unserm Komplex hie … da dehnen mir uns nach und nach aus bis zum Bach nunter;

kommt de G'schicht in Flor, genga mir rüber auf de ander Seit'n
... Platz gibt's g'nua ... aber da ...« Er klopfte mit dem Bleistift
auf einen roten Fleck ... »da is des Zentrum, von dem aus muaß
de ganze G'schicht ausstrahl'n ... da muaß das erste Gebäude
hin ... der projektierte Kristallpalast ... seh'g'n S' as?«

Globerger stand über die Karte gebückt.

»I siech's scho.«

»Schön ... Jetzt passen S' auf ...« Frühbeis legte jovial seine
Hand auf Bennos Schulter. »Wissen S', wem dös Platzl g'hört?«

»Ich denk ma's ... aber ...«

»Denken S' as Ihna no! Dem alten, guat'n Basl g'hört es ... der
Hartwig ... dem nett'n alt'n münchner Original ...«

»Ja ... das is sehr schön, aber ...«

»Nix aber! Hamm S' an Idee? Wissen S', was mir dem Weiberl
geben? Jetzt fallen S' ma net um! Zwoamalhundertfufzigtausend
Mark ... Sie, dös werd an Erbtant ... Kreuzdividomine!
Was?«

»Es is wohl viel Geld, Herr Architekt, aber so weit i de Alte
kenn, trennt sich de absolut net von ihrem Besitz ...«

»Sie trennt si hart, woll'n ma sag'n ... Du liaba Gott, es laßt si
leicht einbild'n, dös arme Hascherl ... aber a Viertelmillion. Mei
liaba Globerger ... da hat ma doch die Pflicht ...«

»Sagen Sie uns einmal Ihre Meinung, sagen Sie Ihren Glauben«, mischte sich Firnkäs mit der ihm eigenen Ruhe ein.

Alle Blicke richteten sich auf Benno, der sich in den Mittelpunkt des Interesses gestellt sah.

»Ja ... meine Meinung ... wenn ich mich also diesbezüglich
äußern soll, so möchte ich also sagen, diese betreffende Frau
Hartwig, von der also die Sprache ist bezüglich des Projektes, sie
ist nämlich sehr betagt, über achtzig Jahr, und das fragliche Anwesen ist ihr sozusagen oder wenigstens wahrscheinlich ans
Herz gewachsen, indem sie es sehr lange in Besitz hat. Ich muß
zunächst bemerken, daß ich seit Jahren nicht mehr in Kommunikation mit ihr stehe, indem ich natürlich durch meinen Geschäftsbetrieb nicht in der Lage war, diese Beziehungen zu pflegen. Also möchte ich konstatieren, daß mein Einfluß auf die alte
Frau vielleicht nicht erheblich is ...«

Grünbaum hatte den Justizrat in eine Ecke gezogen und führte mit ihm flüsternd ein lebhaftes Gespräch; Firnkäs trat zu ihnen, und die drei waren in eine lebhafte Beratung vertieft, von der man nur zuweilen Ausrufungen hörte.

»Wenn ich amal sag ... wann's der Grünbaum amal sagt ...«

Inzwischen wurde Frühbeis immer treuherziger.

»Mei liaba, guata Herr Globerger, dös san ja Krampf! I woaß, alte Leut hamm ihre Eigenheit'n, und de muaß ma berücksichtig'n, aba alles hat seine Grenzen. I bin als Münchner ganz g'wiß für Pietät, genau wie Sie, aber da hört mei Guatmüatigkeit auf ... a Viertelmillion! I bitt Eahna um all's in der Welt! Hat ma scho so was g'hört?«

»Man kann ja den Versuch mach'n«, sagte Benno, »aber ich geb mich da gar keinen Illusionen nicht hin ...«

»Nacha muaß ma anderne Sait'n aufziahg'n. Sie san doch verwandt mit der bockboanig'n alten Schacht'l?«

»Ja, mein Großvata und die Hartwig war'n G'schwisterkind ...«

»No also! Da hamm doch Sie an Interesse. Da hamm doch Sie das denkbar größte Interesse, daß mit dera Sentimentalität net a Vermög'n verdummt werd. – Sie entschuldigen scho, aber i sag mei Ansicht frischweg, da hamm doch Sie an Interesse!«

»Was kann ich mach'n?«

»Was Sie mach'n kinna? Da muaß ma eb'n schaug'n, ob Ihna's Gesetz nicht eine Handhabe bietet ... zum Beispiel, ob ma de Alte net als schwachsinnig oder so was entmündig'n ko ... da frag'n ma jetzt glei unsern Justizrat.«

Hiergeist kam eben mit den andern aus der Ecke heraus.

»Was wollen Sie mich fragen, Herr Architekt?«

»I sag grad, wenn ma de Frau Hartwig net im Gut'n rumkriegt, müss'n die Verwandten eingreif'n. Ob ma net an Antrag auf Entmündigung stell'n ko?«

»Des geht nicht ganz so einfach, wie Sie sich das vorstellen ...«

»Aber ma hat doch Beischpiele von Exempeln ...«

»Ich sage nicht, daß es unmöglich oder völlig ausgeschlossen ist. Aber ein solcher Schritt kann nur im äußersten Notfalle erwogen werden. Ich glaube, daß wir vielleicht auf andere Weise leichter zum Ziele gelangen ... Herr Globerger, unser Herr Grünbaum hat eine Angelegenheit in Erfahrung gebracht, die scheinbar ...«

»Des is nix scheinbar«, rief der rührige Mann ...

Hiergeist lächelte.

»Die hoffentlich zu einer gütigen Erledigung führt. Nämlich, Frau Hartwig ist in Sorge, daß sie durch die Auflassung des südlichen Friedhofes nach ihrem Ableben nicht neben ihrem vorverstorbenen Ehemanne bestattet wird. Das ist die wichtigste Angelegenheit für die alte Frau, für die sie jedes Opfer bringen würde. Nun wollen wir ja keineswegs, daß sie wirkliche Opfer bringen soll, im Gegenteil, wir wollen nur ihren Vorteil und den ihrer Familie. Ich überlege gerade, ob es mir oder andern Herrn der Bodenverwertungsgesellschaft nicht gelingen könnte, durch Beziehungen zum Magistrat, besonders zu den maßgebenden Persönlichkeiten, ob es uns nicht gelingen könnte, sage ich, die alte Dame von diesem schweren Kummer zu befreien. Natürlich müßte der Verkauf des Anwesens das Äquivalent bilden ... was glauben Sie, Herr Globerger? Und wie verhalten Sie sich zu dieser Frage?«

Benno wurde es unbehaglich.

Er sprach gerne über Dinge, die in weiter Ferne lagen, und er war um so tatkräftiger, je weniger Aussicht vorhanden war, daß er einen Entschluß fassen müßte.

Sowie eine Entscheidung an ihn heran kam, war er in seinem Behagen gestört.

Vielleicht fühlte er, wenn auch undeutlich, daß die Art, wie man ihn als Werkzeug gebrauchen wollte, nicht sehr vertrauenerweckend war und ein sonderbares Licht auf die so bombastisch verkündeten Pläne warf.

Er sah sich unsicher um, und der Wunsch, mit Redensarten, die ihn zu nichts verpflichteten, zu entrinnen, setzte sich bei ihm fest.

»Ja ...« sagte er achselzuckend ... »ich kann mir betreff dieser Frage keine Meinung bilden, insoferne ich, wie gesagt, mit der Frau Hartwig keine Kommunikation unterhalten habe und keine Informationen besitze ... Vielleicht«, er atmete innerlich auf, als ihm dieser Vorschlag einfiel, »vielleicht dürfte ich den

Herren proponieren, daß ich Erkundigungen einziehe und dann das Resultat mitteile?«

»Sie können Ihnen verlassen ... wann ich amal sag, es is so ...« rief Grünbaum.

»Gewiß ... ich möchte auch Ihre Behauptungen durchaus nicht in Zweifel ziehen, aber die Herren werden zugeben, ich muß mir über die Situation klar werden ...«

»Das ist selbstverständlich«, pflichtete der Justizrat bei. »Indes, es wäre immerhin schon etwas gewonnen, wenn wir wüßten, ob Sie geneigt wären, die Bestrebungen der Bodenverwertungsgesellschaft nach der Richtung hin zu unterstützen ...«

»Selbstverständlich!« sagte Benno mit starker Betonung. »Wenn Sie mir die Bemerkung gestatten, habe ich von Anfang an die großzügigen Bestrebungen dieser Gesellschaft mit dem wärmsten Interesse verfolgt ...«

»Mister Globerger ...« Firnkäs stellte sich vor Benno hin; die Hände hatte er in die Hosentasche vergraben, und seine Blicke hielt er fest auf den Mann gerichtet; er war ganz Amerikaner und großer Unternehmer, und er hatte etwas Abschließendes zu sagen.

»Mister Globerger ... ich muß für Sie Aufklärung schaffen ... Diese Männer hier«, ein Blick umfaßte die Runde, »sind gekommen auf meine Einladung. Ich habe ihnen gesagt, wir brauchen für unsere nächsten Pläne die Hilfe von einem intelligenten und charaktervollen Bürger, der Beziehungen hat zu dieser alten Frau. Man hat mir gemeldet, daß Sie der Mann sind. Gut. Ich habe veranlaßt, daß Sie eingeladen sind worden ... Ich habe Sie vorher gesehen in jenes Kaffeehaus. Gut. Sie verstehen, was Sie heute gehört haben, ist im Vertrauen gehört; Sie werden es nicht publik machen. Das ist nicht Ihr Charakter. Ich weiß es. Sie werden jetzt heimgehen und überlegen, ob es Ihr Interesse ist, der Assoziation, die ich gegründet habe, eine Beihilfe zu geben, oder nicht. Es ist Ihr Interesse. Es ist Ihr sehr starkes Interesse, Mister Globerger. Wenn ich zu einem Manne sage, beteiligen Sie sich, so weiß ich, daß er keinen guten Willen haben kann für nichts. Ich habe auch keinen guten Willen für nichts. Ich muß dem Mann zeigen, daß er seinen Nutzen auf meiner Seite hat, das ist meine Aufgabe. Und er muß die Intelligenz haben, das zu begreifen. Das ist seine Aufgabe. Well. Ich will nicht wissen, ob Sie von der alten Frau erben, ich sage nur, was Sie von uns haben werden. Sie werden eine Provision haben von zehntausend Mark, Mister Hiergeist soll darüber ein Protokoll geben. Sie werden aber noch mehr haben. Ich gebe Ihnen einen Vertrag für alle Kolonialwaren für den Kristallpalast. Ich kann nicht sagen, wie viel es ist. Ich verspreche nichts, was ich nicht kenne. Ich schätze, es wird viel sein, und ich schätze, Sie wissen es besser als ich. Das mußten Sie hören, und jetzt überlegen Sie, auf welcher Seite Ihr Vorteil ist. Good bye!«

Er schüttelte Benno mit festen Rucken die Hand, grüßte den Justizrat und die andern und ging.

Seine Rede, eigentlich mehr seine Art zu sprechen, hatte Benno gleich wieder ins Schwanken gebracht.

So redet eigentlich kein Mann, der jemand täuschen oder übervorteilen will. Das war so hingesagt: willst du was profitieren, mir ist's recht; willst du nicht, mir ist's auch recht. Die Sache liegt so und so. Jetzt weißt du's. Tu, was du magst.

Die Pläne der Assossiäschen, der Bodenverwertungsgesellschaft, gewannen ein ganz anderes Aussehen, wenn man Herrn Firnkäs hörte.

Benno wurde nachdenklich.

Zehntausend Mark auf die Hand, einen festen Vertrag über Warenlieferung. Was brauchte es eigentlich lange überlegen?

Er wandte sich an Hiergeist.

»Herr Justizrat, also, ich werde so bald wie möglich die einleitenden Schritte ergreifen. Sowie ich approximativ beurteilen kann, ob sich in der Sache was erreichen läßt, werde ich Ihnen sofort Mitteilung machen ...«

»Sehen Sie mal zu, erkundigen Sie sich, es läßt sich in solchen Dingen nichts übereilen«, sagte der Justizrat, der die wechselnden Stimmungen des Gastes bemerkt hatte.

»Wie gesagt, ich will mein Möglichstes betreff dieser Angelegenheit tun ...«

»Nur net auslassen, Globerger!« Herr Frühbeis war jetzt völlig Herzbruder und Landsmann. »Reden S' dem alten Weiberl zua! Waar ja zum lachen! Da muaß ma bloß wissen, wia ma's anpackt. ›Muatterl‹, saget i ihr, ›Muatterl, de ganze Stadt, dei liabe, schöne Münchnerstadt, werd amal dei Andenken segnen‹ und so weita. Oder i saget was vom Beten. De alte Generation gibt no was auf de Sach'n. Kurz und guat, de kriaget i rum, und Sie ham do aa den münchna Brustton ... Waar zum Lacha ...!«

Der Justizrat sah, daß das überströmende Wohlwollen des Architekten keinen günstigen Eindruck machte, und er bat ihn, um ihn von weiteren Versuchen abzuhalten, daß er noch etwas im Büro verweilen möge; von Benno verabschiedete er sich herzlich und doch gemessen.

Dieser stieg nachdenklich die Treppe hinunter und wollte eben auf die Straße hinaus treten, als ihn Almus einholte.

»Mein tarefflicher Herr Globerager, haben Sie noch einen Augenblick für mich übrig?«

»Ja ... aber ...«

»Sehen Sie, verehrter Gönner, man hat heute manches voragebracht, aber, wie das häufig so geht, das Wichtigste hat man veraschwiegen, veragessen ... Haben Sie auch nur einmal das Wort ›Ideale‹ vernommen? Nein! Man hat es nicht gesagt, man hat es nicht einmal angadeutet, und doch muß es mit goldanen Lettern am Firste des neuen Tempels stehen ... Dem Ideale! Herr Globerager ...«

»Ja ... aber entschuldigen S' ...«

»Herr Globerager, wir bereiten der Kunst den Weg in Ihre Vatarstadt. Sie ist noch nicht eingazogen, sie ist nicht hier. Mag die Welt sagen, was sie will! Nun und nimmer ist die hohe, himmlischa Göttin hier ... Und da spricht man von Veragnügen, vom Zentrum des Veragnügens ... vom Sitze der Musan sollte man sprechen ...«

»Jawoi ... entschuldigen S' ...«

»Herr Globerager, wenn Sie am Hoftheater stehen, erblicken Sie die Musan im Giebelfelde ... Spottan ihrer selbst und wissen nicht wie, sagt der große Dichter ... Drinnen ist eine Bühne, die Musan bleiban heraußen ... aber wir, verehrter Gönner, wir wollen Ihre Vatarstadt zur Kunststadt erhaban ...«

»Entschuldigen S', da kummt mei Tramway. I muß ...«

*

Vom Portier des Hotels Leinfelder erhielt Franz die Auskunft, daß ihn Herr von Hausladen in seinem Zimmer erwarte.

Er wurde von dem Gutsbesitzer aus Winhöring und seiner Frau, die mit seiner Familie eng befreundet, auch entfernt verwandt waren, herzlich begrüßt.

»Der Papa glaubt net recht an die Abhaltung. So viel Eifer hat ma früher net g'habt, daß ma vor lauter Studieren net amal in d' Vakanz gangen is ... und die Treibjagden auslaßt ... Is 's denn wirkli so grimmig mit'n Studieren?«

Herr von Hausladen zwinkerte dabei ein wenig ungläubig mit den Augen. Er war der echte niederbayrische Gutsherr, mehr breit wie hoch, das runde, stark gerötete Gesicht zeigte die Spuren des Aufenthalts im Freien wie die eines gesegneten, mit guten Dingen gestillten Appetites.

Ein martialischer Schnurrbart wies auf militärische Vergangenheit hin; ein Monokel, das er selten, aber doch zuweilen einklemmte, enthob einen der Möglichkeit, in Herrn von Hausladen einen Gutsverwalter, Bräumeister oder sonst was Ländlich-Bürgerliches zu vermuten.

»Vor dem Examen war man früher auch fleißig«, sagte Franz.

»Wann geht's denn scho los?«

»Im Juli ...«

»No, jetzt hör amal – noch a ganzes Jahr! So eifrig war ma früher net ...«

»Du tust so, als wenn das was Schlimmes wär«, sagte seine Frau. »Das ist doch sehr anerkennenswert, wenn er an sein Examen denkt ...«

»Wenn ... m ... hm ... jawohl ... wenn so a Kalfakter net andere Gründ hat, daß er sich net trennen kann vom sogenannten Studium ... ahan ... jetzt wer'n ma ja rot ...«

»Wär ein Wunder, wenn du ihn so in Verlegenheit bringst ... Franz, deine Mama hat mirs auf die Seele gebunden, ich soll Umschau halten, wie du wohnst, ob es nicht zu feucht ist an der Isar unten. Wir haben immer noch die altmodische Angst vor der Gegend um den Englischen Garten herum. Das kommt von Typhus- und Cholerazeiten, aber ich habs einmal der Mama versprechen müssen, und wenn's dir paßt, komm ich in den nächsten Tagen ... wie wär's eigentlich morgen?«

»Morgen? ...« Franz überlegte, daß Paula ihren Besuch angesagt hatte. »Morgen? Ich hab allerdings von drei bis fünf ein Kolleg, das ich nicht versäumen darf, aber ...«

»Nein ... mach keine Umstände; dann übermorgen?«

»Ja, übermorgen. Vielleicht hol ich dich im Hotel ab ...«

»Wenn du Zeit hast ...«

»Gern ...«

»No ... hör amal ... gern ...« fiel Hausladen ein. »Ich muß sagen, der Besuch von Damen der Verwandtschaft oder Bekanntschaft wär mir seinerzeit, wie ich Leutnant bei die Kürassier war, in Landshut, net grad hoch erfreulich gwes'n ... Die Damen haben verdammt feine Nas'n, schnüffeln was aus, an was ma in seiner Unschuld gar net denkt ...«

»Du immer mit deinen Späßen!«

»Ich kann dir bloß sagen, so eine sturmfreie Studentenbude untersuchen, ob sie trocken genug is, ob sie g'sund is, das is ein bissel komisch ...«

»Es wird mich sehr freuen ...« wiederholte Franz.

»Aber räum gut auf ... das sag ich dir! Wenn eine Haarnadel im Zimmer is, find't s' mei Frau ...«

»Aber Wucki.«

»Lisel, ich kenn dich ... Ich muß den arma Menschen warnen ... jetzt wird er scho wieder rot ...«

»Bei deiner Unterhaltung wird er's noch öfter werden ...«

»Wollt ihr länger in München bleiben?« fragte Franz.

Hausladen lachte.

»Ahan ... hast d' schon Angst? Braucht's net. Ich bring mei Frau bald wieder ab von deiner Fährten ... öfter wie einmal derf s' net in dein Fuchsbau, außerdem kann i's daheim net entbehrn, und i bleib höchstens drei Tag. I halts net aus auf'n Pflaster ...«

»Wir haben nur unser Fannerl begleitet«, sagte seine Frau, deren Wesen Güte und Klugheit verriet. Aber ein paar flinke Augen und ein energischer Zug um den Mund ließen erkennen, daß sie als Leiterin eines großen Haushalts die Zügel straff führte.

»Fannerl soll ein paar Monat bei der Tante Wolffsegg bleiben. Sie muß ein bissel in die Stadt und in die Gesellschaft ...«

»Denn sonst ...« fiel Herr von Hausladen ein ... »hätt ich am

End auch was von mein Kind, wenn d' Fanny daheim bleibet ...«

»Über das Thema streiten wir jetzt nicht. Ich bin froh, daß sie hier sein kann, und du hast ja selber zugeben, daß sie nicht den ganzen Winter in Winhöring sitzen kann ...«

»Zugeben! Nachgeben hab i ... ja ... leider, weil die Bengserei net aufg'hört hat. Wär's dem Madel net g'sünder in der frischen Luft ...?«

»Darüber haben wir uns verständigt und fangen nicht wieder an ... Wie lang hast du eigentlich unser Fannerl nimmer g'sehn?« wandte sie sich an Franz.

Wie lang?

Ja, das war eine geraume Zeit her, seit Herr von Riggauer dem dicken, lebhaften Backfisch die Würde eines Primaners entgegengestellt hatte. Dann war das Abiturium gekommen, die akademische Freiheit, die erzieherische Wirkung des Korpslebens, das den gedankenlosen Jüngling zu einem bedeutenden Mitglied der besseren Gesellschaft machte; und während allem Reifen und Erleben hatte er doch wirklich nicht an das unbedeutende Mädel gedacht, das wenig Sinn für seine Ideen gezeigt hatte.

Wenn er in den Ferien heimgekommen war, hatte er beiläufig gehört, daß die Kleine irgendwohin zur Ausbildung geschickt worden war. In die Schweiz ... oder ... er mußte sich ehrlich gestehen, daß er es nicht genau gewußt hatte.

Ja, wie lang?

»Es muß über vier Jahr sein ...« sagte er zögernd.

Frau von Hausladen rechnete.

»Das letzte Jahr im Institut, dann zwei Jahre in Lausanne ...«

»Zum Französischparlieren und Überspanntwer'n ...« ergänzte ihr Mann.

»Das kannst du nicht behaupten ... dann in der Haushaltungsschule ...«

»Weil ma im Haushalt daheim an Haushalt nimmer lerna kann ... Da braucht ma jetzt Schulen und Professer und Schmarrn und Blech ...«

»Ich hätt auch manches recht gut brauchen können, hätt mir in vielem leichter getan ...«

»Nur ja net rechtgeb'n ... und ich halt amal nix von dem ganzen neumodischen Getu ...«

»Ich hab's auch aufgegeben, dich zu übazeugen ...«

»Hast's leicht aufgeb'n können, weil ma sich ja doch allaweil umstimmen laßt ...«

»Also, es wird sicher über vier Jahr sein, Franz ... Du wirst sie kaum mehr kennen ...«

»So vornehm is s' worn, aber ein bissel Winhöring hängt ihr Gott sei Dank noch an. Da kannst dich übrigens selber überzeugen ...«

Eine hochgewachsene junge Dame trat ins Zimmer; ihr Gesicht war nicht regelmäßig schön, Mund und Nase konnten die Kritik herausfordern, aber prachtvolle Zähne, blanke, fröhliche Augen und ein Hauch von Frische und Gesundheit ließen gar nicht an Mängel denken, ja wirkten so anmutend, daß man sich keine Linie in dem frohen Mädchengesichte anders gewünscht hätte.

Ihre Bewegungen zeigten Kraft und Geschmeidigkeit, und ihr Benehmen war frei von zur Schau getragener Unnahbarkeit.

»Also ...« fragte der Papa ... »kenna mir uns noch?«

Franz verbeugte sich wie in der Tanzstunde und war befangen; Fanny ging auf ihn zu und schüttelte ihm herzhaft die Hand.

»Warum soll ich ihn nicht kennen? Er hat sich fast gar nicht verändert ...«

»Aber umkehrt ... was?«

»Allerdings ... ich glaube, auf der Straße wär ich an ihr vorbeigegangen ...«

Franz sagte es zur Mama; er wußte nicht recht, ob er das vertrauliche Du gebrauchen dürfe, und das verwirrte ihn.

Fanny half ihm aus der Verlegenheit. »Ich hätte dich schon nicht übersehen«, sagte sie, »ich muß dir ja einen Gruß ausrichten vom Flori, ich hab's ihm eigens versprochen. Der Bock lebt heut noch, läßt er dir sagen, der wartet auf dich. Und warum du nicht gekommen bist?«

Er sagte etwas von einem Ferienkurse, vom Studieren, der Papa gab wieder seine Zweifel zu erkennen, und Fanny stimmte in den neckenden Ton ein.

Allmählich legte der junge Herr sein steifes Wesen ab, hinter dem nichts anderes steckte als Scheu vor edler Weiblichkeit.

Wenn er sich darüber Rechenschaft abgelegt hätte, wäre er vielleicht zu der Erkenntnis gekommen, wie ihn und andere gerade die gerühmte Erziehung von wirklichen Lebenswerten ab zu läppischen Dingen geführt hatte; allein der Korporationsgeist erzieht seine Leute dazu, Nichtigkeiten zu verehren, nicht aber dazu, über sie nachzudenken. Und so schnell stieg Franz von der eingebildeten Höhe nicht herunter. Es war schon etwas, daß er vor diesem hübschen, natürlichen Mädel nicht mehr recht an die Überlegenheit glaubte, die er vor etlichen Jahren betont hatte, und die ihm jetzt als Jugendeselei erscheinen wollte.

Allerlei Erinnerungen drängten sich ihm auf.

Seine Schwester Tilde hatte ihn stets bewundert und war immer glücklich gewesen, wenn ihr der Gymnasiast Einblick in seine Erlebnisse gewährt hatte. Fanny hatte einige Male daran teilnehmen dürfen, und manches war darauf berechnet gewesen, auch diesem unerfahrenen Backfische Verehrung einzuflößen. Aber sie hatte nie Verständnis dafür gezeigt, im Gegenteil, sie hatte durch manche vorlaute Frage Erklärungen verlangt über Unterschiede und Vorzüge, die man fühlen, aber nicht erklären kann.

Es fiel ihm ein, daß er zuweilen dadurch verletzt worden war, und daß es ihn gegen das törichte, respektlose Mädel eingenommen hatte.

Nun war er ärgerlich über seine Schüchternheit, die das Gespräch nicht in Fluß kommen ließ. Oder was hinderte ihn sonst, harmlos und anregend zu plaudern?

Die anerzogene Meinung von der geistigen Überlegenheit des Mannes, diese Verbildung des Empfindens, die bei uns aus Jünglingen schon Junggesellen macht?

Jedenfalls, es waren Hindernisse da.

Ein paarmal war er geneigt, mißtrauisch zu sein, als Fanny ihrer Mama beiläufig erzählte, daß sie moderne Zimmereinrichtungen gesehen habe, gegen die sie dann allerlei vorbrachte.

Im Vorrat männlicher Begriffe gibt es einige recht gangbare über weibliche Wesen, die sich um solche Dinge kümmern oder darüber sprechen.

Aber er kam doch nicht dazu, seine despektierliche Meinung abzurunden, denn Fanny sprach mit einer Sicherheit, die so weit ab war von gesuchter Klugheit, daß sich der junge Herr eingestehen mußte, dieses Mädchen scheine durchdachte Ansichten über Dinge zu haben, die ihm fremd geblieben waren. Er fühlte sich unsicher und darum unbehaglich, und doch mutete ihn der Unterton von Jugendfreundschaft, der sich immer wieder geltend machte, wohltuend an.

Halb war er froh, halb tat es ihm leid, als ihn Hausladen durch den Wunsch nach einem soliden Frühschoppen zum Abschied nötigte.

Die Einladung für den Nachmittag nahm er sehr rasch an, ohne Bedenken über versäumte Kollegien.

Die Damen wollten Einkäufe machen und dann mit Papa und ihm in einer neuen Teestube zusammentreffen.

»Tee ... brr ... auch was Neumodisches ... Teestube ... hat's früher net geben«, sagte Herr von Hausladen, als er mit Franz das Hotel verließ.

»No«, fragte er dann und nickte zurück, »was sagst d' zu unserm Fannerl?«

»Sie .. ist ... ich meine, sie hat sich ganz ...«

»Nett ausg'wachsen ... jawohl. Eigentlich ein bissel aus dem winhöringer Schlag naus. Aber, ich muß sagen, wie s' daheim war, jetzt im Sommer, war s' doch wieder die alte. Jedenfalls, überspannt is sie nicht worden, obwohl ... no ja ... an der Möglichkeit dazu hätt's nicht g'fehlt. Das Experiment is gut ausg'fallen, aber ich bleib dabei. Mädel sollen im Haus aufwachsen ... Jetzt eine Frage: Wo gehen wir hin? Nur kein Bier, ich mag's net am Vormittag ...«

»Ratskeller?«

»Natürlich, wo mer alle Provinzler hinschleppt. Nein, mein Lieber, jetzt führ ich dich. Ich hab an Ostern, wie ich's letztemal da war, ein Weinbeisel entdeckt. Gutes Gabelfrühstück und einen trinkbaren Schoppen. Beim Marienplatz.«

Hausladen ging mit Franz in die Stammkneipe des Herrn Globerger, und er traf dort zu seiner Freude einen alten Regimentskameraden, einen pensionierten Major Prechtl, der ihm und seinem jungen Begleiter Plätze anbot.

Am Tisch saßen noch ein Rechtsrat und ein Herr, der ohne nähere Angabe als Doktor vorgestellt wurde.

Er war, wie sich im Laufe der Unterhaltung herausstellte, ein reicher Hamburger, dessen Name immer genannt wurde, wenn in München ein Kunstverlag gegründet, ein Theater gebaut oder die längst ersehnte große Tageszeitung herausgebracht werden sollte.

Herr Dr. Walter Kresin hatte sich dadurch einen angesehenen, ja berühmten Namen gemacht, obwohl es immer nur beim Plänemachen geblieben war. Aber gerade, weil er nie zur Ausführung kam, tauchte jeder Plan immer wieder von neuem auf und beschäftigte die Gemüter lebhafter als ein fertiges Werk.

Major Prechtl, der als knorriger Soldat bei den bedeutenden Männern – denn auch Rechtsrat Vogel galt dafür – wohl gelitten war, nahm Hausladen in Beschlag mit der Frage, was eine solche ländliche Schermaus in der Stadt zu suchen habe.

Der Gutsherr setzte ihm auseinander, daß ihn Vaterpflichten hergeführt hätten.

»Übrigens«, sagte er, »als Großstädter hab ich dich auch net immer in Erinnerung. Du warst doch längere Zeit in Burghausen oder da rum?«

»Tittmonning, jawoll. Leider hab ich mich verführen lassen und bin hieher ...«

»Na, in München läßt sich's doch leben, Herr Major«, fiel Kresin ein.

»Mir war's in dem kleinen Nest lieber ...«

»Nanu ...«

»Ich will Ihnen was sagen. Man braucht net mehr wie drei Mitmenschen. Die langen zu einem gemütlichen Schaffkopf. Und viertausend drum rum is netter wie viermalhunderttausend. Oder gar fünf ... Der Herr Rechtsrat is sonst beleidigt, wenn ich von der Großstadtzahl was abzwick'.«

»Wärst halt drunt blieb'n an deiner Salzach«, sagte Hausladen.

»Wärst halt ... freilich! Wenn mit der Pensionierung net die Unruh angehet ... 's Nixtun is die größte Kunst, ich hab's net z'sammbracht. So lang ich Rekruten zwiefelt hab, hab ich meine seelische Ruhe und 's Gleichgewicht g'habt. Ich hab net denken müssen: Was tu ich heut? Was tu ich um zwölf Uhr, was tu ich um drei? Ich hab's einfach g'wußt. Und das schöne *Müssen!* Etwas tun müssen, das is der Idealzustand. Nachdenken, was ma tun will oder soll, das is eine Krankheit ... Da geht das miserable Zweifeln an. Vorher zweifeln, ob was anders net besser wär, nachher zweifeln, ob's richtig war ... Himmel ... Herrgott!«

»Man kann's auch so ansehen«, sagte der Rechtsrat.

»Kann! Wissen Sie, Ihre Seufzer über'n Dienst sind genau so unehrlich, wie die meinigen waren. Ma kokettiert bloß damit ...«

»Verehrter Herr Major, ich lasset Ihnen gern von meiner Arbeit die Hälft nüber ...«

»Nicht ein Itüpferl laßt'n Sie her ... glauben S' die G'schicht'n net ...«

»No ... Maxl ... i erinner mi net g'rad an dein fürchterlichen Diensteifer, wie mir Leutnant waren. Da verknüpft sich der Name Prechtl mit ganz andern Episoden ...«

Der Major lachte.

»Varus ... Varus! Gib mir meine Episoden wieder! Aber da hat's was. Ja, mei lieber Nikodemus, so lang's Episoden geb'n hat, hab i freili kein Stecken braucht zum Zeitvertreib'n.«

»Du bist ein Nörgler wor'n ...«

»Und du hast di mit'n Leb'n ausg'söhnt, net wahr? In Winhöring draußen, wo's d' mitten im Schmalzhaf'n sitzt.«

»Es is net alles so einfach, mei Lieber ...«

»Is 's wahr? Laufen dir die Spanfackl allaweil noch net brat'n ins Maul? Dauerst mich schon recht ... Das wär was für Sie, Herr Rechtsrat, da könnten S' Ihnen jetzt gegenseitig was vorjammern über die Härten des Berufs ... Mein Freund, denken S' Ihnen nur, hat in der Blüte seiner Jugend ein Rittergut erben müssen. Wie er den Schicksalsschlag ertragen hat, sehen S' ihm ja an ...«

Hausladen lachte mit den andern.

»Mit'n Erben war's net g'schehen«, sagte er ... »ich hab's auch erhalt'n müssen, verbessern, i hab manches durchkämpfen müss'n ...«

»Dös Wort mag i«, rief der Major. »Es is so schön g'schwollen. Kämpfen! Rastlos ... net wahr? Berliner Schloßgewächs ...«

»Heut sind S' wieder amal g'lad'n, Herr Major!« sagte der Rechtsrat.

»Gegen Redensarten ... jawoll« ... Er wandte sich wieder zu Hausladen.

»Nikodemus, ich war net g'scheiter wie du, und du warst jedenfalls net viel g'scheiter wie ich. Mir wer'n damals 's Leben ungefähr gleich dumm ang'schaut haben. Aber heut weiß ich, was es wert wär: draußen leben, auf eignem Grund und Boden sitzen; da mußt du am End wissen, was es wert is ...«

»Ja, das leug'n ich net ...«

»Schön. Und wenn dir die rastlose Tätigkeit schmerzhaft vorkommt, nacha schaust dich amal hier um, wie s' uns das alte München verschandeln ...«

»Gar so arg, Herr Major ...«

»Verschandeln, hab ich g'sagt, Herr Rechtsrat ... gehen S' a paar Schritt naus und schauen S' rum ... aber keine Rosabrillen aufsetzen und die amtliche Unfehlbarkeit weglassen.«

»Da muß ich als Hamburger eine Lanze für München brechen«, rief Herr Kresin. »Sehen Sie, ich kenne doch Deutschland, nich wahr? Und ich versichere Sie, auch als Mann, der sich am Ende für die künstlerische Seite der Sache interessiert, ich habe nirgends den Eindruck einer so eigenartigen, sofort auf den Beschauer wirkenden Schönheit gehabt wie hier ... Was haben Sie hier immer noch für gute Architektur, was haben Sie für reizvolle Städtebilder! Nee, Herr Major, Sie gehen in Ihrer Abneigung gegen Neuerungen, die ja ihre gewisse Berechtigung haben mag, entschieden zu weit ...«

»Ich dank Ihnen schön für die mildernden Umständ, die Sie mir lassen, Herr Doktor; ich kann mich aber leider net revanchieren. Ich red' von dem, was München war; und wenn Sie's net g'sehen haben, hat Ihr geschätztes Urteil nicht das große G'wicht ...«

»Ich sehe aber das, was noch da ist ...«

»Und ich seh', was nicht mehr da is, und seh, wie man den Charakter der Stadt versaubeutelt hat ...«

»Nanu ...« rief Kresin.

»Jetzt erlauben Sie mir ein paar Fragen ...«

»Darnach, Herr Rechtsrat. Ich muß zuerst das Hamburger

Entsetzen beschwichtigen ... Die Bauten, die Ihnen g'fallen, Herr Doktor, die vom ersten Ludwig herstammen, was sind denn die? Universität, Bibliothek, für Kunstsammlungen die Glyptothek, die Pinakotheken, net wahr, die haben unserm München den bestimmten Charakter geben sollen: Kunststadt. Aber wirkliche, net Plakatschwindel für Fremdenindustrie. Von früher her hamm Sie die schönen Palais, die der Landesadel auf Wunsch, manchmal auf Befehl der Churfürsten hat bauen müssen. Da war auch ein bestimmter Willen ausgesprochen. München als Residenzstadt ausschmücken. Und wie wir noch frömmer waren und der Hort der Gegenreformation, haben wir zum Beispiel die Michelskirche baut. Das alles hat höhere Zwecke verfolgt, is ins Große gangen. Was baut ma denn jetzt? Kaffeetempel, Bierpaläste ... Is München wirklich aus der churbayrischen Residenz, aus dem bayrischen Rom, aus der königlichen Kunststadt ein Gaudiplatz oder – wie sagt ma in Berlin? – ein Rummelplatz worn, von dem ma nix mehr anders weiß, als daß des ganze Jahr ein Freß- und Saufkarneval is?«

»Aber erlauben Sie mir, Herr Major, des is denn doch ...«

»Wenn Sie mir nur ein paar Worte gestatten, Herr Rechtsrat!« bat Kresin beinahe flehend. »Ich glaube, ich kann mit der Konstatierung einer einzigen Tatsache das, ich will sagen, sehr harte Urteil unseres allverehrten Herrn Majors widerlegen. Was, glauben Sie, hat mich veranlaßt, hieher zu ziehen?«

»Aufrichtig gestanden, darüber hab ich noch nie nachdenkt.«

»Ich stelle es nicht als wichtig hin, nur als typisches Beispiel. Ich bin Privatgelehrter, widme mich kunstgeschichtlichen Studien, ich kann leben, wo ich will ... warum bin ich nu gerade nach München? Ich muß doch irgend ein Motiv gehabt haben. Und das, sehen Sie, Herr Major, war meine Überzeugung, daß meine Bestrebungen, meine Studien in dem künstlerischen Milieu, das ich hier fand – es lassen sich ja die einzelnen Komponenten dieser Stimmung nicht so im kurzen klarlegen –, daß mir meine Studien hier ungleich mehr Erfolg versprachen als irgendwo anders.«

»Schön«, sagte der Major trocken ... »Also jetzt is das Rätsel Ihrer Anwesenheit gelöst ...«

»Ich führte sie als typisches Beispiel an«, sagte Kresin etwas gereizt. »Das Materielle, das Sie erwähnt haben, hat mich so wenig wie verschiedene andere hierher gelockt. Um gut zu essen, fährt man wahrhaftig nich von Hamburg nach München. Sehr im Gegenteil. Und bayrisch Bier bekomme ich überall ...«

»Ich möchte den Ton noch auf etwas anderes legen«, fiel der Rechtsrat ein. »Wer gerecht sein will, muß doch zugeben, daß wir zum Beispiel vorbildliche Schulhäuser gebaut haben ...«

»Ich will ja gar net gerecht sein.«

»Ach so! ...«

»Jawoll, mit der verdammten Gerechtigkeit kommt man zu gar nix. Einerseits is was zu beklagen, andrerseits muß man bedenken ... Net wahr? Und dann is man mit sein Zustand zufrieden ... Nix da! Ich sag, da liegt der Hund begraben, und fertig ...«

»Schön, aber das kann doch nicht der Standpunkt der städtischen Verwaltung sein, die gerecht abwägen muß ...«

»Wär die nur amal auf dem Standpunkt, daß die Stadt für sich und durch sich was sein muß! Daß es auf die Leistung ankommt. Daß uns Gewerbefleiß, Kunst, Wissenschaft vorwärtsbringen. Daß ma net allaweil von dem red't und an dös denkt, was ma dem nächstbesten Bummler zu bieten hat. Is denn das noch g'sund?«

»Du hast dir ein nettes Mundwerk ang'schafft«, sagte Hausladen kopfschüttelnd. »Ich kenn dich nimmer. Woher du das alles hast?«

»Das kann ich dir schon erklären, mein guter Nikodemus. Jeder Mensch muß sein Quantum reden. Ich hab dreiß'g Jahr lang 's Maul halten müssen und muß jetzt schau'n, daß i mein Quantum noch erledig ...«

»Aber was kümmert an alt'n Kürassier 's Häuserbau'n?«

»Den Kürassier nix, aber den nachdenklichen Pensionisten sehr viel ...«

»Wir kennen unsern Herrn Major«, sagte der Rechtsrat. »Wir wissen schon, daß er es nicht so schlimm meint ...«

»Nur net eia-popeia! Ich mein's noch viel schlimmer, wenn ich net beim Frühschoppen sitz ... Sternsakrament! Ich bin kein Privatgelehrter, und zu dem bissel Pension verzehren brauch i kein Milieu ... aber seine Erinnerungen hat ma. Wie ich Junker war, ein blutjunger Kerl – nix verstanden, aber doch voller Stolz auf das alte, schöne München und seinen Ruhm. Man hat gwußt, da unter uns leben und schaffen die Männer; es war, als wenn ma ein Recht drauf ghabt hätt, und als hätt jeder sein Teil von der Bewunderung, die ihnen die ganze Welt zeigt hat. – Die Stadt, in der sie so gern waren, hamm sie mit ihren Werken g'schmückt, sie hamm zu uns g'hört, mir zu ihnen. Hat ma sich kümmert um Fremde? Wenn einer kommen is, um was zu lernen, um was Schön's zu sehen, hat er dafür dankbar sein müssen. Und jetzt? Jedem amerikanischen Proleten lauft ma bis zum Bahnhof entgegen und bitt't 'n, daß er uns sein protziges Wohlwollen schenkt … Pfui Teufel!«

»Ich bin auch nicht dafür, daß man die Sache übertreibt, aber den Forderungen der Zeit kann man sich hier so wenig wie anderswo verschließen …«

»Das war das rechte Wort, Herr Rechtsrat. Nur sich net verschließen, nur keine Eigenart haben! Alles muß plattgewalzt werden. Vulgär sein is die Losung … Aber jetzt entschuldigen die Herren, ich bin etwas stark in 'n Eifer kommen … Babettl, zahlen …«

Der Major verabschiedete sich kurz und stülpte seinen Schlapphut auf.

»Sieht ma dich noch amal?« fragte Hausladen.

»In der Woch nimmer. Ich hab mein Quantum g'redt, aber wenn du so lang da bleibst, am nächsten Montag oder Dienstag trink ich da wieder ein paar Schoppen … guten Morgen, meine Herren!«

»Ein prächtiger alter Soldat«, sagte Kresin. »Ein Feuerkopf. Es ist mir immer ein Genuß, ihn reden zu hören. Ich teile natürlich seine Ansichten nicht, aber die Art, wie er sie vorbringt, wie er alles kurz und klein schlägt, das hat Stil …«

»Ja … ja … ich will Ihnen was sagen, Herr Doktor …« Der Rechtsrat lehnte sich zurück und trommelte mit den Fingern auf den Tisch, »diese Art Kritik is vielleicht amüsant oder kann einem so vorkommen, aber nützlich, Herr Doktor, nützlich is sie nicht. Sehen Sie, dieses Absprechen, dieses in Bausch und Bogen verurteilen, dieses – wie soll ich sagen? – Perhorreszieren der gegebenen Faktoren, der Notwendigkeiten, der Möglichkeiten

… ich kann Ihnen nur sagen, das erschwert die Verwaltungstätigkeit mehr, als Sie glauben …«

»Ich bin mit meinem guten Prechtl acht Jahre lang bei den schweren Reitern oder damals noch Kürassieren in Landshut g'standen …« Hausladen wollte sich dem Vergnügen hingeben, das einem die Erzählung alter Erinnerungen bereitet, als vom Nebentische ein Mann aufstand und mit dem Schoppenglase in der Hand eine Verbeugung vor dem Rechtsrate und dann vor den andern machte.

»Wenn die Herren gestatten, daß ich etwas Platz nehme, es ist nämlich ein Thema angeschlagen worden, zu dem ich mir eine Bemerkung erlauben möchte … Globerger ist mein Name … ich möchte mir als Mann der Praxis … wenn Sie gestatten … nur ein paar Worte zu dem Thema erlauben …«

Der Rechtsrat machte eine einladende Bewegung, und Benno nahm Platz. Franz fühlte, wie ihm eine brennende Röte ins Gesicht stieg; er hatte Paulas Mann schon vorher mit Unbehagen am Nebentische gesehen, jetzt drängte sich der taktlose Prolet – so hieß er ihn – in die Gesellschaft und saß breitspurig und selbstgefällig schräg gegenüber.

Ob er sich an die schlierseer Fahrt erinnerte und ihn wiedererkannte? Die Befürchtung war grundlos, denn Benno war in das wichtige Thema vertieft, und außerdem hatte er für solche Kleinigkeiten, wie die flüchtige Begegnung war, kein Gedächtnis.

»Herr Rechtsrat Vogel … net wahr? Ihr werter Name is ja bekannt und hat einen guten Klang, sozusagen, im Bürgertum. Es sin ja vorhin Stimmen laut geworden gegen die modernen Bestrebungen, ich meine hinsichtlich des Fremdenverkehrs, und Herr Rechtsrat haben treffend bemerkt, daß ma sich den Forderungen der Zeit anpassen muß. Ich möchte diesbezüglich nur sagen, daß die denkende Bürgerschaft in diesem Punkte auf Ihrer Seite is, Herr Rechtsrat, und daß man darin sogar eine Existenzfrage für München erblickt …«

»Es wär aber besser, wenn sich die guten Münchner ihre Existenz solider fundieren würden«, sagte Hausladen nicht ohne Schärfe.

Der Mensch da war ihm nicht sympathisch.

Benno merkte es nicht. Ihm war froh zumute, daß er vor bedeutenden Kapazitäten sein reifes Urteil abgeben konnte, und Einwendungen belebten seinen Geist.

»Gewiß ... ich möchte auch durchaus nicht gesagt haben, daß man darauf ausschließlich seine Existenz basieren soll, oder daß der einzelne sich da auf trügerische Hoffnungen einlassen darf, aber die Stadt als solche kann nicht umhin, die momentane Konjunktur auszunützen. Herr Rechtsrat werden mir gewiß in diesem Punkte beipflichten ...«

»Ich habe meinen Standpunkt schon mehr wie einmal öffentlich betonen müssen ...«

»Gewiß!« sagte Benno sehr eifrig. »Diese betreffenden Reden haben allgemeinen Beifall gefunden ...«

»Wie g'sagt, ich hab meinen Standpunkt klargelegt. Nach meiner Ansicht is München vor die entscheidende Frage gestellt, ob es den Fremdenstrom, der doch unleugbar von Norden nach Süden flutet, ob es diesen Fremdenstrom hier stauen will, um ... ihn ... gewissermaßen, von hier aus dann durch verschiedene Kanäle ins Land zu leiten, wo er befruchtend wirken muß ... oder ob es diesen Strom an sich vorüberfluten lassen will ...«

»Ausgezeichnet!« rief Benno. »Herr Rechtsrat werden es mir als bescheidenem Bürger nicht verübeln, wenn ich sage, ich finde hier den Nagel auf den Kopf getroffen.«

Franz, der seine Verlegenheit überwunden hatte und nun sicher war, daß ihn Benno nicht erkannte, beobachtete den selbstgefälligen Herrn, der das Maul spitzte und die Augen aufriß, um seine Klugheit und sein tiefes Verständnis anzuzeigen.

Eine nervöse Unruhe war in dem dicken, vom Weintrinken erhitzten Manne. Er klopfte die Asche von seiner Zigarette, warf die halbgerauchte in den Aschenbecher und zündete sich eine neue an; wenn er getrunken hatte, wischte er sich umständlich die Lippen ab, er richtete seine Krawatte, er zog seine Weste straffer an, immer war er mit sich beschäftigt. Er schlug ein Bein über das andere, aber die Stellung war ihm wegen seines Bauches unangenehm, und er setzte sich wieder gerade. Dabei sah man, daß ihm der Socken an dem einen Fuße heruntergerutscht war. Die Weste hatte Flecken, am Rockkragen hingen Schuppen.

Und wie nun dieser Mensch mit seinen abstoßenden Manieren

so auf Armslänge vor ihm saß, erinnerte sich Franz einer peinlichen Szene, die er kaum eine Woche vorher erlebt hatte. Er hatte Paula abends auf Umwegen durch kleine, schlecht beleuchtete Gassen heim begleitet. Da war sie plötzlich zusammen gefahren und hatte ihn hastig in einen Hausgang gedrängt. »Sei still, er kommt grad daher!« Er hatte ihr Herzklopfen gefühlt, wie sie sich hinter der Türe an ihn gepreßt hatte. Auf der Straße waren dann zwei Männer im Gespräche vorübergegangen; als ihre Schritte verhallt waren, hatte Paula erleichtert aufgeatmet wie nach einer überstandenen großen Gefahr. »Gott sei Dank!« hatte sie geflüstert, »er hat nix g'merkt ... Jessas, wenn wir ihm grad in d' Arm g'laufen wären! ... Grad hab ich ihn noch g'sehen unter der Latern ...«

Der Vorfall war ihm damals peinlich gewesen; jetzt in der Erinnerung kam er ihm noch widerwärtiger vor.

Daß er sich vor dem da versteckt hatte!

»Was hättst denn getan?« hatte Paula gefragt. »Wenn mir jetzt so Arm in Arm grad an ihn hingrumpelt wär'n? Ich glaub, es hätt eine Rauferei geben ...«

»Die hätt nicht lang dauern«, hatte er geantwortet.

»Ja, aber ich! Was hätt denn ich tan? I hätt' ja gar nimmer heimgehen können ...« Die paar Worte hatten ihm damals wie eine Warnung geklungen, hatten ihn auf eine große Gefahr hingewiesen.

Etliche Stunden später hatte er sie wieder vergessen, aber er hatte doch über die Folgen nachgedacht.

»Aber ich? Was hätt' denn ich getan?«

Nun fiel's ihm wieder ein und stand recht deutlich vor ihm. Hätte ihm nicht ein Zufall die schwerste Verantwortung aufbürden können?

Er riß sich von dem Gedanken los und blickte zu Hausladen hinüber. In dem unbehaglichen Gefühl, das ihn beschlichen hatte, kam ihm der joviale Freund seiner Eltern wie ein mahnender und helfender Vertreter der Welt vor, zu der er gehörte. Ganz unvermittelt sagte er zu ihm:

»Wenn's der Tante Lies recht is und dir, bleibe ich morgen nachmittag bei euch ...«

Er wollte sich selber festigen in dem Entschlusse, den er plötzlich gefaßt hatte: auf keinen Fall mit Paula zusammenzukommen, so lang die Winhöringer da waren.

»Natürlich kommst d' zu uns ... auf de paar Tag gehts doch wirklich net z'samm ... und jetzt trachten wir heim, wenn's dir recht is ...«

Benno hatte dem Rechtsrat eben mit dunkeln Worten und mit Augenzwinkern zu verstehen gegeben, daß er im Besitze des allerwichtigsten Geheimnisses sei, daß er irgendwo die Hände im Spiele habe, daß er Mitglied und Beirat eines Konsortiums sei, das die Zukunft Münchens umgestalten werde. Leider sei es ihm nicht möglich und nicht gestattet, darüber nähere Angaben zu machen, aber der Rechtsrat könne versichert sein, daß seine Wünsche und Bestrebungen in ungeahnter Weise erfüllt würden.

Hausladen und Franz gingen. Auf der Straße sagte der Gutsherr:

»Ein ekelhafter Kerl, der münchner Spieß da. Und der Vereinsredner vom Magistrat paßt zu ihm. Ich wollt, der Prechtl wär noch dagewesen, der hätt von seinem Räsonierquantum noch eine ordentliche Portion anbracht ...«

*

Wege und Wiesen im Englischen Garten waren mit welkem Laube übersät, und die Amseln erschraken über den Lärm, den sie in den raschelnden Blättern machten. Ein dicker Nebel senkte sich auf die Baumwipfel herunter; von den Häusern der Königinstraße war nichts zu sehen, vom Lärm der Stadt nichts zu hören. Mit heiserem Schrei und klatschendem Flügelschlage flog zuweilen eine Krähe auf, und ein Spaziergänger konnte glauben, daß er irgendwo draußen auf dem Lande sei, nicht aber mitten in einer großen Stadt.

Paula, die bald zögernd, bald hastig auf den stillen, menschenleeren Wegen dahin schritt, beachtete es nicht, aber die graue, an Vergehen und Sterben mahnende Stimmung drückte auf sie.

Als sie an die Bank unterm Monopteros kam, blieb sie stehen.

Gelbe Blätter lagen darauf.

Sie streifte sie nicht hinunter, achtete auch nicht darauf, daß das Holz naß war, und setzte sich.

Eine bittere Erinnerung stieg in ihr auf, und plötzlich weinte sie still vor sich hin.

Wie lange war's her? Vor wenigen Monaten, es ließ sich nach Wochen rechnen, da hatte sie auf dieser Bank gewartet. Wie hell und warm war es damals gewesen!

Sie sah ihn mit raschen Schritten heraneilen; sie hörte seine ersten, unbeholfenen Worte wieder, die ihr seine Schüchternheit gezeigt hatten. Sie war selbst zaghaft gewesen, aber doch hatte sie ihn geführt, bis er sich getraute, ihr seine Liebe zu gestehen.

Wieviel Glück hatte sie darin gefunden! Und wie fest hatte sie ihm vertraut! Wenn sie je einmal von Aufhören und Ende gesprochen hatte, wars doch nur geschehen, um seine stürmischen Versicherungen zu hören, daß er nie von ihr lassen wolle.

Aber war's denn zu Ende? Mußte sie aus seinen zwei Briefen das Schlimmste herauslesen?

Sie holte die zerknitterten Bögen aus ihrer Tasche und fuhr nervös zusammen, als sie das Schloß laut und scharf zuklappte.

Sie las.

Eine Entschuldigung. Er habe Besuch von daheim erhalten, er müsse sich den alten Freunden seiner Familie widmen.

Das konnte doch wahr sein; und wenn's so war, durfte er sich der Pflicht nicht entziehen.

Aber warum stand kein zärtliches Wort in dem Briefe? Warum klang nicht das leiseste Bedauern durch, daß er ihr fernbleiben mußte? Warum keine Freude auf Wiedersehen?

Die Antwort auf diese Fragen, ja die stand doch in dem zweiten Briefe, der die Spuren ihrer Tränen zeigte. Wie kalt klang das alles!

»Es ist mir absolut unmöglich, dich bei mir zu sehen, da es nicht ausgeschlossen ist, daß man mich besucht. Meine Mutter hat ihre Freundin gebeten, daß sie meine Bude ansieht, weil sie glaubt, alle Wohnungen am Englischen Garten seien feucht und deshalb ungesund. Wir müssen uns also vorläufig gedulden ...«

Sie las noch einmal.

Die Angst machte Paula scharfblickend. Sie fühlte deutlich, daß er etwas verschwiegen hatte, um etwas herumgegangen war.

»Wir müssen uns also vorläufig gedulden.« Hatte er kein herzliches Wort gefunden, um seine Sehnsucht nach ihr zu zeigen? Aber die hatte er nicht mehr. Zu deutlich sah sie es.

Rasch stand sie von der Bank auf. Er mußte ihr Rede stehen, er mußte ihrs wenigstens sagen, wenn alles aus war. Sich vorläufig gedulden, bis ihr ein dritter Brief die Absage brachte, oder sein Ausbleiben ihr das gleiche bewies, nein!

Das wollte sie nicht.

Und einen Grund mußte sie wissen.

Nicht weggeschoben sein, wie was Lästiges, das man einfach nicht mehr mag.

Sie ging jetzt mit raschen Schritten zur Lerchenfeldstraße hinüber.

Einen Grund mußte sie wissen.

Sie wollte ihn nicht plagen, sie wollte nicht betteln. O nein!

Sie sagte sich die Worte vor.

»Wenn du ... wenn Sie eine Ursache haben, wenn ich Ihnen vielleicht einen Grund gegeben habe, dann müssen Sie auch den Mut haben, es mir zu sagen ...«

Aber die Antwort darauf?

Dann war's ja aus, für immer aus!

Das war doch nicht möglich!

Sie wimmerte vor sich hin: »Franz, lieber, lieber Franz!«

Die Treppe zu seiner Wohnung stieg sie langsam hinauf.

Im Glasfenster des Stiegenhauses war eine leichtbekleidete weibliche Figur, die Blumen aus einem Füllhorn schüttete.

Heute gerade so wie an den fröhlichen, glücklichen Tagen, wo sie rasch, um nur schnell bei ihm zu sein, die Stufen hinaufgehuscht war.

Paula blieb stehen und schaute in das pausbäckige Gesicht dieser Flora. Wenn sie herunterkommen würde, wenn sie die Figur wiedersehen würde, war's zu Ende ... war das Abschiedswort gesprochen ...?

Sie stand vor der Wohnungstür und läutete. Die Hausfrau, der sie früher kaum einmal begegnet war, öffnete. Eine magere, kleine Person mit sehr neugierigen Augen und einem mürrischen Zuge im Gesichte.

»Der Herr Doktor Riggauer zu Hause?«

»Der Herr Baron?« korrigierte die Frau ... »Nein, der is net da ...«

»Können Sie mir net sagen, wann er kommt?«

»Ja, dös weiß i net ...«

Die Frau musterte Paula scharf und mißgünstig; sie machte eine Bewegung, als wollte sie gleich wieder die Türe schließen.

»Ein’ Augenblick ... entschuldigen Sie ...« Paula wußte eigentlich nicht, was sie wollte ... da kam ihr ein Entschluß. »Dürft ich nicht ein paar Zeilen bei Ihnen schreiben?« Sie öffnete ihre Tasche und nahm aus ihrem Portemonnaie ein Geldstück, das sie der Person gab ... »Es handelt sich um was Wichtiges ...«

»So? ... Na ... kommen S’ halt rein ...« Sie ging voran durch den Gang, am Zimmer von Franz vorüber. Paula zögerte; aber es war besser, nicht da hineinzugehen; am Ende hätte sie sich vor der Frau nicht mehr beherrschen können.

In der Küche kramte diese nach längerem Suchen aus der Tischschublade einen kleinen, etwas beschmierten Briefbogen heraus. Paula schrieb mit Blei hastig ein paar Worte hin.

»Um Gottes willen ... was ist denn? Ich komme heute nochmal. Ich muß dich sprechen. Ich muß ...«

Sie steckte das Papier in ein Kuvert, das schlecht gummiert war und kaum schloß.

»Bitte, legen Sie den Brief ins Zimmer ... sagen Sie ihm auch, daß Nachricht da is ...«

Paula eilte weg. Sie war froh, den prüfenden Blicken der Frau zu entrinnen.

Auf der Straße fiel ihr ein, wie leicht der Brief zu öffnen war; aber es stand doch nichts darin, was ihn oder sie bloßstellen konnte.

Sie überlegte, ob sie nicht doch in einem Laden einen andern Brief schreiben sollte, und ohne daß sie sich dazu entschlossen hatte, trat sie, wie unter einem Zwange handelnd, bei einem Buchbinder ein und schrieb einen längeren Brief voll ängstlicher Fragen, Bitten und wieder Fragen. Nun hatte sie einen Grund, gleich wieder zu seiner Wohnung zurückzukehren. Als sie zum Nationalmuseum kam, sah sie Franz um die Ecke biegen. Sie eilte nach und kam fast ins Laufen; ein paar Arbeiter riefen ihr nach: »Hö ... Muckerl ... pressiert’s so? ...«

Nun war sie ihm bis auf wenige Schritte nachgekommen.

»Franz!«

Er drehte sich hastig um. Er war überrascht, verlegen.

»Du bist's?«

»Ja, ich war bei dir.«

»Aber ich hab dir doch geschrieben ...«

»Deswegen bin ich zu dir. Willst du mir's verbieten, daß ich zu dir nauf komm?«

Sie war auffallend blaß, und ihre Augen flackerten.

»Nein ... Warum soll ich dir's verbieten? Ich hab dir doch in deinem Interesse geschrieben, daß ich möglicherweise Besuch bekomme, daß Tante Lies meine Bude ansehen will ...«

»Vor ein paar Wochen hätt'st du kein B'such ang'nommen ...«

»Aber ...«

»Nein, das weiß ich.«

Er hatte Mitleid gefühlt, aber nun regte sich wieder der Unmut in ihm.

»Was kann denn ich dafür? Entschuldige halt, daß sich meine Leute daheim noch um mich kümmern. Vielleicht grad deswegen, weil ich dir zulieb nicht heimg'fahren bin. Soll ich vielleicht ...?«

»Red nicht so! Bitte, bitte, red nicht so! Ich muß sonst laut hinausweinen.«

»Warum soll ich nicht reden? Ich muß dir doch sagen ...«

Sie blieb stehen und fing leise zu wimmern an. Wie im Krampf zog es sie zusammen.

»So nimm doch Vernunft an! Da kommen Leute ...«

»Ich kann nix dafür ... ich kann nix dafür ...«

»Paula ... wir sind auf der Straße ... ich bitte dich ...«

»Es ist alles aus ... alles ... alles ...«

»Also, das geht nicht ...«

Herr Studiosus von Riggauer war in der peinlichsten Verlegenheit. Eine solche Szene auf offener Straße!

Ein Herr, der den besten Ständen anzugehören schien, hatte sie im Vorübergehen sehr befremdet und unmutig angesehen. Er hatte sogar so etwas wie Skandal vor sich hingemurmelt. Zwei ältere Damen hatten von der anderen Seite der Straße scharfe Blicke herübergeworfen. Und eben näherten sich wieder einige Leute.

Da war ja das, was er seit kurzer Zeit befürchtete, was drohend vor ihm gestanden war. Die Bloßstellung, die Gefährdung seiner Existenz, die Vernichtung, ja die auch, die Vernichtung von Hoffnungen, die sich gerade in ihm geregt hatten.

Natürlich dauerte sie ihn; aber das war nicht das stärkste Gefühl in ihm. Eine jämmerliche Angst kam über ihn.

Sollte sich das, was er seit ein paar Tagen eine Torheit nannte, an ihm rächen?

Nahm sie nicht die geringste Rücksicht auf ihn?

Er stampfte zornig den Fuß auf, aber ein Blick auf sie zeigte ihm, daß er nur mit gütlichem Zureden etwas ausrichten konnte.

»Paula ... ich bitte dich wirklich ... du kannst doch nicht auf der Straße so weinen ... komm zu mir hinauf!«

»Du willst doch nicht, daß ich ... ich darf doch nicht ... nicht mehr ...«

»Ich bitte, komm! Es geht nicht, daß wir da stehen. Willst du nicht?«

»Ja ...«

»Also, dann gehen wir ...«

»Ja ... mir ist so schwindlig ... darf ich mich einhängen?«

Sie fragte es ängstlich, fast demütig ... Herr von Riggauer zögerte einen Augenblick. Es war möglich, daß jemand kam, der ihn kannte. Aber dann war es unangenehmer, wenn der die Szene beobachtete. Er bot Paula den Arm an.

»Häng dich nur ein!«

Sie stützte sich fest auf ihn.

»Du mußt entschuldigen ... meine Füß zittern so ...«

»Nimm dich nur zusammen, es geht schon, aber ...«

»Was meinst?«

»Ich dachte mir, wegen der Hausfrau ... Du sollst dich nicht zu stark gehen lassen ... bei mir oben ...«

»Ich kann doch nix dafür ...«

»Ich sag's nicht als Vorwurf ... ich möcht nur nicht, daß die Person weiß Gott was herum erzählt ...«

Er sah ein, daß er behutsam sein mußte; sie konnte einen

neuen Anfall bekommen. Er ging nun schweigend neben ihr her, und wie er immer in Angst vor einer neuen Szene beinahe die Schritte zählte, die er noch gehen mußte, sagte er in sich hinein: »Das ist einfach nicht mehr möglich ... das ist einfach nicht mehr möglich.«

Er atmete auf, als sie vor seinem Hause anlangten.

»Wart einen Moment ... ich geh rasch hinauf und laß die Tür offen ...«

»Ja ...«

Sie sagte es ganz mechanisch.

Sie wehrte sich kaum mehr gegen das trostlose Gefühl, das seine Worte wie sein Schweigen bestärkt hatten.

Was wollte sie noch? Es war doch aus.

Aber sie wollte es von ihm hören; so weg gehen und in Ungewißheit bleiben, schien ihr unerträglich.

Der Studiosus von Riggauer ging nicht rasch die Treppe hinauf, er nahm mürrisch und nachdenklich Stufe für Stufe.

»Also das ist einfach unmöglich ...« Diesmal sagte er es halblaut vor sich hin. War das keine Zwangslage, daß sie da unten stand und dann herauf kam und erst recht wieder eine Szene machte? Um halb acht Uhr sollte er bei der Generalin sein, bei der nun Fanny wohnte. Ob er weg konnte? Ob er Paula dazu brachte, daß sie sich beruhigte und heimging? »Also das ...« Er seufzte, als er die Türe aufschloß. Die Hausfrau rief aus der Küche:

»Herr Baron ... es liegt a Briaf für Eahna drin ...«

»Ja ... is schon recht«, sagte er verdrossen.

»A Frauenzimmer hat'n bei mir in da Kuchl g'schrieb'n ... i hab ihr an Briefbogen geb'n müass'n ...« Frau Schinnagl kam in den Gang heraus und war zu einem Gespräche aufgelegt.

»Sie, Herr Baron, i sag Eahna, wia de z'rupft ausgschaugt hat ...«

Er ging in sein Zimmer, ohne ihr eine Antwort zu geben, und die Schinnaglin wollte schon die Küchentüre schließen, als sie die Wohnungstüre zuklappen hörte.

Sie spähte hinaus und sah Paula, die erst zögernd vor dem Zimmer stehen blieb, vor sie hineinging.

»Ah so ... hat s' 'n abpaßt ...«

Herr von Riggauer war nervös, und sein Unbehagen steigerte sich, als Paula im Zimmer stand und an ihm vorüber zum Fenster hinsah.

Die kahlen Äste eines Kastanienbaumes schwankten draußen im Winde. Damals, als sie das erste Mal hier war, standen noch verspätete rote Blütenkerzen zwischen den Blättern.

Dachte sie daran?

Sie blieb unbeweglich stehen und schwieg. Sie wußte, wenn sie ein Wort sprechen, wenn sie ihre eigene Stimme hier in diesem Raume hören würde, könnte sie sich nicht mehr aufrecht halten. Diese Stille war peinigend.

»Willst du dich nicht setzen?«

Paula schüttelte den Kopf.

»Also, dann bitte, sag mir, was du mir sagen wolltest ...«

»Ich dir?«

»Ja ... du wolltest doch zu mir ... und hast mir auch geschrieben.« Er nahm ihren Brief vom Tische und öffnete ihn.

Er hatte ihn also vorher gar nicht beachtet.

»Da ... du schreibst ja: Ich muß dich sprechen ...«

»Das war vorher.«

»Jetzt nicht mehr?«

»Nein; ich weiß auch so alles ...«

»Was weißt du?«

»So quäl mich doch net so!« schrie sie hinaus.

»Entweder du wolltest mir etwas sagen, schön ... ich bin mit dir hergegangen, ich hab dich gebeten, heraufzukommen – oder«, Herr von Riggauer wurde lehrhaft, »oder du wolltest nicht mit mir reden, dann verstehe ich nicht, warum du so darauf bestanden hast ...«

»Das verstehst du nicht?«

»Nein. Wirklich nicht. Ich verstehe auch nicht, warum du mir eine solche Szene gemacht hast. Auf der Straße.«

Sie sah ihn an.

War das wirklich der gleiche Mensch, der ihr in diesem Zimmer hundert törichte, verliebte Dinge gesagt hatte?

Er stand vorne am Fenster und lehnte sich an die Brüstung. Dabei sah er zur Feuermauer des Nachbarhauses hin und vermied es, ihrem Blicke zu begegnen.

Es beruhigte seine Nervosität, wenn er sprach.

»Was war denn eigentlich? Ich hab Besuch bekommen von einer Familie, mit der meine Leute sehr gut stehen, die mich von Jugend auf kennt. Hätt ich sagen sollen: Adjö, tut mir leid, ich hab keine Zeit für Euch? Meine Mutter hat ihrer besten Freundin den speziellen Auftrag gegeben, sich nach mir umzusehen. Natürlich war das überflüssig, weiß ich schon, aber am Ende kann ich nicht zu der Dame sagen: sparen Sie sich Ihre Bemühungen, ich habe was Besseres zu tun, oder so ähnlich. Ob es mir angenehm war oder nicht, jedenfalls ich mußte das dankbar annehmen, und ich mußte ganz einfach die Dame bitten, zu mir zu kommen und mein Zimmer anzusehen. Und wenn das so war, dann blieb mir nichts anderes übrig; das war doch logisch – ein drittes gab es einfach nicht –, daß ich an dich schrieb: Sei so gut und komm nicht, meine Bude ist momentan nicht sturmfrei, ich kann Besuch bekommen, du kannst Begegnungen ausgesetzt sein, die für dich peinlich wären, et cetera. Ich meine, das war doch logisch und außerdem meine Pflicht gegen dich. Und ich gestehe dir ganz offen, mir selbst wäre es sehr unangenehm, wenn die Leute zu Hause erzählten, sie hätten bei mir Damenbesuch angetroffen. Abgesehen davon, daß sie das als Beleidigung auffassen können. Gewisse Rücksichten habe ich ganz einfach zu nehmen; tut mir leid, daß es dich momentan kränkt, aber ich kanns nicht ändern. Und du kommst doch in der Voraussetzung zu mir, daß du absolut sicher bist, und für diese Sicherheit habe eo piso ich zu sorgen. Wenn ich dann schreiben muß: Heute ist diese Sicherheit nicht gegeben, liegt doch darin keine Kränkung. Das ist Vorsicht für dich, allerdings auch für mich, und ob das nun angenehm ist oder nicht, das spielt doch keine Rolle im Vergleich zu …«

Das Türschloß klinkte zu.

Franz, der bei seiner wohlgesetzten Rede auf und ab schritt, wandte sich um.

Paula war fort, war weggegangen, als sich ein Grund logisch aus dem andern entwickelte.

So … so? Man wollte die Trotzige spielen? Oder faktisch Schluß machen?

Er horchte und öffnete leise die Türe; sie war wirklich weggegangen. Auch gut. Oder nein, desto besser. Er stellte sich vor den Spiegel und runzelte die Stirne.

Seine Augen zeigten einen tiefen Ernst.

Es gibt Dinge, die man einfach durchfechten muß. Das Leben verlangt manchmal unbeugsame Härte, und ... außerdem, es war einfach nicht mehr möglich.

NACHWORT

von Bernhard Gajek

»Roman eines Romans«

Ludwig Thomas Altersroman »Münchnerinnen« ist die Geschichte der Liebe zweier Frauen zu zwei jüngeren Männern. Sie spielt im München der Jahrhundertwende und hat von daher ihren Namen.

Thoma beginnt sie im Sommer 1919, und von da bis zum Abschluß, genauer: bis zum Beginn einer Fortsetzung berichtet er in Briefen an Maidi von Liebermann ausführlich und dicht, wie es mit der Liebesgeschichte vorwärts gehe. Kein anderes Werk Thomas ist so lebensnah und so aussagekräftig von Autorkommentaren begleitet wie die »Münchnerinnen«. Thomas Briefe in diesem Zeitraum sprechen von dem Roman und sind ein Teil der Liebe zu jener Frau, um die er 1904 nicht hatte werben können und die er im August 1918 als die ersehnte Lebensgefährtin meinte gewonnen zu haben. Maidi von Liebermann ist die wirkliche Gesprächspartnerin, der er die Rolle einer Muse zuschreibt und von der er sich den Fortgang des Romans »ins Ohr flüstern« läßt.[1]

Solche Zusammenhänge hat Thomas Mann, einst Ludwig Thomas Kollege beim »Simplicissimus«, »Roman eines Romans« genannt. Aber dazu gehört auch, daß in den »Münchnerinnen« von einer Gestalt, die das Format Maidi von Liebermanns gehabt hätte, gar nicht die Rede ist. Allenfalls der Versuch einer Frau, sich aus einer brüchigen Ehe zu befreien und eine neue Liebe zu gewinnen, könnte an Thomas Rivalität mit Willy von Liebermann denken lassen, der die Mutter seines Sohnes nicht hatte verlieren wollen.

Doch das schlägt sich nicht unmittelbar in diesem Roman nieder. Er sollte »Aus Münchner Bürger- u. Künstlerkreisen. Halb ironisch, halb ernst« berichten. So lautet der erste Hinweis auf den Plan – in einem Brief vom 13. August 1919 an Maidi von Liebermann.[2]

Thoma wollte den – noch unbenannten – »Roman oder eine größere Novelle« dem »Simplicissimus« als Fortsetzungsgeschichte anbieten. »Das würde mich zur bestimmten Arbeit zwingen und Zwang ist gegenwärtig für mich heilsam. Den Stoff habe ich fertig vor mir.«[3] Das stimmt; einen Tag später datiert er bereits zwei Entwürfe, denen wiederum zwei andere, undatierte vorausgehen. Die Frage, ob »Roman oder ... Novelle«,[4] ist noch ungelöst; er beruft sich darauf, daß er den »Andreas Vöst« »als kurze Novelle« begonnen habe.

Die sieben Textstufen

1. »Giggati – Gaggati. Eine Kriminalgeschichte«

Die zwei frühesten Anfänge tragen denselben Titel, werden aber zwei Gattungen zugewiesen: »Giggati – Gaggati. Eine Kriminalgeschichte« und »Giggati – Gaggati. Eine Münchner Geschichte« lauten die Überschriften. (Beide unter L 2388 im Nachlaß.) Der lautmalende Titel ist bairisch und bedeutet etwa »Hals über Kopf«.[5] Der erste Ansatz beginnt so: »Die Geschichte einer Liebe, wenn auch einer flüchtigen, sollte in dem abschreckend nüchternen Gerichtssaale ihren Abschluß finden.« Der »grämlich aussehende« Richter und zwei »saftvolle Münchner« als Schöffen würden kein »Verständnis finden für die Nöthe, die Amor schafft«.

2. »Giggati – Gaggati. Eine Münchner Geschichte«

Nach zwei Seiten setzte Thoma neu an. Aus den Schöffen werden ein Angeklagter und dessen Freund. Der eine, »der in den besten Jahren stehende Privatier Knogler«, klagt »seinem Freunde Holzapfel vor dem Amtsgerichte« sein Pech mit einer flüchtig angesponnenen Liebschaft, bei der ein »Kriminaler« ihn betroffen habe. Die öffentliche Verhandlung werde »so an arms Madel aa no recht eini tauchen«.

Die beiden Anfänge sind in Redeform und Perspektive einander entgegengesetzt. Im ersten werden die Personen von einem anteilnehmenden Erzähler direkt charakterisiert. Der zweite besteht fast ausschließlich aus dem Gespräch zwischen zwei Männern, die dadurch ihren Charakter darstellen, daß sie verschieden über jene Frau sprechen, die noch gar nicht aufgetreten ist, aber als Angeklagte eingeführt wird. Der »Privatier« tritt für sie ein und gewinnt so die Sympathie des Lesers. Der »Freund« repräsentiert den »Münchner Spieß«, der in den folgenden Fassungen eine männliche Hauptrolle spielen wird.

3. »Die Murbeckin«: »ein Ehedrama«

Titel und Inhalt des dritten Entwurfs (L 2435) teilte Thoma am 13. August schon Frau von Liebermann mit: »Der Roman oder die Novelle – man weiß nie, wie weit es langt ... soll heißen ›Frau Murbeck‹ oder ›Die Murbeckin‹.« Und er ist sich über das Motiv, das Milieu und die Personen schon im klaren; auch knüpft er an die vorausgehenden Textstufen mit dem Motiv einer Frau an, die aus Liebe straffällig geworden ist. »Der Roman oder die Novelle ... Ist ein Ehedrama; soll mit saftigem Humor trotz ernster Hintergründe behandelt werden. Eine reife Frau und echte Münchnerin verliebt sich in den armen, jungen Instruktor ihres elfjährigen Buben, weiß sich nicht zu helfen, verstrickt sich immer mehr; macht eine Dummheit, indem sie den werten Gemahl vergiften will, kommt auf, muß aber freigesprochen werden, da sie mit irgendeinem kindischen Mittel die Vergiftung versucht hatte, und gerät in Armut. Das ist sehr summarisch der Inhalt. Der Wert kann nur in der Schilderung des Milieus, der Personen, der Stimmungen liegen. Es liegt mir sehr und geht verdammt flott. Ganz ohne Schwierigkeiten; der Karren kann nicht stecken bleiben bei der Fülle von Personen und Geschehnissen. Wenn der Simpl klug ist, geht er auf meinen Vorschlag, die Sache in Fortsetzungen zu bringen, ein. Ich kann jetzt schon in acht Tagen etwa 100–150 Seiten in Schrift liefern. Nun bist Du Mitwisserin eines literarischen Geheimnisses, wie sich's gehört zwischen Mann und Frau.«[6]

4. »Ambros«: »die gutmütige Frau, der Philologe«

Es »geht verdammt flott«. Am selben und am folgenden Tag arbeitet Thoma die neun Blatt umfassende Exposition der »Murbeckin« um; der Untertitel »Eine Münchner Geschichte« bleibt, aber der Titel heißt jetzt »Ambros« (L 2435). Wieder teilt er dies der Gefährtin mit: »Heute Vormittag stellte ich das erste Kapitel des ›Ambros‹ hin. So heißt die Sache – nicht Frau Murbeck. Es steht auf allen Füßen und vier Personen sind mit ein paar Strichen photografisch treu gegeben. Der Münchner Spieß, die gutmütige Frau, der Instruktor und Philologe, der Bub. – Das 2. Kapitel werde ich dem Philologen besonders widmen und heute darüber nachsinnen. Die Partie auf den Baumgarten unterließ ich, um zu arbeiten.«[7]

Daß Thoma den Gang ins eigene, gleich hinter der Tuften ansteigende Jagdrevier dem Schreiben opferte, spricht für einen »erfindenden Tag«, wie Goethe gesagt hätte. »Ambros« beginnt wie »Die Murbeckin« mit dem Streit der Ehegatten. Der Mann ist auch jetzt »Privatier«, heißt jedoch »Xaver Kagerer«; die Frau ist »Sophie«. Der Sohn Peppi wird vom Vater »nixnutziga Saubua« geschimpft. Wie sein Zwillingsbruder in den »Lausbubengeschichten« redet er »deschpektierlich von sein Professor« und verbessert die Mutter: es heiße nicht »Scheographie«. Doch der Philologe Ambros Mehltretter kommt ihr »zu Hülfe«; er fühlt sich »durch ihr gutmütiges Wesen angeheimelt und gestärkt«. Auch erklärt er sich bereit, Peppis »Ordinarius« aufzusuchen, um sich »besser zu orientieren«. »Frau Sophie dagegen war angenehm berührt von dem bescheidenen und doch bestimmten Wesen des jungen Mannes.«

Damit endet die Fassung »Ambros«, für die einige Notizen am Ende der »Murbeckin« die Weichen stellten. Als Anfang eines »2. Kapitels« hatte Thoma dort – mit Bleistift – festgehalten: »Wer ist Mehltretter? Figur nicht unähnlich unserm *Heinrich*. Sohn eines kleinen Schreinermeisters; hatte auf geistlich studiert, umgesattelt, war Philologe geworden. - - - - Die Mutter freundet sich mit Frau Kagerer an.« – »Heinrich« schrieb Thoma in Kurzschrift und unterstrich das so verschlüsselte Wort kräftig.

5. *»Frau Flunger«: »Münchner Zustände von ehemals«*
Die Figur des Ambros Mehltretter mußte jedoch schon zwei Tage später einer weiblichen Titelgestalt weichen. »*Ambros.* Es ist was Merkwürdiges ums Schaffen. Sowie man lebendige Personen hinstellt, sieht man erst, ob sie zu der geplanten Handlung passen. Ich mußte alles umschmeißen, denn zu meinen Personen paßte die schwere Handlung nicht. Ich hebe sie mir für was anderes auf, denn verloren ist nichts, was man ersonnen hat. Nun heißt die Sache: Frau Flunger, und wird im Stil ganz anders. Alles Komische fällt weg ... Ich halte die Sache im Novellenstil, und will versuchen, ein Bild von Münchner Zuständen von ehemals zu malen. Schade ists um den guten Anfang von Ambros. Aber den lasse ich nicht lange liegen. Vielleicht gibt er mit der Frau Flunger ein Buch. ...«[8]

Die Gestalt verschwand und kam zweifach wieder – in den »Münchnerinnen« und in einem Fragment, dem Thoma die Fortsetzung des Romans geopfert hat. Als ein anderer Hauslehrer gibt Ambros »mit der Frau Flunger ein Buch«, eine Geschichte in der Geschichte, eine erzählerisch vorzüglich integrierte Episode. Sie wird von einem »Geschäftsfreund Bennos«, dem »Kaufmann Leistl aus Regensburg«, den Gastgebern – den Ehepaaren Globerger und Schegerer – als »regensburger Ehedrama« vorgetragen, nachdem man durch Löwenbräu und Husarenkapelle lockerer geworden ist. Eine »Frau Flunger« habe sich in ihren »ungarischen Musiklehrer in Regensburg« verliebt und »den schwarzhaaret'n Donauratz'n auch ins Haus zog'n«. Ihr Gatte, der »Goldarbeiter Flunger, der im Gemeindekollegium drinna war, a sehr a angesehener Mann, hat si daschoss'n«.[9] Ihr Gatte hat sich erschossen. Den immer hitzigeren Streit über die angemessene Reaktion betrogener Ehemänner nimmt Paula Globerger ebensowenig wahr wie die Anspielung auf ihre Beziehung zu Franz, in dem immerhin der *Student* Ambros wiederkehrte.

Das erwähnte Fragment rückte ihn noch deutlicher an des Autors Lebensgeschichte. Als Thoma die Fortsetzung der »Münchnerinnen« abbrach, begann er einen »neuen Lebensroman«, den »Kaspar Lorinser«. Dessen erste Sätze lauteten ursprünglich wie die Notizen zum Ambros Mehltretter: »Ich bin ein Bauernbub, hätte Geistlicher werden sollen und bin es nicht geworden.«[10] Die spätere, postum gedruckte und ebenfalls Bruchstück bleibende Fassung versetzt das Motiv in ein selbsterlebtes Milieu: Kaspar wird nach Burghausen gebracht, weil er dort »studieren«, d. h. das Gymnasium besuchen, und »mit der Gotts Hülf ein hochwürdiger Herr« werden soll.[11]

Von »Frau Flunger« ist in den – gedruckten – Briefen nicht mehr die Rede. Doch von zwei anderen Dingen zu sprechen wird Thoma nicht müde: von den Jahren vor und nach der Eheschließung mit Marion (deren Namen er nicht mehr ausspricht) und den Namenstagen, an denen die Stimmung sich entsprechend verdichtet habe: »Der Namenstag wäre also da. Unten sind Blumen an der Tür der Bauernstube, aber die Hauptsache ist im Biedermeier-Erkerzimmer. Auf dem Schreibtisch haben die Mädel Dein Bild aufgestellt, ganz mit Blumen umgeben. Und so bist Du doch wie sichs gehört die Erste dabei.« So an Maidi von Liebermann – am Kirchenfest Ludwigs des Heiligen, des Herrschers über das mittelalterliche Frankreich.[12] Der Gegensatz wird herausgestellt – als Werbung um die damals verlorene Traumgeliebte. »Ich denke an 3 sehr häßliche 1908 – 1909 – 1910 – Verlogen, falsch, verdrossen, um mich herum viele Menschen, die mir zum Teil zuwider waren. Dann kamen dafür die lautlosen, stillen, von 1910–1918, an denen kaum die Küchenmädel merkten, daß ein sogen. Fest war. Lauter Zufälle.«[13]

Wieder bleiben die selbstdarstellenden Stichworte vorerst unbeachtet: verlorene Liebe und Namenstagsfeiern, die »sehr häßlich ... falsch, verdrossen« verlaufen. Die Vorstellungskraft richtet sich auf die davorliegende Zeit, die nicht wirklich werden konnte und dennoch »Zeugen einer lieben Vergangenheit« enthalten haben soll.

Das ist ein Kernwort der fünften Fassung des Romans (L 2392). Sie ist nicht genau datiert, ist aber sicher früher als die, die Thoma unter dem 7. September 1919 der Freundin beschreibt,[14] und beginnt so:

»Frau Flunger. Eine Münchner Geschichte.

In einer Seitengasse der inneren Stadt betrieb Benno Flunger im eigenen Hause eine Spezereiwarenhandlung. Zwei breite Ladenfenster und eine mit Schnitzereien geschmückte Glasthüre nahmen zu ebener Erde die Front des schmalen Hauses ein; über den Fenstern des ersten Stockwerkes war eine Nische angebracht, in der eine schmerzhafte Mutter Gottes stand. Davor brannte in einer rothen Ampel ein ewiges Licht.

Wer sich an alten Häusern als den Wahrzeichen und Zeugen einer lieben Vergangenheit erfreut, mochte gerne vor dem Flungerhause stehen bleiben und die Rokkokoornamente über den Fenstern betrachten.«

Der Besitzer ist Benno Flunger, wird von seinen Nächsten »Beni« gerufen und hat das Geschäft vom Vater, dem Flunger Muckl, übernommen. Der sei ein mäßig guter Erzieher gewesen, weil er sich mehr um »ein paar günstige Verkäufe von Bauplätzen« gekümmert habe. Das ist die zeitliche Festlegung: München während der Bodenspekulation; sie wird hier noch nicht bestimmend. Auch die Namenstagspartie an den Schliersee fehlt noch; sie gehört erst zur folgenden Fassung, von der Thoma in dem zuletzt genannten Brief spricht.[15] Doch der Name ist da: Benno, und Benno ist – Thoma erwähnt es nicht – der ehemalige Bischof von Meißen, den die römische Kirche am 16. Juni feiert und den Altbayern und München als ihren Patron ehren.

So hat sich, allein mit der Änderung des Vornamens, das Datum für die Namenstagspartie der letzten beiden Fassungen ergeben, und die Patronatsbedeutung macht auch ihn zum »Wahrzeichen und Zeugen einer lieben Vergangenheit«. Aber jene Ironie, mit der der Autor das Ganze zwielichtig machen will, stellt die Exposition endgültig auf den Gegensatz zwischen dem Alten und dem Neuen, zwischen kindischen, spießigen Männern und unerlösten, aber nach Liebe suchenden Frauen ein. »Frau Flunger«, dieser fünfte Anlauf, bringt mit 21 Blatt eine flüssig geschriebene Eröffnung des Romans, die im wesentlichen bleibt.

Sie ist durchweg mit Blick auf Beni Flunger erzählt. Das streitige Gespräch zwischen den Ehegatten fehlt; weder Sohn noch Nachhilfelehrer treten auf. Der junge, aus dem Ehrgeiz in den Schlendrian und die Stammtischpose hinabgleitende Ladenbesitzer und dessen verlogenes und bald von niemandem mehr geglaubtes Großtun sind das Ziel der Darstellung. Die Namen des Besitzers – Benno Flunger – und des Kommis – Charles Globerger – werden später vertauscht. Jetzt schon aber setzen die Straffung und Verdichtung des Erzählens ein, und Thoma bessert diese Fassung häufiger und sorgfältiger durch als die vorausgehenden. Gehört zu den Erinnerungen, die das Erzählen flüssig machen, auch die an einen Eintrag ins Stadelheimer Tagebuch? Damals – im Spätherbst 1906 – hatte Thoma sich Schopenhauers von Voltaire übernommene Regel abgeschrieben: »l'adjectif est l'ennemie du substantif.«[16] Die Raffung und Konzentration des Stils geht aus dem Vergleich hervor.

»Frau Flunger«	Druckfassung
Die großzügigsten Reformen büßen ihren Reiz ein, wenn man sich vom erhebenden Allgemeinen weg in die ermüden-	Die Reformen im Großen verlieren ihren Reiz durch die ermüdenden Details, durch Schwierigkeiten und Wider-

den Détails verliert, wenn man auf Schwierigkeiten, auf Widerstände stößt, wenn die eigene Begeisterung sich an der Nüchternheit Anderer abkühlt.

Der neue aus Hamburg bezogene Kaffee fand keinen reißenden Absatz, es regte sich auch kein leidenschaftliches Verlangen nach den Bremenser Cigarren und die alte Kundschaft hing verbohrt und hartnäckig am Hergebrachten, besonders an den gewohnten Preisen.

stände. Gerade die flammenden Begeisterungen ersticken in der Atmosphäre von Nüchternheit und Mißtrauen.

Die alte Kundschaft wollte keine Neuerungen, sie hing am Hergebrachten, besonders an den alten Preisen.

Die fünfte Fassung endigt so: Paula Flunger, hier schon die »Tochter des Hutmachers Schoderer«, ist dabei zu verkümmern – »in Vergnügungen und Gewohnheiten, im Klatsch mit Verwandten und Freundinnen und auch ein wenig im kleinen Krieg mit der Schwiegermutter«. Daß Thoma hier im Satz abbricht, mag mit dem Gefühl zusammenhängen: »der Karren kann nicht stecken bleiben bei der Fülle von Personen und Geschehnissen ... Ich kann jetzt schon in acht Tagen etwa 100–150 Seiten in Schrift liefern.«[17]

6. »Münchnerinen«: »Porträt der Durchschnittsehe«

Der Schwung bleibt; 157 Seiten lang hält er auf der nächsten Stufe an (L 2390). Am 7. September meldet Thoma, er sei bereits »beim dritten Kapitel; ein Ausflug der Familie nach Schliersee, wobei ich vornehmlich die Dumm- und Gleichgültigkeit des Münchner Ehemanns, die inhaltsarmen Freuden solcher Leute schildere; ein Grund zur Eifersucht gibt Anlaß zu blöden Phrasen; die Schlauheit der Frauen im Gegensatz zur plumpen Selbstsicherheit des Spießbürgers, der doch mißtrauisch ist«.[18] Man kann den Inhalt nicht besser zusammenfassen. Die Handlung und das Milieu sind klar. Aber auch die Motivationen sind – im selben Brief – bereits stimmig ausgesprochen; der Überblick des Autors scheint perfekt zu sein: »Wenn mir das Kapitel so wird, wie ich es sehe, gibt es ein gemütlich-humoristisches Porträt der Durchschnittsehe, der Bildung oder Unbildung des Philisters, der Durchtriebenheit der Frau, die doch eine natürliche Folge ihrer Stellung in einer solchen Ehe ist. Die Hauptrolle spielt dabei die erfahrene Freundin der Paula. Psychologisch ist es nicht unwesentlich, daß die gute Paula ihre Sitten an bösen Beispielen verderben läßt.«[19]

Das klingt nach kultiviertem Naturalismus, nach Maupassant; doch ihm wie Zola fühlte Thoma sich überlegen, weil ihnen »das Beste, was es gibt, der Humor«, fehle.[20]

Zwei Wochen nach diesem selbstbewußten Ausspruch ist »Seite 100! ... erreicht, das Heu ist herin und kann mir nicht mehr verregnet werden. Es rundet sich von selber. Die Handlung fließt aus den geschilderten Charakteren, und nun springen, wie sich's bei rechter Arbeit gibt, überall neue Quellen und münden in den großen, breit dahin fließenden Bach. Die Nervosität des Anlegens, Planens, Umänderns ist überwunden. Frau Paula ist nett, gutmütig, gleitet ein bißchen ungeschickt in die Sünde hinein. Aber dem Globerger gehören Hörner, und er soll sie kriegen. Vorerst werden sie präpariert; haben tut er sie noch nicht.«[21]

Erst am 22. Oktober scheint der Titel »Münchnerinen« über dieses umfänglichste Fragment gesetzt worden zu sein – ausgelöst auch durch einen Ausflug nach München und Weikertshofen ins Revier. »Samstag fahre ich zurück, und ich bin jetzt schon froh, wenn ich denke, wie ich dann das nächste Kapitel anfangen will. Ich hoffe immer mehr, daß es mir gelingen soll, ein treues Bild von München zu geben. Es ist sonderbar, daß es nicht einen Münchner Roman gibt. Aber nach Erscheinen der Paula – den Titel ändere ich noch – gibt es einen. Soll das Buch ›Münchnerinen‹ heißen?«[22]

Das mit dem endgültigen Titel »Münchnerinen« benannte Fragment erreicht etwa ein Viertel der Druckfassung. Die meisten Namen bleiben. Nur der aufdringliche Vertreter aus Hof heißt noch Heinrich Fischer statt Fritz Laubmann. Diese Fassung setzt emphatisch und richtunggebend mit dem zum Titel gewordenen Stichwort ein: »Das war altes München. Eine Gasse, deren hochgiebelige Häuser mit Rokkokoornamenten und mit verblichenen Fresken verziert waren, Nischen in denen Heilige hinter Glas standen, zuweilen eine Mutter Gottes, vor der in rother Ampel ein ewiges Licht brannte. Jedes dritte Haus eine Wirtschaft, aus der säuerlicher Biergeruch herausströmte neben Bäckerläden und Käshandlungen einige Tändler, die ihren bunten Kram im Freien zur Schau stellten.«

7. »Münchnerinen«: die »tragische« Lösung

Dann aber geht dieser – sechste – Entwurf in die siebte und letzte handschriftliche Fassung (L 2387) über und setzt damit »Frau Flunger« und deren Exposition fort: Globergers Herkunft und Aufstiegsversuche einschließlich der schal gewordenen Ehe werden berichtet. Paula ist hier die »Tochter des Hutmachers Frühbeis« – ein Name, den in der Endfassung der urwüchsige Münchner Architekt bekommt, während Paulas Mädchenname »Schloderer« aus »Frau Flunger« aufgenommen wird. Gegenüber dieser Fassung werden aus den Situationen Maximen formuliert, wohl auch, weil die Episoden und Szenen ausgeformter und detailreicher geworden sind. Vor allem wird Globergers Schwäche ausgemalt; die Neigung zu angeberischen Monologen und die Unfähigkeit, sich zu entschließen, werden mehrfach inszeniert. In der – fragmentarischen – Fortsetzung nimmt der Erzähler gerade dies auf: Globerger ist zu feige, um Paula zur Rede zu stellen.

Diese ebenfalls mit »Münchnerinen« überschriebene Fassung geht über »Frau Flunger« hinaus: Der Entschluß zur Namenstagsfeier am Schliersee, die Bahnfahrt und die dabei gemachten Bekanntschaften, die Bootsfahrt zur Insel, die männlich-allzumännliche Tarockrunde und schließlich die Heimfahrt – das sind die Abschnitte, die Thoma in jenem Brief vom 7. September schon exponiert hatte.[23]

Im wesentlichen bleiben die Situationen und deren Reihenfolge in dieser Fassung gleich; Thoma schloß sie am 28. November 1919 ab und hielt dies auf der letzten Seite fest. Sie stimmt weitgehend mit der Druckfassung überein.[24] Die Dialogpartien – so die im Bahnabteil – werden weniger anzüglich, dafür hintergründiger und trauriger. Sie weisen auf die »tragische« Lösung hin, von der

der Autor dann nicht mehr wegkommen konnte. Auch das erste Gespräch zwischen dem Studenten (nicht mehr: Rechtspraktikanten) Franz und Paula wird nahezu doppelt so lang, intimer und naiver; auch dies stimmt die Exposition auf die traurige Lösung ein. Gelegentlich ersetzt Thoma die erlebte Rede durch kommentierendes Erzählen. Die Deutlichkeit, mit der Franzens Enttäuschung auf einen verräterischen Liebesbrief der ehemaligen Freundin bezogen wird, läßt an jenen Brief denken, mit dem Thomas Nebenbuhler Marions Untreue demonstrierte.[25] Das enttäuschende Ende der Landpartie bestätigt die frivole Skepsis der erfahrenen Frau Resi und läßt deren Seitensprung als beschlossen erkennen. Dies ist beiden Fassungen gemeinsam. Deren letzte ist auch hier an Einzelheiten reicher und verstärkt die indirekte Charakterisierung. »Den alten Plan mit Gift«, das heißt Paula einen Mordversuch an ihrem Mann machen zu lassen, hat der Autor aufgegeben und will ihn dem »leichtsinnigen Charakter« der Resi zuordnen[26] – wohl in der Fortsetzung, die Thoma am Tag vor dem Abschluß dieser Fassung ankündigte. Die Selbstsicherheit täuscht – vor allem den Autor: »Auf der Fahrt von M'chen hierher habe ich den Plan zur Fortführung meines Romans gefunden und ich glaube, ich hab es *sehr* gut gefunden. Paß mal auf, auch das wird gut, und was kommt wird noch besser. Eine Arbeitskraft ist in mir, wie noch gar nie. In diesem Jahre könnte ich ein paar Romane schreiben. Und es wächst und wird nicht leerer, sondern füllt sich mehr, je besser es hervorsprudelt. Ich armer, törichter Kerl, der so spät erst den Segen der Liebe erfährt.«[27]

Umarbeitung und Fortsetzung

Das am 28. November 1919 eigenhändig für abgeschlossen erklärte Manuskript scheint Thoma Maidi von Liebermann als Beweis dafür, daß sie seine Muse sei, die neben ihm sitze und »das ins Ohr flüstert«,[28] gegeben oder geschickt zu haben. Aber dies wie der ganze Roman reut ihn kurz darauf. Zunächst ist es die Mühe, ja der Zwang, die Geschichte angemessen fortzusetzen. Das Weiterfabulieren fällt mit einem Male schwer, und er sucht den Grund in der vermeintlich planlosen Schreibe wie in den trüben Zeitläufen. »Einen Roman wie diesen Münchner, einfach drauflos, mache ich sobald nicht mehr. Erfinden ›müssen‹ ist nicht nett. Erfundenes schildern ist behaglich. Aber umkehren gibt es eben nicht mehr nach 600 Seiten. Hü, rufe ich meinem Pegasus zu und hau' ihm eins über, daß er ausfeuert ... Ach, der dumme Krieg, der dumme Krieg. Ich hatte gestern wieder so Lust beim Heimgehen, ein paar Volksstücke zu versuchen, sodaß mich mein Roman gar nicht mehr freute.«[29]

»Das sogenannte künstlerische Gewissen«

Ob Thoma nun eine neue, maschinenschriftliche Fassung begann oder die Fortsetzung meint, ist ungewiß. Jedenfalls laufen die niederdrückenden Überlegungen auf den Entschluß hinaus, von vorn anzufangen. »Die letzten Tage« des Jahres 1919 »waren nicht sehr froh und erquicklich. Das sogenannte künstlerische Gewissen hat mich furchtbar geplagt. Ich wußte, daß mein Roman weder mehr gradlinig noch inhaltsvoll war, es waren verschiedene Knaxe darin. Und mich darüber wegtäuschen oder mich mit Halbheit trösten, bringe ich nicht fertig. Ich grübelte und grübelte, fings da an, fings dort an, heut Nacht oder heut früh um 6 war der Entschluß fertig. Nochmal anfangen. Es geht nichts anderes. Nur so erhalte ich die gerade Linie. Das sind halt so die Freuden des Schaffens aber wenn ich einmal nachgebe und etwas herauslasse, was mich nicht voll befriedigt, bin ich nicht mehr, was ich immer war. Das Manuskript, das Du hast, wird für Dich dadurch nicht entwertet. Das zweite kriegst Du ja auch, u. dann vergleiche und gib mal acht, wie es so viel freier wurde.«[30]

Die »Fortführung«

Ob damals auch die »Fortführung« (L 2389) überarbeitet wurde, ist ungewiß. Sie schließt mit derselben Seitenzahl an die letzte handschriftliche Fassung (L 2387) an.[31] Ihr über 70 Seiten langer Text ist vielfach gebessert, nicht alles ist Sofortkorrektur.

Der Inhalt sei hier zusammengefaßt:

Der »Kristallpalast«-Architekt Firnkäs ist kein »anerkannter amerikanischer Millionär«, sondern ein deutscher Hasardeur, der »gar nix amerikanisches anhat«. Das sollten die wachen Augen eines Schwabinger Modells erkennen. »Der Hut, der Anzug, d'Schuh .. nix is von drüben ... Sein Mantel tragt er scho fünf Jahr und der is von an Augsburger Schneider ..« Die Anfälligkeit für den »fremden haut goût«, die der »Urmünchner« Frühbeis bewiesen hatte, wird dem »münchner Spieß« zugeschrieben: »So schwerfällig die Herrschaften sind, für's G'sindel hamm sie doch ein merkwürdiges faible ..«

Firnkäsens Compagnon Frühbeis bringt die Handlung des zweiten Teils in Gang. Weil die Bodenverwertungsgesellschaft ihn so beansprucht, gibt er seine Jagd ab. Resis Gatte übernimmt sie. Die Schilderung, wie »Herr Schegerer« als »vierschrötiger Jägersmann« – »alles war ächt an ihm von unten bis oben zur grünen Hubertusmütze ... mit einer langen Fasanenfeder« – »durch die Kaufingerstraße« geht, blitzt von Spott über den frischgebackenen Nimrod, der freilich auch an Thoma (als Ehemann Marions) erinnert. Frau Resi, nun noch häufiger allein gelassen, »nützte die Freiheit, die ihr die Jagdausflüge ihres Mannes verschafften, gründlich aus. Es gab heitere Abende im Atelier des Malers Nottebohm, an den sich Otto immer mehr angeschlossen hatte und man traf dort angenehme Gesellschaft, lauter Künstler mit freien Ansichten und freien Damen ... Mit Paula hatte Resi nicht gebrochen, oder nicht eigentlich. Aber sie ging nicht mehr zu ihr.«

Paula, von Resi stehengelassen, geht ruhelos die Wege ab, die sie mit Franz gegangen war. Eine Szene erinnert an Ödön von Horváths (1931 uraufgeführte) »Geschichten aus dem Wiener Wald«: Paula betritt die Frauenkirche, in der sie gefirmt worden war, und läßt sich von Beichtenden zum Gang in den Beichtstuhl anregen. »Der Geistliche, ein alter Herr mit weißen Haaren ... schien gütig zu sein, aber als sie bekannt hatte, fand er nur harte Worte für das, was sie kaum als Schuld erkannte. Ihr Herz verschloß sich gegen diese Strenge, die keine Entschuldigung gelten ließ, die von ihrem Rechte nichts wissen wollte und als er verlangte, daß sie ihrem Manne ein offenes, reumüthiges Geständniß ablegen und erst dann wieder um Lossprechung von ihrer Sünde bitten sollte, ging sie ungerührt weg.«

Bei der Heimkehr bemerkt sie die Veränderung der Stimmung. Die Schwiegermutter hat Franzens offen liegenden Abschiedsbrief dem Sohn und Gatten übergeben und will ihn zu einer Konfrontation bewegen. Doch Benno Globerger weicht auch hier in Phrasen aus. »Zur Red stellen und schimpfen und wieder versöhnen ist nicht in meiner Natur gelegen. Verstanden? In dem Augenblick, wo ich in dieser betreffenden Sache das erste Wort spreche, will ich auch das letzte Wort sagen. Adiö, da ist die Thür. Das halbe hat in solchen Situationen keinen Zweck nicht. Ich weiß ganz genau, was ich will . .« Und er schließt, als die Mutter höhnend gegangen ist, wieder eine seiner Phantomreden an. Wie Henrik Ibsens Nora sucht Paula nun ziellos nach einer Existenz außerhalb ihrer Ehe, während ihr Mann erneut von der Bodenverwertungsgesellschaft gedrängt wird, die alte Sephie Hartwig zum Verkauf ihres Schwabinger Grundstücks zu bewegen.

Paulas weiteres Schicksal hatte Thoma auf früheren Textstufen angedeutet: Schon für »Die Murbeckin« (die dritte Textstufe) war das Motiv vorgesehen: »Die arme Paula wird bald ihren ersten Liebhaber verlieren. Ich kann ihr nicht helfen. Doch kriegt sie bald wieder einen Bimbiribim. Wahrscheinlich einen Heldendarsteller. Der Kerl muß posieren, selbst beim Bimbiribim.«[32] Ein Vierteljahr später, bei der Arbeit an der sechsten Stufe, die schon »Münchnerinen« heißt, wägt Thoma zwei Möglichkeiten ab: »Den Bruch mit Paula möchte ich gut durcharbeiten, er muß auf ihrer Seite echter Schmerz sein. Aber was dann? Ein paar Monate Strohwitwe, dann kriegt sie der Schauspieler. Schwierig aus dem gutmütigen Ding eine Giftmörderin zu machen. Ich weiß nicht, obs geht, oder ob eine andere Lösung nötig wird.«[33]

»Dann kriegt sie der Schauspieler.« Das hätte wohl Rolf, der »jüngere Mann von gutem Aussehen« vom Oktoberfest, sein sollen; »seine dunkeln Augen und das wellige, braune Haar konnten sicherlich Eindruck auf empfindsame Frauen machen«. Paula war von seinem gekonnt dargestellten Weltschmerz stärker gerührt, als sie zunächst wahrnahm.[34]

Die »Fortführung« nimmt also die beiden Haupthandlungen auf: die um die verlassene Paula Globerger und die um die Bodenverwertungsgesellschaft. Das hätte ein tragfähiges Geflecht ergeben. Man könnte die nicht weitergeführten Motive und verworfenen Stücke des ersten Teils und die Briefe daraufhin durchgehen, was zur Fortsetzung gepaßt hätte.

Abbruch und »neuer Lebensroman«: »Kaspar Lorinser«

Der Autor aber war am Ende. Noch am Silvestertag hoffte er auf einen baldigen Abschluß. »In der Umarbeitung des Romans schreite ich fort. Mir ist fast nicht mehr recht, daß Du das alte Manuskript hast. Ich kürze und ändere viel. Erst jetzt kann ich die Figuren natürlicher machen, weil ich sie jetzt kenne und erst richtig sehe. Aber froh bin ich, wenn ich dieses Buch weg habe. Es langweilt mich. Täglich beim Aufwachen quält mich der Gedanke, wie schön es trotz allem wäre, wenn der Krieg unser Land nicht zerstört hätte.«[35] Auch den Neujahrstag verbringt Thoma über dem Manuskript – in wachsendem Zwiespalt. »Ich habe schon viel korrigiert und neu gemacht – und jetzt brennts mir im Herzen daneben was ganz anderes anzufangen. Ich fühle, ich soll nicht bloß erzählen und fabulieren, ich muß den Menschen auch was geben, was ihnen das Leben erträglicher macht. Noch kann ich dies nicht so beschreiben. Es ist eine Gewalt in mir oder neben mir, die mich drängt. Laß das noch liegen und geh ans Bessere.«[36]

Tags darauf scheint der Knoten gelöst: Statt die »Münchnerinnen« umzuschreiben oder fortzusetzen, beginnt Thoma die letzte – fiktive – Autobiographie; die »54 Schreibmaschinenseiten« der Umarbeitung des München-Romans sind nicht erhalten. Der »neue Lebensroman ... heißt ›Kaspar Lorinser‹« und sollte Thomas »Grüner Heinrich« sein.[37] Der Name von Gottfried Kellers Alter ego wird übernommen und nimmt den Namen und die Figur des »Heinrich« auf, der zu dem Ambros Mehltretter in der »Murbeckin« und im »Ambros« Pate gestanden hatte – durch das Stenogramm verschlüsselt, aber mit Bleistift unterstrichen. Und er wird hier weiter entrückt, indem aus dem Vorbild »Heinrich« ein altbayerischer »Kaspar Lorinser« und ein Bauernbub werden soll. Anfang des Jahres hatte Thoma sich in den »Erinnerungen« von Förstern und Jägern hergeleitet.[38] Jetzt ist es die bäuerliche Welt, die die Erfüllung des Schreibens und der Liebe bringen soll: »Nach diesem Roman hat mein Herz seit 10 Jahren gesucht. Und hat ihn doch noch gefunden.«[39] Alles andere weicht davor zurück. »Das erste Kapitel ist gut. Ganz allgemein das Milieu. Das Dorf und seine Leute. Nun kommt die erste Zeit im Elternhaus. Bäuerlich. Wie weit bin ich in den paar Wochen von den Münchnerinnen weg.«[40]

Das Städtische beengt und bedrückt, das Bäuerliche soll befreien. Entsprechend stuft Thoma das Verhältnis von Gegenwart zu Vergangenheit ein und hat doch eine bessere Zukunft im Sinn. »Und gut deutsch soll das Buch werden, das verspreche ich mir. Aber auch altbayrisch. So mag es mir helfen, über diese Zeit weg zu kommen.« Das scheinen die »Münchnerinnen« nicht gekonnt zu haben. War nur »der dumme Krieg, der dumme Krieg« schuld, der »unser Land ... zerstört« hat?[41]

Der Roman und der Autor

Die Ende 1919 »in die Schublade«[42] gelegte Fassung des ersten Teiles schließt mit einer Szene, die des Lesers Mitleid erwecken kann – »die alleinige Quelle uneigennütziger Handlungen und deshalb die wahre Basis der Moralität« (nach jenem Schopenhauer-Exzerpt im Stadelheimer Tagebuch).[43] Paula Globerger, die der Erzähler als sympathische, zu Mitgefühl bewegende Frau geschildert hat, geht vom Monopteros (dem Tempelchen im Südteil des Englischen Gartens) durch den herbstlichen Park in die angrenzende Lerchenfeldstraße. Dort kommt es zu der Abschiedsrede, mit der Franz sich vor Paula rechtfertigt, indem er »einen Grund logisch aus dem andern entwickelte«.[44] Von so viel männlicher Herzlosigkeit verletzt, verläßt Paula das Zimmer, in dem sie mit Franz glücklich war. Franz konstatiert die Flucht befriedigt, ja spricht sich selbst von jeder Schuld los: »Er horchte und öffnete leise die Türe; sie war wirklich weggegangen. Auch gut. Oder nein, desto besser. Er stellte sich vor den Spiegel und runzelte die Stirne. Seine Augen zeigten einen tiefen Ernst. Es gibt Dinge, die man einfach durchfechten muß. Das Leben verlangt manchmal unbeugsame Härte, und ... außerdem, es war einfach nicht mehr möglich.«[45]

»Eine Verbindung, die ... einfach unerträglich wurde«
Diese Situation am Ende der »Münchnerinen« entspricht einer Lage, in die Thoma im Sommer 1901 selbst gekommen war. Er schildert sie in einem an Albert Langen, den im Pariser Exil lebenden Verleger des »Simplicissimus«, gerichteten Brief; seit dem März 1900 war Thoma einer der Redakteure. »München, den

4. Juli 1901. – Heute wende ich mich an Sie als Freund. Erschrecken Sie nicht, es sind keine Geldsachen. Ich bitte Sie um Ihren Beistand in einer recht ernsten Sache, die für mich *sans phrase* Existenzfrage geworden ist. Die alte Geschichte, deren Details ich ja nicht zu erzählen brauche, und über die ich schweigen muß. Eine Verbindung, die mich seit einem Jahr schon drückte, und die jetzt mit ihren Folgen einfach unerträglich wurde. Unerträglich; ohne Übertreibung. Ich wüßte nicht, was ich täte, wenn der unleidliche Zwang noch ein halbes Jahr mich quälte. Außerdem eine Gefahr, die mich täglich und stündlich bedroht. Es kann eine Dummheit passieren, die mich entweder ruinieren oder zeitlebens unglücklich machen müßte. Ich habe keine Anlage zum Brutalsein, und bringe es nicht über das Herz, jemandem weh zu tun. Aber dieses fortwährende Dulden einer Neigung, die ich nicht mehr erwidere, diese tausend Lügen, Vorwürfe, Tränen haben mich in einen Zustand versetzt, der keine Steigerung mehr erträgt ... Es gibt bloß ein Mittel und das ist Entfernung.«[46] Der andere Redakteur, Reinhold Geheeb, habe ihn, Thoma, in dem Vorhaben bestärkt – eine Art männlicher Solidarität, wie die Kollegen vom »Simplicissimus« sie wohl des öfteren nötig hatten. Auch der Zeichner Ferdinand von Reznicek hatte davon profitiert.[47] Und Geheeb, den Chefredakteur, sah Thoma in der gleichen Lage: »Hoffentlich hat Deine Kleine recht viel Vernunft; mein Fall wird ja bald, aber wie ich fürchte sehr schwierig erledigt werden. Ich bin momentan doch nichts Besseres als ein Lügner. Schwamm drüber!«[48] Dort wie hier wurden die Spuren verwischt, und wir sind auf Vermutungen angewiesen.

Die Wohnung in der Lerchenfeldstraße

Der Schluß der »Münchnerinen« gleicht jener »alten Geschichte, deren Details« man »ja nicht zu erzählen« brauche. Der Roman spielt von Sommer bis Spätherbst eines einzigen Jahres. Dieses kann durch den Plan zu einem »Kristallpalast«, das heißt zu dem 1897 vollendeten Deutschen Theater auf die Mitte der neunziger Jahre eingegrenzt werden. Doch läßt die Erwähnung des an der Lerchenfeld- und Prinzregentenstraße gelegenen neuen Nationalmuseums auch eine Erzählzeit zwischen 1894 und 1900 zu.[49]

Sie ist literarisierte, das heißt bei Thoma immer typische, nicht unbedingt natürliche Zeit. Der räumliche Hinweis dagegen ist eindeutig.

Thoma läßt seinen Roman da enden, wo er sein erstes Drama geschrieben hatte. Im Oktober 1899 war er in die Lerchenfeldstraße 5/II gezogen. Die Wohnung gehörte »einer sehr feschen Opernsängerin, die aber leider bis Mai abwesend sein wird«. Er sitze »in dem fidelsten Junggesellenzimmer der Stadt München und schreibe ... »Scherz à part, ich habe zwei ruhige, wirklich schön gelegene Zimmer am englischen Garten u. kann nach Herzenslust arbeiten und sinnieren.«[50] Er müsse jetzt sein »Lustspiel unbedingt fertig stellen«.[51]

Freiheit als Autor – Bindung als Liebhaber

Dieses Lustspiel heißt »Witwen« und wurde zu des Autors verständlichem Ärger weder von Albert Langen gedruckt noch von Jocza Savits, dem Regisseur am Münchner Hoftheater, angenommen.[52] Ob die »sehr fesche Opernsängerin« mit der jungen, hübschen und reichen »Witwe«, die der ebenfalls junge, aber wenig bemittelte Rechtsanwalt Dr. Hans Stein heiraten soll, etwas zu tun hat, ist ungewiß. Ebensowenig wissen wir den Namen der »G.«, das heißt jener »unerträglich« gewordenen »Verbindung«.[53] Was wir anhand jenes Briefes und des Romans feststellen können, sind größere und kleinere übereinstimmende Lebenslagen und Motive. Die wichtigste Situation führten wir mit dem Schluß des Romans schon an: jene »unerträglich« gewordene »Verbindung« vom Sommer 1901. Im einzelnen ist es die Art, wie deren Ende sich anbahnt und erlebt wird, daß der Mann die »Neigung« der Frau nicht mehr erwidert, sondern mit »tausend Lügen« sie hintergeht, was die Frau mit »Vorwürfen, Tränen« beantwortet. Thoma wie seine Romanfigur Franz meinen sich entscheiden zu müssen: entweder »mit klaren Augen ins Verderben gehen – oder abbrechen«; beide suchen die Trennung »ohne Eklat und Szene«, bevor sie in eine vorhersehbare und befürchtete Katastrophe geraten: »eine Gefahr, die mich täglich und stündlich bedroht. Es kann eine Dummheit passieren, die mich entweder ruinieren oder zeitlebens unglücklich machen müßte. ... Bei dem gegebenen Temperament wäre sonst das Schlimmste zu befürchten.«[54] Das ist auf die »Verbindung« von 1901 hin gesagt. Im Roman zieht Paula sich still leidend zurück; ob sie ein »gegebenes«, aber noch schlummerndes »Temperament« in der Fortsetzung hätte entfalten dürfen? Oder sollte ihre Passivität das »Temperament« der »Verbindung« im nachhinein beschwichtigen helfen?

Gerade jene Situationen gleichen sich in Leben und Roman, die die Angst vor einer Katastrophe vorstellen. Was Thoma im Sommer 1901 als »das Schlimmste« befürchtete, kann man nur ahnen. Im Roman knüpft er es an eine als peinlich und bedrohlich empfundene Szene: Paula und Franz müssen sich, als ihre Beziehung bereits brüchig geworden ist, in einen Hausflur flüchten, um Paulas Mann auszuweichen. »›Was hättst denn getan?‹ hatte Paula gefragt. ›Wenn mir jetzt so Arm in Arm grad an ihn hingrumpelt wär'n? Ich glaub, es hätt eine Rauferei geben …‹ ›Die hätt nicht lang dauert‹, hatte er geantwortet. ›Ja, aber ich! Was hätt denn ich tan? I hätt' ja gar nimmer heimgehen können …‹ Die paar Worte hatten ihm damals wie eine Warnung geklungen, hatten ihn auf eine große Gefahr hingewiesen. Etliche Stunden später hatte er sie wieder vergessen, aber er hatte doch über die Folgen nachgedacht. ›Aber ich? Was hätt' denn ich getan?‹ Nun fiel's ihm wieder ein und stand recht deutlich vor ihm. Hätte ihm nicht ein Zufall die schwerste Verantwortung aufbürden können?«[55] Durch diese Überlegung kommt Franz zu dem Entschluß, sich von Paula zu trennen; die Trennungsszene schließt unmittelbar an und beendigt den ersten Teil des Romans. Sie findet in Franzens Zimmer in der Lerchenfeldstraße statt; der Erzähler vergegenwärtigt sie mit Franzens posenhafter Rede, die den Brief Thomas an Langen abwandelt, ja gegen sie ausgetauscht werden könnte. Das Fazit stimmt beinahe wörtlich überein: »einfach unerträglich« (im Brief) – »einfach nicht mehr möglich« (so der letzte Satz des Romans).[56]

Die Jahrhundertwende als »Angelpunkt«[57]

Damit ist der Kreis geschlossen, und die Gleichsetzung des 1919 geschriebenen Liebesromans mit der »Weibergeschichte« von 1901 ist – soweit es die Handlung um Franz und Paula angeht – einleuchtend geworden. Ob die damals beteiligte Frau namens »G.« den Anlaß gab, aus der »Murbeckin« und der »Frau Flunger« eine »G.«, nämlich eine »Globerger« werden zu lassen? Von »Erinnerungen«, ja »bitteren Erinnerungen«[58] ist bei Paula um so öfter die Rede, je härter die Einsicht sich durchsetzt, daß das Ende bevorstehe – Paulas und Resis Einsicht in das männliche Verhalten: »Bei euch nimmt d' Lieb ab, und bei uns wachst s' ...«[59] »Aber dieses fortwährende Dulden einer Neigung, die ich nicht mehr erwidere«, hatte Thoma dem als Freund angesprochenen Verleger geschrieben – im Juli 1901. Im Herbst floh er aus München über Wien nach Berlin. Die Romanhandlung umfaßt nahezu die gleiche Zeit; sie dauert vom Juni bis zum Spätherbst desselben Jahres. Es dürfte, wie gesagt, ein Jahr um 1900 gemeint sein.

Dazu stimmt auch des Majors Prechtl Anspielung auf die fünfmalhunderttausend Mitmenschen[60]: München hatte zur Jahrhundertwende die Halbmillionengrenze erreicht.[61]

Auf die Jahrhundertwende also setzt Thoma die »Münchnerinnen« an. Sie sollten der eigentliche und erste München-Roman werden.[62] Das war – literarhistorisch gesehen – ein Irrtum; er hatte jedoch seinen Grund. Thoma schien vergessen zu haben, daß es an die hundert solcher Stadtgeschichten schon gab.[63] Gottfried Kellers »Grüner Heinrich« etwa (1845/55) handelt großenteils in München; in ihm hatte Thoma von früh an sein stilistisches Vorbild gesehen, und er hatte es erneut, ja feierlich zur Hand genommen, als er an den »Münchnerinnen« arbeitete. – Ob er Adolf Reischners (wohl Eugène Sues »Les Mystères de Paris«, 1842/43, nachgeschriebenen) Roman »Die Geheimnisse von München« (1875) gekannt hat, ist fraglich. Von Thomas Freund Ludwig Ganghofer kämen »Die Sünden der Väter« (1886) in Frage; doch Thomas Ganghofer-Lektüre war dürftig. Michael Georg Conrads Zola-Nachahmung »Was die Isar rauscht« (1888) dürfte er zur Kenntnis genommen haben; für Conrads Zeitschrift »Die Gesellschaft« hatte er Beiträge geschrieben und mit ihm Briefe gewechselt. Auch sein Jagdfreund Walther Ziersch hatte 1911 einen Roman mit Münchner Motiven und Milieu herausgebracht (»Du gehst einen schweren Weg«).

Das alles übergeht Thoma. Vielleicht darf man von einer schöpferischen Verdrängung sprechen. Thoma übt sie häufig. Unterstellt man sie hier, so hieße dies: Das München um 1900 ist für ihn ein Wendepunkt seines Lebens gewesen. Im Hinblick auf die

Biographie (endgültige Übersiedelung nach München im April 1897) und die Karriere als Autor (im März 1900 tritt er in die Redaktion des »Simplicissimus« ein) ist dies bekannt.[64] Der Komplex um den München-Roman weist auf eine zusätzliche, tiefere Schicht. In ihr liegen das Persönliche – das Erreichen der eigentlichen Lebensrichtung – und die Zugehörigkeit zur Epoche – konkretisiert in der Bewertung der Jahrhundertwende – eng beisammen, sind nicht mehr geschieden. Das ist freilich nur im Bild darzustellen. Thomas München-Roman ist ein solches. Er ist eine verschlüsselte Autobiographie und die Darstellung einer epochalen Wende.

Der Roman als Stadtgeschichte

Das »alte« München: »Kunst- und Residenzstadt« und »kleine Häuser«

Das München um die Jahrhundertwende ist der Ort und die Zeit, die der sechsten und vorletzten Textstufe (L 2390) den Rahmen deutlicher ziehen als den vorausgehenden Entwürfen. Sie trägt den endgültigen Titel »Münchnerinen« und setzt mit dem bündigen Hinweis ein: »Das war altes München.« Der Erzähler liebt die Vergangenheit, doch lenkt er rasch den Blick auf die Gegenwart: »... Aber gerade gegenüber der Kirche war so etwas, wie neues München.« Das »alte« und »neue« München – Thoma setzt dies nicht mit »gut« und »schlecht« in eins. Der Gegensatz ist allerdings zentral, und er zwingt den Autor zu »schruppen«. Der Anfang ist zügig geschrieben, jedoch die Erzählzeit wird hin und her gewendet. Auf den ersten Seiten stehen die Verben zuerst im Präteritum, dann werden sie ins Präsens versetzt und schließlich ins Präteritum rückverbessert. Die Zeit ist das Problem, und die erzählte Zeit wird über die Erzählzeit hinaus ausgeweitet.

Dem dient zum einen die Handlung um Sephie Hartwig, das »alte, guate Basl« des Benno Globerger, das »nette alte münchner Original«.[65] Ihr gehört jenes »Platzl« in Schwabing, auf dem die Bodenverwertungsgesellschaft das Zentrum des »projektierten Kristallpalastes« errichten will. Globerger soll die Greisin zum

Verkauf bewegen, und hierzu erläutert ihm der »Urmünchner« Frühbeis, Architekt im Dienste jener »Ässosieischn«, die Entscheidung für Schwabing: »I woaß scho: wenn ma Schwabing sagt, denkt ma an Schlawiner. Aber dös macht nix. Der haut goût, den dös Schlawiner-Zigeunermäßige hat, der derschreckt mi gar net. Im Gegenteil. Er paßt a bissel dazu.«[66] Deshalb stehe man vor folgendem Grundstücksbedarf: ... da is d' Leopoldstraß'n ... da drunt da große Wirt ... weiter herob'n ... da muaß des Zentrum von unserm Komplex hie ... da dehnen mir uns nach und nach aus bis zum Bach nunter; kommt de G'schicht in Flor, genga mir rüber auf de ander Seit'n ... Platz gibt's g'nua...«[67]

Das so angedeutete Areal gehört in der Tat zur Geschichte Münchens. Die Leopoldstraße war 1889 als Begradigung der alten »Schwabinger Landstraße« vom Siegestor bis zur Hohenzollernstraße angelegt worden, um die Stadt mit dem im Jahr darauf (1890) einzugemeindenden Schwabing zu verbinden. (Die bisherige Leopoldstraße wurde in Ohmstraße umbenannt.)[68] Ab 1910 hieß die Verlängerung nicht mehr Ingolstädter Straße, sondern ebenfalls Leopoldstraße. »Die große Straßenabzweigung aber nach Nord-Nord-Ost, beim einstigen ›Großen Wirt‹ ... erhielt 1899 den Namen Ungererstraße.«[69]

Tatsächlich stieß hier das alte und neue München kraß aufeinander. Die Schilderung aus der Perspektive Sephie Hartwigs trifft zu: »Da war vor kurzer Zeit noch ein Dorf mit kleinen Häusern und niedlichen Gärten davor gewesen. Nun waren die meisten verschwunden und hatten kahlen Miethäusern Platz gemacht ... Aber etliche Dorfhäuser waren erhalten geblieben, und eines der nettesten, das Hartwigsche, das mit einem stattlichen Vorgarten an der Kreuzung zweier neu angelegter Straßen lag, konnte die Aufmerksamkeit fortschrittlicher Bauschwindler in hohem Grade erregen. Und konnte die Freunde alter Behaglichkeit erfreuen.«[70]

Zu den letztgenannten gehörten die Zeichner und Redakteure des »Simplicissimus«. Sie pflegten sich im Wasserturm des Gohrenschlößchens zu versammeln, der zwischen dem Schwabinger Bach und der Keferstraße stand und den Olaf Gulbransson erworben hatte. Damals – nach 1900 – war Schwabing schon das Künstler- und Dichterviertel geworden. »Friedrich Huch, Will

Vesper, Roman Woerner, Rainer Maria Rilke, Bernhard Blecker u. a. haben in den ersten Jahrzehnten des 20. Jahrhunderts« in dieser und der angrenzenden Biedersteiner Straße gewohnt.[71]

Als der zwölfjährige »Student« Thoma nach München kam, 1879, war Schwabing zwar nicht mehr ein 500-Seelen-Dorf wie um 1800. Aber die Industrialisierung hatte das dörfliche Bild noch kaum verändert. Immerhin war »mit dem Ausbau des Hirschauer Eisenhammers von 1814 zur Maffeischen Maschinenfabrik ab 1837« die neue Zeit eingezogen.[72] Vielleicht sind aus Thomas erster Münchner Zeit zwei Gestalten in die »Münchnerinnen« eingegangen: Die eine könnte zu Sephie Hartwig Pate gestanden haben – die Frau Minna Ruppert nämlich, die Frau des Postassistenten Wilhelm Ruppert; bei ihnen – in der Frauenstraße 2 / III – wohnte Thoma, während er auf das Wilhelmsgymnasium ging. Von Minna Ruppert heißt es in den »Erinnerungen«, sie sei »heiter, wohlwollend und herzensgut« gewesen und habe ausgesehen »wie ein altes Münchner Bild, mit ihren in der Mitte gescheitelten Haaren, auf denen eine kleine Florhaube saß«.[73] Und der inaktivierte Hauptmann Peter Geißler, der die Wohnung teilte, könnte das Vorbild für den »pensionierten Major Prechtl« geworden sein, der »als knorriger Soldat bei den bedeutenden Männern ... wohl gelitten war« und gegen die »Redensarten« der Neuerer und Verschandelung des alten Münchens wettert.[74]

Für ihn wie Thoma war das »alte München« die von Max I. Joseph und dessen Nachfolgern Ludwig I. und Maximilian II. umgebaute Stadt.[75] Kunst und Wissenschaft wollten die bayerischen Könige hier fördern. »Ich will aus München eine Stadt machen die Teutschland so zur Ehre gereichen soll, daß keiner Teutschland kennt, wenn er nicht München gesehen hat.«[76]

Das klassizistische München löste mit Beginn des 19. Jahrhunderts das Barock und Rokoko ab. Zu ihm gehörte noch der Färbergraben, in dem das Haus der Globergers lag. Die Viertel um Frauenkirche und Marienplatz wie der ganze Kern der Stadt, der von den Mauern des 14. Jahrhunderts umschlossen war, wurde von den Neuerungen kaum berührt; er war auch durch die während des Dreißigjährigen Krieges errichteten Festungsanlagen, die erst ab 1791 niedergelegt wurden, nur wenig erweitert worden. Ludwig I. und Max II. nutzten das Gelände vor dem ehema-

ligen Glacis. Sie beschränkten sich jedoch nicht auf das Areal
zwischen Feldherrnhalle und Siegestor. Ludwig erweiterte die
Residenz um den »Königsbau« (1826–1835) und gab die Glyptothek (1816), die (Alte) Pinakothek (1825–1836) und das Herzog-
Max-Palais in Auftrag. Klenze, Gärtner, Ziebland und Ohlmüller
waren seine Baumeister. In der nach dem König benannten Lud-
wigstraße entstanden Kriegsministerium (1824–1830), Staatsbi-
bliothek (1832–1842), Universität (1835–1839) und Ludwigs-
kirche (1829–1844). Odeonsplatz (ab 1820), Feldherrnhalle
(1840–1844) und das Siegestor (1843–1852) kamen als südliche
und nördliche Einrahmung hinzu. Nach Westen öffnete sich (ab
1808) die Brienner Straße bis zum Obelisken auf dem Karolinen-
platz (1833). Nach Osten fügten Maximilianstraße (1853) und
Maximilianeum (1857) einen Zug ein.[77] »Ludwig I. und Max II.
haben Traditionen grundgelegt, die bis in das 20. Jahrhundert
weiterwirkten.«[78] Daß solche Bauten möglich waren, ohne die
Staatskasse zu ruinieren, daß sogar das Gewerbe und die Wirtschaft davon über Jahrzehnte profitierten, bestaunten schon die
Zeitgenossen.[79] Die 1826 von Landshut nach München verlegte
Universität, der Ausbau der Akademie der Wissenschaften und
die Gründung der (gesamtdeutschen) Historischen Kommission
unter Ranke und Sybel, die Berufung Geibels, Heyses und anderer »Nordlichter« – das machte München, neben Berlin, zu einem
der beiden kulturellen Zentren Deutschlands.

Es ist wichtig, dies im Auge zu behalten. Thoma läßt den Major
Prechtl ein Loblied auf Ludwig I. und die von den anderen bayerischen Königen begründete »Kunst«- und »Residenzstadt« singen. Die aber sei zum »Gaudiplatz« herabgekommen.[80] Das sind
auch die Ansichten des Autors selbst, die er schon im »März«
vertreten hatte.[81] In den »Münchnerinnen« wie im »März« griff er
die »Spekulation, die Gewinnsucht« und den »Bauschwindel« an,
deren »Erfolge« man »mit Zorn und Trauer« sehe. »Was haben die
Vandalen aus Schwabing gemacht?«[82]

Das »neue« München: der »projektierte Kristallpalast«

Der Übergang (in Thomas Augen: der Niedergang) des alten
München in eine auf Zugewinn und Konkurrenz abgestellte

Großstadt wird von Thoma auf eine nach dem alten Schwabing ausgreifende »Bodenverwertungsgesellschaft« und deren Projekt »Kristallpalast« versammelt. Das in den »Münchnerinnen« symbolisch werdende Projekt hat seinen Namen von jener Glas-Eisen-Konstruktion, die als »Glaspalast« für die deutsche Industrieausstellung 1854 im Alten Botanischen Garten von August von Voit in acht Monaten errichtet worden war – nach dem Vorbild des Londoner »Crystal Palace« und auf Wunsch Königs Max II., der englische Baukunst schätzte und sie auch auf seine Maximilianstraße übertrug. Warum greift Thoma auf den »Glas«- bzw. »Kristallpalast« zurück? Wahrscheinlich meinte er, daß dessen Schicksal auf das Projekt von 1895/96, das heißt auf das Deutsche Theater übergegangen sei. Die Ausstellung von 1854 war ein finanzieller Verlust, weil die Cholera ausbrach; dabei starben 3000 Menschen.[83] Seit 1889 stellte dort die »Münchner Künstlergenossenschaft« aus. Daß der »Glaspalast« – am 6. Juni 1931 – abbrannte, erlebte Thoma nicht mehr.[84]

Mit dem »projektierten Kristallpalast« meint Thoma also den skandalumwitterten Bau des Deutschen Theaters an der Schwanthalerstraße. Dort entstand 1895/96 ein großzügiges, ja luxuriöses Gebäude, das ein Zentrum der anspruchsvollen und nicht zuletzt der zeitgenössischen Bühnenkunst hätte werden und durch eine Ladenpassage hätte Gewinn abwerfen sollen. Alexander Bluhm und Joseph Rank waren die Architekten.[85] Emil Meßthaler, der aus Landshut an der Isar stammende junge Gründer des Volkstheaters, wollte das neue Unternehmen mit Max Halbes »Jugend« in eine zukunftsträchtige Richtung bringen. Aber der Naturalismus zog die Massen hier ebensowenig an wie im Volkstheater, wo Meßthaler mit Sudermanns »Ehre« und Ibsens »Volksfeind« erfolglos geblieben war. Die Eröffnung des Deutschen Theaters »kostete ihn den Rest seiner Mittel, und arm und umnachtet ist der sonderbare Mann, der sich als erster auch für Wedekind eingesetzt hatte, gestorben. Auch sein Nachfolger im Deutschen Theater, Emil Drach, vermochte mit Gerhart Hauptmanns ›Vor Sonnenaufgang‹ das Geschick nicht mehr zu wenden. Schon bald fand er sich mittellos und obdachlos auf der Straße. Seither ist das Haus eine weithin bekannte Varieté- und Revuebühne geblieben.«[86]

Während Thoma das »Projekt« moralisch kritisiert, hat Frank Wedekind, sein wenig geliebter »Simplicissimus«-Kollege, das finanzielle Debakel zum Anlaß genommen, in den 1900 veröffentlichten »Münchner Szenen. Nach dem Leben aufgezeichnet«, dem späteren Schauspiel »Der Marquis von Keith«, den modernen »Genußmenschen« zu verherrlichen. Eine »Schwindelaffäre gibt den äußeren Handlungsrahmen. Der hochstaplerische ›Glücksritter‹ Keith gewinnt einige Münchener Geldbürger für sein ›Feenpalast‹-Projekt; unter seiner Leitung soll eine der luxuriösesten und modernsten Kunststätten entstehen. Dank seinen gewandten Manipulierungskünsten gelingt es ihm, das Projekt hochzuspielen, sich selbst die führende Rolle und freie Verfügung über die eingebrachten Gelder zu sichern. Sein Glücksstern sinkt jedoch ebenso rasch wieder, als bekannt wird, daß Keith das Aktienkapital unbedenklich für seine ganz persönlichen Lebensgenüsse verwendet und auch vor Unterschriftenfälschung nicht zurückschreckt. Schließlich wird er aus der Kunstmetropole München ausgewiesen.«[87] Keith und der deutsch-amerikanische Architekt Firnkäs in den »Münchnerinnen« sind Hochstapler. Wedekind macht aus ihm den Menschen jenseits von Gut und Böse. Thoma wollte – in der Fragment gebliebenen Fortsetzung – Firnkäs als Schwindler entlarven lassen; auch hier dringt der Moralist durch.

Anhand dieses Stichworts sei angefügt, daß Thoma mit der Komödie »Moral« in jene Phase der Münchner Bühnengeschichte einging, die durch den Ausfall des Deutschen Theaters eingeleitet wurde: Um dem seriösen modernen Theater eine Stätte zu bieten, errichteten die Direktoren Cajetan Schmederer und J. Georg Stollberg im Jahre 1900 »auf einem geeigneten Gartenterrain als Rückgebäude nach den Plänen von Max Littmann und Richard Riemerschmied dem modernen Schauspiel ein Theater mit 727 Sitzplätzen. Klein und schlicht, ist es ein möglichst einfacher, mit billigen Mitteln hergestellter Raum von bürgerlichem, ansprechendem Äußeren.« So beurteilte ein Zeitgenosse diesen Bau – die heutigen »Kammerspiele«.[88] In dieser Gegengründung zum »Kristallpalast« (d. h. zum Deutschen Theater) fand die Münchner Uraufführung von Thomas »Moral« – unter eben jenen Direktoren – am 12. November 1908 statt.[89]

»Die Handlung fließt aus den geschilderten Charakteren«[90]

Den ersten Teil der »Münchnerinnen« schloß Thoma am 28. November 1919 ab.[91] Am Tag zuvor, auf der Fahrt von München nach Rottach, meinte er »den Plan zur Fortführung« des Romans gefunden zu haben, »und ich glaube, ich hab es *sehr* gut gefunden«.[92] So an Maidi von Liebermann.

Der Abstand von dem Ort, an dem der Roman spielte, schien den Überblick zu ermöglichen. Aber die Entfernung war nicht nur räumlich. Auch die Stimmung wich. »Bei meiner jetzigen Arbeit merke ich wieder wie fürchterlich und lähmend die Zeit auf uns liegt. Ich muß mich zwingen, die Frage zu unterdrücken: ›Wozu eigentlich?‹«[93] München und »die fürchterliche Zeit« der Nachkriegsjahre drückten ihn nieder. »In München leide ich darunter. Die gute, alte Stadt, Zeugin so vieler, unsinnig froher Stunden, Jugendeseleien, langsamen Aufsteigens, der Erfolge und der furchtbaren Dummheit von 1905, ist mir heute, wie sie jetzt ist, ein Grab. Nichts mehr vom Alten.«[94] Seinem »Pegasus« »haut« er »eins über«, »daß er ausfeuert«.[95] Das ist eines der Bilder dafür, daß der Roman ihn »ungeduldig« mache, ihn »gar nicht mehr« freue. Thoma schreibt dies der Zerstörung der »guten, alten Stadt« München zu und glaubt, an einem anderen Stoff zu gesunden.[96] »Neben Belletristik würde ich so gern ein wenig historisch drauflos arbeiten. Eine Lebensgeschichte des bayrischen Ministers Montgelas liegt mir lang schon im Kopf und Herz ... Das Bismarckdrama rumort mir auch im Herzen.«[97]

Eben jenes Drauflosarbeiten hielt er für den Grund, weshalb er den München-Roman nur mit Gewalt beendigen könnte. Doch hier muß man den Autor gegen sich selbst verteidigen – in Hinsicht auf das »Arbeiten« und auf das Thema dieses Romans. »Arbeiten« und »machen« heißt auf griechisch »poiein«. Die »Poetik« ist die Lehre von der Dichtung, das Wissen, wie ein Sprachwerk gemacht wird. Thoma hat, wir sagten es zu Beginn, kaum ein Werk mit so kundigen und hellsichtigen Äußerungen über das Verfahren begleitet wie diesen Roman. Einfach »drauflos« heißt also nicht, daß Thoma unbedacht und ohne poetologisches Überlegen geschrieben hätte. Aus seinen Briefen wie aus der Textgeschichte ist eine klare und folgerechte Poetik zu entnehmen.

Dazu zählt auch, daß Thoma bedeutende und lebenslang beibehaltene Vorbilder hatte und sie gerade dann zu Hilfe rief, wenn er seine schöpferische Stimmung fördern oder beibehalten wollte. Goethe, Keller, Fontane, Raabe, Storm, »die großen Russen« oder Dickens sind wohl die wichtigsten Namen.[98] Einige Monate, nachdem er die »Münchnerinnen« zurückgestellt hatte, berief er sich auf Shakespeare, von dem Georg Brandes meinte, er habe »sich nie damit geplagt, eine ›Handlung‹ zu erfinden, was nämlich die größte Schinderei ist … Kein einziges seiner Dramen ist von ihm ›erfunden‹. Sein ganzes wundervolles Genie richtete er auf Komponieren und Charakterisieren. Da strömte er freilich über von Fülle und Können.«[99] Thoma fühlte sich bestätigt: »Erfinden ›müssen‹ ist nicht nett. Erfundenes schildern ist behaglich.«[100] So hatte er nach dem Abschluß des ersten Teiles die Mühe des Weitermachens zu rechtfertigen und zu erklären gesucht. Das Erfundene wäre also etwas, das andere bereits gemacht haben – der historische Zusammenhang etwa, die Personen, die Umstände oder das Milieu. Als Dramatiker gibt Thoma den Personen und Charakteren den Vorrang – wohl auch unter dem Einfluß der naturalistischen Dichtung, die er als junger Rechtspraktikant in den Münchner Literaturstuben ebenso heftig gepriesen wie später – vor allem vor Maidi von Liebermann – geschmäht hatte.[101] Auch in den Romanen läßt er den jeweiligen Charakter entscheiden; mit ihm ändert sich die Handlung, und auf sie hin wird der Name der Person geändert. Das Drauflosschreiben hängt damit zusammen. Solange nicht ein festes Handlungsschema eingehalten werden muß, ist die Entwicklung offen und bleibt das Geschehen flüssig. Die Verfestigung bringt das Ende, den Abschluß, die Ablösung vom Autor. Die Trennungsangst deutet sich auch in der Magie an, die für Thoma von den Namen ausgeht; er sammelt sie sorgfältig, ordnet sie nach den Herkunftsorten und läßt im Oberland andere Namen zu als in der Dachauer Gegend oder im Fränkischen, in den Dörfern andere als in der Stadt. Der Schwebezustand, die scheinbare Unentschiedenheit, das Suchen nach neuen Personen, das Glück über deren Auftauchen gehen dem Erfordernis, zusammenzufassen und endgültig zu binden, voraus –

zeitlich wie im Rang. Um so schwieriger wird dann die Rückbindung der Personen an eine sich rundende Handlung, einen »mythos«, wie Aristoteles diese genannt hat. »Die Handlungen müssen den Ring schließen«, fordert Thoma für »die Ökonomie des Romanes«, und »dies alles zum bestimmten Zweck gebrauchen ist schwieriger und weniger amüsant als das unbekümmerte Drauflosschildern.« [102]

Realismus und Naturalismus

Daß Thoma gerade dies im München-Roman nicht zu gelingen schien, hängt nicht nur mit seiner Schaffensweise zusammen. Sie führte ja oft genug zu einem Erfolg. Die Ursache liegt nicht im Technischen, sondern im Grundsätzlichen, im Zeitbezug, der bei einem Zeitroman die Mitte bildet, auf die hin das »Komponieren und Charakterisieren« zu ordnen ist. »Ich fühle, ich soll nicht bloß erzählen und fabulieren, ich muß den Menschen auch was geben, was ihnen das Leben erträglicher macht.« [103]

Von daher gewinnt der Wunsch, ein Bismarck-Drama oder eine Montgelas-Biographie zu schreiben, seine Bedeutung: Historie oder historischer Stoff soll an die Stelle der erfundenen Liebes- und Stadtgeschichten treten. Oder wenn es schon Erdichtetes sein soll, dann wenigstens »ein paar Volksstücke«. [104] Den »Bruch« der Liebe zwischen Franz und Paula hatte er »gut durcharbeiten« wollen; »er muß auf ihrer Seite echter Schmerz sein. Aber was dann?« [105] Die Frage kann innerhalb der »Münchnerinnen« nicht beantwortet werden, und der Bruch in jener Liebe, die das Leben des Autors einst belastet hatte und nun in den Romanfiguren wiederkehrte, entspricht, mit einem Male erkennbar, der »fürchterlichen Zeit«. Am Ende der »Erinnerungen«, die Thoma im Jahr zuvor abgeschlossen hatte, war davon schon unmißverständlich und im Präsens die Rede gewesen: »Von dem Drucke, den ich wie alle nach dem Zusammenbruche des Vaterlandes auf mir lasten fühle, suchte ich und fand ich zeitweilige Befreiung in der Erinnerung an die Vergangenheit.« [106]

Die Bindung der Zeit an die Person gleicht der von Thoma geforderten Abhängigkeit der Handlung von den Charakteren. Zeit- und Charakterstruktur sollen sich entsprechen und in

Handlung und typischen Figuren als übereinstimmend erhellt werden. Das ist poetischer Realismus, und doch soll das naturalistische Übergewicht des Charakters über die Handlung die Lösung erbringen. Der Widerspruch der Stile, den Thoma in den anderen Romanen hatte auflösen können, ist wohl eine Ursache, weshalb die »Fortführung« unvollendet blieb. Die zweite berührt das Verhältnis von Dichtung zu Gegenwart und Zeit; nie kann das Kunstwerk unmittelbar sagen, was jetzt zu tun sei. Insofern ist das Fragment ehrlicher als eine Lösung, die das Problem verdeckt.

Selbstbewahrung als Schuld und Recht

Eine dritte, die Person des Autors betreffende Ursache hängt mit jenem naturalistischen Prinzip zusammen: »Die Handlung fließt aus den geschilderten Charakteren…« [107] Bezieht man dies auf die Weise, wie der Roman aus der Person und dem Charakter des Autors entstehe und werde, so muß dessen Struktur in dem Roman zutage treten. Wir wendeten diese Maxime schon an, als wir die zwei Frauenfiguren Paula Globerger und jene »unerträglich« gewordene »Verbindung« namens »G.« dem Duo Franz von Riggauer – Ludwig Thoma (im Sommer 1901) gegenüberstellten. Wir wissen nicht, ob Thoma das weitere Schicksal der »G.« kannte, sie aus den Augen verlor, oder ob sie irgendwie zu dem Motiv »Giftmord« Veranlassung gegeben habe. Wenn unsere Parallele stimmt, dann wären die »Verbindung« mit »G.«, die Trennung, die den »unleidlichen Zwang« beenden sollte, [108] und die dennoch empfundene Schuld (»Ich bin momentan doch nichts Besseres als ein Lügner. Schwamm drüber!« [109]) eine hinreichende psychologische Erklärung dafür, daß der eigene Charakter und die daraus geflossene Biographie nicht die Lösung der Liebesgeschichte vorbilden konnten. Die Lösung zu erfinden schien nicht möglich – vielleicht, weil die Schuld wieder gefühlt und ein wesentlicher Antrieb für den Roman überhaupt gewesen sein mochte. Auch die neue Liebe zu Maidi von Liebermann, die ein Jahr vor Beginn der Niederschrift der »Münchnerinnen« eingesetzt hatte, konnte hier nicht helfen. Zwar empfand Thoma sie als die Quelle seiner Schaffenskraft. Aber gerade aus dieser von ihm bereitwillig, genießerisch, ja pathetisch ausgesprochenen Abhängigkeit heraus blieb seine Beziehung zu der Geliebten nicht ohne Auswirkung auf die praktische Arbeit. Zum einen im unmittelbaren Sinn: Die Unmöglichkeit, die Geliebte ganz für sich zu gewinnen, belastete ihn. Zum andern besorgte ihn, ohne daß der Name ausgesprochen worden wäre, die Eheschwierigkeiten mit Marion könnten sich wiederholen: »Ich bin kein Pedant, der Dir Vergnügen mißgönnt – aber mir erlaube ich nicht mehr, über inhaltlosen Vergnügungen mein Werk zu versäumen.« Damit sucht Thoma vor Maidi von Liebermann seine Lebensführung, seinen »Beruf«, zu rechtfertigen – wie einst vor Marion.

Und schließlich – und möglicherweise entscheidend – dürfte die Bewahrung der »eigenen, selbstgeschaffenen Welt«[110] – so in dem genannten Brief an die Altersgeliebte – jene Konstellation erneuert haben, die ihm im Sommer 1901 »unerträglich« geworden war. Von allen uns bekannten Beziehungen zu Frauen scheint sie am ehesten »*sans phrase* Existenzfrage«[111] gewesen zu sein. »Existenz« aber waren hier das eben materiell sicher werdende Leben und die anhebende Karriere als Autor. Daß es damals nicht gelungen war, beides mit einer Liebe zu verbinden, daß Thoma jene Frau seiner Selbsterhaltung opferte oder opfern mußte, dies scheint als Schuld empfunden worden und ungesühnt geblieben zu sein. Der Versuch, in der Zeit einer neuen und letzten Liebe wenigstens eine fiktionale Lösung oder gar Sühne zu formulieren und damit die Geister von damals gleichsam in eine Romanhandlung zu bannen, konnte nicht gelingen. Die Handlung floß in der Tat aus dem Charakter, und ein offenes Gespräch mit der Geliebten im Jahre 1919 und 1920 hätte ein Schuldbekenntnis werden können. Dem stand entgegen, daß Thoma wohl fürchtete, die Wahrheit könne die nun umworbene Frau abschrecken. Deshalb vermied er es, auch nur den Namen Marions oder gar der »G.« auszusprechen, denn schon die Nennung hätte der Anfang einer Entwicklung werden können, die ihm vielleicht aus der Hand geglitten wäre – wie er es mit seinen Romanfiguren erlebt hatte: »Sie gehören einem plötzlich nicht mehr; man hat sie aus dem eigenen Sinne geboren, und lösen sie sich erst einmal von der Phantasie los, dann treten sie uns selbständig gegenüber, schreiben uns Gesetze vor und zwingen uns ihre Geschehnisse auf.«[112]

So erklärte Thoma, als er mit den »Münchnerinnen« begonnen hatte, der neu gewonnenen Geliebten das Problem, das aus der Vorherrschaft »geschilderter Charaktere« über die Handlung erwachse.

Darüber ist nicht zu richten, nicht nur aus Dezenz, sondern auch aus sachlichem Grund. Jetzt wie damals mit Marion oder der »G.« war es für Thoma *sans phrase* eine »Existenzfrage«, so zu handeln, das heißt sich als Autor vor der letzten Unmittelbarkeit und Bindung durch Verdrängung zu schützen. Wenn dies der Preis für das Überleben ist, steht der Mensch außerhalb von Schuld und Sühne und ist auf seine bloße Existenz zurückgeworfen. Die Verdrängung aber ist bei Thoma auch hier schöpferisch geworden: So wie aus dem Charakter (des Autors) die Handlung (des Romans) fließen soll, so kehrt das Schicksal des Autors in der Romanfigur wieder. Wir meinen nicht nur Franz, sondern auch Paula – in jener ergreifenden und überzeugenden Szene der »Fortführung«, da Paula in der Frauenkirche als der Stätte ihrer Kinderfrömmigkeit beichten will. Der Priester kann sie nicht lossprechen, weil sie das, was er Sünde nennen muß, »kaum als Schuld erkannte«, vielmehr als »ihr Recht« behauptete. Das ist eine Position, die allenfalls zu beschreiben, aber mit den gewohnten Maßstäben nicht mehr zu bewerten ist. Die Fragment bleibende Schilderung ist nicht unumgänglich, aber ihr angemessen.

Die »Münchnerinnen« sind 1922, nach Ludwig Thomas Tod, in der ersten Sammelausgabe seiner Werke erschienen. Der Erstdruck stimmt mit der siebten handschriftlichen Textstufe (L 2387) praktisch überein. Diese umfaßt 572 Seiten und ist am Ende auf den 28. November 1919 eigenhändig datiert.[113] Die Kapitel sind nicht gezählt, sondern durch Initialen gekennzeichnet. Der Erstdruck ersetzt dies durch drei Sternchen zwischen den Absätzen. Was in der Handschrift gestrichen ist, fehlt im Druck, der andererseits die Änderungen enthält. Daher kann der Erstdruck als autorisiert gelten.

Die Satzvorlage ist deshalb: Ludwig Thoma, Gesammelte Werke. Siebenter Band: Erzählendes aus dem Nachlaß und ausgewählte Aufsätze. München: Albert Langen 1922, S. 7–194. Offenkundige Fehler wurden berichtigt, die Rechtschreibung wurde vereinzelt auf den heutigen Gebrauch umgestellt.

Die »Fortführung« (L 2389) konzipierte Thoma am 27. November 1919 auf der Fahrt von München nach Rottach[114] und schloß sie zeitlich und in der Seitenzählung (S. 572–645) an die genannte siebte Textstufe an,[115] die er Ende 1919 Maidi von Liebermann schenkte. Es dürfte der im Nachlaß erhaltene Pergamentband mit der vorgebundenen Farbstiftzeichnung von Wilhelm Schulz gewesen sein (L 2387).[116] – Die Handschrift schien entbehrlich, weil Thoma eine Abschrift mit der Maschine gefertigt hatte. Am 14. November 1919 war sie schon rund 250 Seiten stark.[117] Sie sind – wie die im November 1919 begonnene achte Fassung – nicht erhalten; diese wurde am 1. oder 2. Januar 1920 abgebrochen: »Im übrigen habe ich in der Umarbeitung schon 54 Schreibmaschinenseiten neu geschrieben. Jetzt lege ich es in die Schublade. Heb aber das Manuskript gut auf. Es ist später für Dich ein Andenken.«[118]

Alle im Nachlaß erhaltenen Entwürfe und ein bisher ungedruckter Brief wurden hier für die Textgeschichte und die Deutung zum ersten Male ausgewertet. Für die Druckerlaubnis sei dem Leiter der Monacensia-Abteilung der Münchner Stadtbibliothek, Herrn Dr. Fritz Fenzl, aufrichtig gedankt.

Anmerkungen

1 An Maidi von Liebermann, 10.11.1919. In: Ludwig Thoma. Ein Leben in Briefen (1875–1921). Hrsg. von Anton Keller. München: R. Piper Verlag 1963 (LB), S. 401.

2 LB 380. – In der in Anm. 1 genannten verdienstvollen Ausgabe findet sich bereits unter dem 7.8.1919 (S. 377) eine Erwähnung des »Romans« von der »armen Paula«. Franz Reinhardt, aus dessen Zulassungsarbeit ich Gewinn zog, erkannte, daß dieser Brief wegen der Nachrichten über eine spätere Textstufe und die Operation Georg Queris, die im November 1919 war, am 7.11.1919 geschrieben sein muß und S. 400 einzuordnen ist.

3 An Maidi von Liebermann, 13.8.1919. LB 380.

4 ebd.

5 Vgl. Andreas Schmeller, Bayerisches Wörterbuch. Neudruck der Ausgabe von 1872. Aalen 1966. Bd. 1, Sp. 879: »über Hals und Kopf; schnell, flüchtig«. – Thoma gebraucht auch die abgewandelte Form »giggetegaggete« in der gleichen Bedeutung. An Maidi von Liebermann, 19.6.1920. LB 427.

6 An Maidi von Liebermann, 14.8.1919. LB 380f.

7 An Maidi von Liebermann, 15.8.1919. LB 381.

8 An Maidi von Liebermann, 17.8.1919. LB 382.

9 Vgl. hier S. 85f.

10 An Maidi von Liebermann, 2.1.1920. LB 410.

11 Ludwig Thoma, Gesammelte Werke. In sechs Bänden. Erweiterte Neuausgabe. Bd. 1–6. München: R. Piper Verlag 1968 (GW), Bd. V, S. 23.

12 25.8.1919. LB 382.

13 25.8.1919. LB 383.

14 LB 387.

15 7.9.1919. LB 387.

16 GW I, 322.

17 An Maidi von Liebermann, 14.8.1919. LB 381.

18 An Maidi von Liebermann, 7.9.1919. LB 387.

19 ebd.

20 An Maidi von Liebermann, 29.8.1919. LB 385.

21 An Maidi von Liebermann, 9.9.1919. LB 389.

22 An Maidi von Liebermann, 22.10.1919. LB 397.

23 LB 387.

24 Ludwig Thoma zum 100. Geburtstag. Hrsg. von der Stadtbibliothek München. Für die Herausgabe verantwortlich: Richard Lemp. München 1967 (Fs), S. 36: 1 Ganzpergamentband von 572 Seiten Handschrift. Als Titelbild hat sie eine Farbstiftzeichnung von Wilhelm Schulz, der auch die »Heilige Nacht« illustrierte.

25 Vgl. den – ungedruckten – Brief Thomas an Ludwig Ganghofer vom
   19.8.1910 (Thoma-Nachlaß 3798/75):
   »Mein lieber Ludwig
   Ich komme zu dir in der drückendsten Sache, die meinem Leben
   widerfahren ist. Ein junger Bursche, Namens U. Engelhardt, Sohn
   einer Gräfin Fugger, hat in einem Briefe an sein Verhältnis, die
   Schauspielerin Breda, behauptet, daß er mit Marion sie, also mich
   betrogen hat. Der Brief existiert, ich kann ihn nicht aus der Welt
   schaffen. Ich bitte Dich um Hilfe und Rath. Marion sagt, daß es
   gelogen sei ...« Für den Hinweis danke ich Gertrud Rösch.
26 An Maidi von Liebermann, 14.11.1919. LB 403.
27 An Maidi von Liebermann, 27.11.1919. LB 404.
28 An Maidi von Liebermann, 10.11.1919. LB 401.
29 An Maidi von Liebermann, 30.11. und 3.12.1919. LB 405 und 406.
30 An Maidi von Liebermann, 27.12.1919. LB 406f.
31 Vgl. Fs 37.
32 An Maidi von Liebermann, 7.8.1919. LB 377.
33 An Maidi von Liebermann, 8.11.1919. LB 400.
34 Vgl. hier S. 109.
35 An Maidi von Liebermann, 31.12.1919. LB 407.
36 An Maidi von Liebermann, 1.1.1920. LB 409.
37 An Maidi von Liebermann, 2.1.1920, und an Josef Hofmiller,
   2.1.1920. LB 410 und 409.
38 Vgl. das Nachwort zu: Ludwig Thoma, Der Wilderer und andere
   Jägergeschichten. München: R. Piper Verlag 1984 (SP 321), S. 87ff.
39 An Maidi von Liebermann, 2.1.1920. LB 410.
40 An Maidi von Liebermann, 11.1.1920. LB 411.
41 An Maidi von Liebermann, 2.1.1920 und 3.12.1919. LB 410 und
   406.
42 An Maidi von Liebermann, 2.1.1920. LB 410.
43 GW I, 320.
44 Vgl. hier S. 167.
45 Vgl. hier S. 168.
46 München, 4.7.1901. LB 82f.
47 Vgl. Ludwig Thoma an Albert Langen, 23.8.1900. LB 60.
48 An Reinhold Geheeb, 30.8.1901. LB 87. – Auf eine »Verbindung«
   weisen auch folgende Briefstellen: »Ein bissel angebrannt bin ich
   schon.« (An Ricca Lang, 2.12.1899. LB 34). – »Von nun an bis zu
   meiner Verlobung hoffe ich nie mehr so viel zu schreiben.« (An
   Albert Langen, 19.4.1900. LB 40). – »In ca. ¼–1 Jahr werde ich
   Oberwasser haben. Es läßt sich halt nicht zwingen; höchstens durch
   eine Heirat. Ich lasse mich aber lieber ledig pfänden, als verheiratet
   im Fett schmoren.« (An Ricca Lang, 5.2.1903. LB 142).
49 Vgl. hier S. 162: »Als sie [Paula] zum Nationalmuseum kam ...« Es

wurde 1900 eröffnet; vielleicht deuten die »paar Arbeiter« noch auf die Bauzeit.

50 An Ricca Lang, Oktober 1899. LB 32. – Thoma schildert diese Zeit in den »Erinnerungen«, GW I, 177 ff.

51 LB 33. Richard Lemp ermittelte anhand des Adreßbuches, daß Thoma nicht Untermieter, sondern Wohnungsinhaber gewesen sei.

52 Es ist erst – in der Bearbeitung von Georg Lohmeier – am 5.8.1958 im Münchner Residenztheater aufgeführt worden. Vgl. Ludwig Thoma, Theater. Sämtliche Bühnenstücke. Mit einem Nachwort von Hans-Reinhard Müller. München: R. Piper Verlag 1964, S. 658.

53 Die Initiale »G.« hat Richard Lemp ermittelt.

54 LB 82 f.

55 Vgl. hier S. 158.

56 Vgl. hier S. 168 und LB 82.

57 Thoma gebraucht das Wort im Hinblick auf ein neues, weniger »im Reich der Phantasie herumschweifendes« Verfahren bei der weiteren Niederschrift seines Romans. LB 402.

58 Vgl. hier S. 160.

59 Vgl. hier S. 115 und 114.

60 Vgl. hier S. 150.

61 Vgl. Bayerisches Städtebuch, Teil 2. Hrsg. von Erich Keyser und Heinz Stoob. Stuttgart 1974, S. 403.

62 Vgl. die schon angeführte Äußerung zu Maidi von Liebermann, LB 397.

63 Vgl. Koschs Literaturlexikon, 2. Aufl., Bd. 3. Bern/München 1956, Sp. 1810–1815.

64 Vgl. Das große Ludwig Thoma Buch. Hrsg. von Richard Lemp. München: R. Piper Verlag 1974, S. 384.

65 Vgl. hier S. 138.

66 Vgl. hier S. 137.

67 Vgl. hier S. 137 f.

68 Vgl. Theodor Dombart, Schwabing. Münchens älteste und schönste Tochter. München 1967, S. 145.

69 Dombart, S. 147 f.

70 Vgl. hier S. 95 f.

71 Dombart, S. 171. S. 140 ist der Wasserturm abgebildet, ebenso in: München. 1870–1910. Einführung von Michael Schattenhofer. Bildlegenden von Erwin Münz. München 1980, letzte Abbildung: Photo aus dem Jahre 1906. – Dieser Band bietet eine vorzügliche Anschauung zu dem München, das Thoma zum Ort seines Romans machte.

72 Dombart, S. 97.

73 GW I, 100.

74 Vgl. hier S. 149 f. und 152. – In den »Erinnerungen« sind Peter Geißler und Wilhelm Ruppert die Onkel »Wilhelm« und »Joseph«. Vgl. Das Große Ludwig Thoma Buch, S. 382.

75 Walther Ziersch schildert in seinem 1936 veröffentlichten Buch Thomas Schul- und Universitätszeit in München; er beruft sich auf mündliche Erzählungen Thomas und belegt auch da nicht, wo es (anhand von Thomas »Erinnerungen«) möglich gewesen wäre. Vgl. Walther Ziersch, Ludwig Thoma und die Münchner Stadt. Gauting 1936, S. 29 ff.

76 Angeführt nach Benno Hubensteiner, Bayerische Geschichte. 5. Aufl. München 1967, S. 299.

77 Vgl. Joseph Wiedenhofer, Die bauliche Entwicklung Münchens vom Mittelalter bis in die neueste Zeit. Diss. TH München 1916, S. 97 und 80. – Bayerisches Städtebuch, Teil 2, S. 424. – Die Angaben zu den Bauten nach: Bayern. Baudenkmäler. Hrsg. von Karl Bosl. 2. Aufl. Stuttgart 1974, S. 481–484. Ferner nach: Alexander von Reitzenstein und Herbert Brunner, Bayern. Baudenkmäler. 7. Aufl. Stuttgart 1970, S. 590–598.

78 Karl Bosl, München. Bürgerstadt – Residenz – heimliche Hauptstadt Deutschlands. Stuttgart 1971, S. 96.

79 Vgl. Max Spindler, Dreimal München. König Ludwig als Bauherr. München 1958, S. 43–48.

80 GW VI, 488 f. Vgl. hier S. 153.

81 Vgl. seinen Aufsatz »Die Fremdenstadt«. In: März, 5. Jg., 1911, 1. Bd., S. 40 f. – Auch in GW I, 539–541.

82 GW I, 541.

83 Es war nicht die letzte Epidemie. 1873 tötete die Cholera noch einmal 1460 Menschen. Erst die von Max von Pettenkofer verlangte Sanierung des Münchner Bodens wehrte den Seuchen. Bis zur Eröffnung des Zentralschlachthauses im Jahre 1878 ließen 800 über die ganze Stadt verteilte Schlachtstätten ihre Abwässer in Versitzgruben. Die »Ausdehnung der Kanalisation, Dichtmachung der Senkgruben, Bau einer einwandfreien, vom Gebirge hergeführten Wasserleitung, fertiggestellt 1890 (Erinnerungsdenkmal der von Adolf v. Hildebrand entworfene ›Wittelsbacher Brunnen‹, 1895) machten München zur seuchenfreien Stadt.« – Auch das gehört an den Übergang vom alten zum neuen München. – Vgl. Bayerisches Städtebuch, Teil 2, S. 398. – Vgl. Franz Paul Zauner, München in Kunst und Geschichte. München 1914, S. 53 f.

84 Vgl. Max Megele, Baugeschichtlicher Atlas der Landeshauptstadt München. Bd. 1, München 1951, S. 34.

85 Zauner, S. 62. – Megele, S. 120, nennt als zweiten Architekten Karl Stöhr.

86 Paul Alverdes, Begegnung mit dem Theater. In: Lebendiges München, hrsg. von Rolf Flügel. München 1958, S. 154f.

87 Ulrich Hubert, in: KLL VII, 6057.

88 Zauner, S. 312. – Schmederer war »Mitbesitzer der Zacherl-Brauerei« und »wurde als erster der reichen Münchener Brauer der modernen Kunst ein freizügiger Mäzen«. Vgl. Gerdi Huber, Das klassische Schwabing. München als Zentrum der intellektuellen Zeit- und Gesellschaftskritik an der Wende des 19. zum 20. Jahrhundert. München 1973, S. 125, vgl. auch S. 124–127 und 156. Zu den Kunstausstellungen im Glaspalast vgl. auch S. 33 f.

89 Vgl. die Neuausgabe der »Moral« in der Serie Piper, Nr. 297, München 1983, S. 5.

90 An Maidi von Liebermann, 9. 9. 1919. LB 389.

91 Fs 36.

92 27. 11. 1919. LB 404.

93 An Maidi von Liebermann, 15. 8. 1919. LB 381.

94 An Maidi von Liebermann, 29. 11. 1919. LB 404.

95 An Maidi von Liebermann, 30. 11. 1919. LB 405.

96 LB 404–406.

97 LB 405.

98 Vgl. LB 390, 411, 460, 411, 428.

99 An Maidi von Liebermann, 1. 7. 1920. LB 428.

100 LB 405.

101 GW I, 154, und LB 376, 457 u. ö.

102 An Maidi von Liebermann, 11. 11. 1919. LB 402.

103 An Maidi von Liebermann, 1. 1. 1920. LB 409.

104 An Maidi von Liebermann, 3. 12. 1919. LB 406.

105 An Maidi von Liebermann, 8. 11. 1919. LB 400.

106 GW I, 230.

107 LB 389.

108 LB 82.

109 An Reinhold Geheeb, 30. 8. 1901. LB 87.

110 An Maidi von Liebermann, 11. 2. 1921. LB 444; vgl. 447.

111 LB 82.

112 An Maidi von Liebermann, 8. 9. 1919. LB 388.

113 Fs 35–37.

114 LB 404ff.; vgl. hier S. 197.

115 Fs 37.

116 Fs 36.

117 LB 403.

118 An Maidi von Liebermann, 2. 1. 1920. LB 410; vgl. LB 407.